LE JARDIN E

CHARLES TRENET

Le Jardin extraordinaire

Édition établie par Pierre Saka

LE LIVRE DE POCHE

DE CETTE ÉDITION
IL A ÉTÉ IMPRIMÉ
500 EXEMPLAIRES
NUMÉROTÉS DE
1 À 500
SUR VÉLIN
MONT DE LANS

« Trenet fait de la nostalgie avec du présent. »
Louise de Vilmorin

Introduction

Le Livre de Poche présente tous les textes des chansons dont Charles Trenet est l'auteur. Certaines dont il a écrit la musique sur des poèmes ou des paroles de Paul Verlaine, Arthur Rimbaud, Albert Bauzil, Francis Blanche, Gaston Bonheur, etc., ne figurent pas dans ce recueil.

Les débuts (1932-1935)

Dès l'âge de trois ans, le petit Charles Trenet invente des musiques et y ajoute des paroles. Ce don unique ne le quittera jamais.

Il est né le 18 mai 1913 à Narbonne. A vingt ans il est admis à la Société des auteurs (SACEM) après un brillant examen de passage au 10 de la rue Chaptal !

Il rencontre Johnny Hess au *College-Inn*, petit cabaret de la rue Vavin, véritable tremplin des futures vedettes. C'est le départ d'un nouveau numéro de duettistes : « Charles et Johnny » qui s'imposent rapidement et enregistrent avec succès toute une série de disques chez Columbia.

Le Fou Chantant (1936-1939)

Mais le numéro de duettistes est de courte durée. Johnny Hess qui est suisse part au service militaire. Charles décide alors de continuer seul. Sa rencontre avec Raoul Breton est déterminante. Ce dernier devient son éditeur exclusif et son conseiller... on dirait aujourd'hui son « coach ». Et c'est l'explosion ! Et la naissance du « Fou Chantant » avec une première apparition très remarquée, en mars 1938, sur la scène de l'A.B.C. Music-Hall (l'équivalent de l'Olympia d'aujourd'hui).

Ses chansons ont tellement de succès que des vedettes confirmées comme Jean Sablon, Tino Rossi, Léo Marjane et surtout Maurice Chevalier mettent à leur répertoire : *Vous qui passez sans me voir, Sérénade portugaise, La valse à tout le monde* et *Y'a de la joie*.

Et pour couronner le tout, Charles Trenet fait ses débuts au cinéma et tourne deux films : *La Route enchantée* et *Je chante*.

La guerre, l'occupation (1940-1945)

La terrible épreuve qui bouleverse la France en 1940 ne diminue pas la verve et l'enthousiasme de Charles Trenet. Après son service militaire, effectué juste avant l'arrivée des troupes allemandes à Paris, il continue de composer de plus belle, d'enregistrer de nouvelles chansons et de paraître sur scène. Il chante de plus en plus swing, un rythme de musique américaine inédit à l'époque. En pleine occupation, c'était dangereux. Trenet va plus loin : il enregistre ses nouvelles chansons *Verlaine, Terre*, accompagné par le *Jazz de Paris*, à la tête duquel on relève les noms de prestigieux musiciens : Léo Chauliac, Philippe Brun, Alix Combelle et Huberg Rostaing.

Il est suivi par une jeunesse de plus en plus enthousiaste. Maîtrisant tous les genres, le swing ou le musette, la chanson parodique ou tendre, Charles Trenet va signer un nombre impressionnant de « tubes » dont le plus célèbre, *La mer,* terminera la série en 1945.

Le monde entier (1946-1959)

Après la guerre, les chansons de Charles Trenet font le tour du monde dans le sillage de *La mer.* Sa production est aussi riche et toujours de qualité. D'autres grands interprètes le chanteront... Yves Montand *(Une noix),* Juliette Gréco *(Coin de rue),* Jacqueline François *(L'âme des poètes, Avril à Paris),* les Compagnons de la Chanson *(La chanson de l'ours, Mes jeunes années),* Luis Mariano et Tino Rossi *(Rêve espagnol* et *Rêve d'Ajaccio).* Charles Trenet voyagera beaucoup et rapportera de nombreuses chansons inspirées par les pays qu'il a traversés. Son style va mûrir, mais sa fantaisie reste intacte et il va compléter son remarquable répertoire par des chansons qui influenceront de nouveaux auteurs-compositeurs comme Georges Brassens, Charles Aznavour, Gilbert Bécaud et plus tard Michel Jonasz et Alain Souchon, pour ne citer que les plus connus.

Le deuxième souffle (1960-1992)

Au cours des années 60, Charles Trenet, sollicité à nouveau pour de nombreux concerts à l'étranger, voyagera bien plus qu'il ne composera. Entre deux avions il trouvera néanmoins le temps de renouer avec des succès : *Fidèle, La famille musicienne, Joue-moi de l'électrophone,* etc.

Il continuera d'enregistrer jusqu'au jour où, à soixante-dix ans passés, il décide de faire ses adieux. Mais en 1988, un jeune producteur de spectacles québecois, Gilbert Rozon, le décide à remonter sur scène. Et le miracle s'accomplit. Du 17 au 31 décembre, sur la scène du Châtelet, c'est un triomphe sans précédent, suivi d'un autre récital en 1989, au Palais des Congrès. Enfin, le 13 novembre 1992, la sortie de treize nouveaux titres replacera Charles Trenet dans les plus fortes ventes de l'année.

Il fallait le faire.... Trenet l'a fait !!!

1932

Sais-tu ?

Paroles de Charles Trenet *Musique de Jane Bos*

On dit que c'est l'illusion qui nous fait vivre,
On parle trop souvent du bonheur.
La seule chose qui toujours nous enivre
Se banalise dans sa douceur.
On cherche des périphrases,
Des mots d'extase
Pour amoureux ;
On use du même thème
Toujours : je t'aime,
C'est ennuyeux.

On a chanté depuis longtemps cette histoire,
On a goûté les mêmes plaisirs,
Chacun s'est dit : c'est en toi que je veux croire
Animé d'un unique désir.
L'espoir est un son de cloche
Qui s'effiloche
Quand le jour meurt ;
Il suffit d'un peu de rêve
Pour que s'achèvent
Tous nos malheurs.

Sais-tu qu'il existe sur la terre
Des mots qu'on ne peut pas oublier,
Des mots que l'on découvre sans mystère,
Des mots auxquels les cœurs demeurent toujours liés ?
Sais-tu que ton charme m'émerveille ?
Sais-tu que j'aime ta fraîche voix ?

La vie est un rayon qui nous ensoleille
L'amour est un songe éclos pour toi.

Hélène

Paroles de Charles Trenet *Musique de Jane Bos*

Il existe certains chants
Qui savent être touchants.
Sur un quai de gare
Par une nuit noire
Un homme seul fredonnait en marchant :

Hélène, Hélène,
Entends ma voix,
Hélène, Hélène,
Je pense à toi.
J'aime ton image,
Elle m'encourage
Quand je la vois
Pendant ce long voyage
Silence
Immense
Où mon cœur bat...
J'écoute
Mes doutes,
Mon désarroi
Malgré la distance,
Malgré ton absence
Je t'aime
Quand même...
Tant pis pour moi !...

Peut-être, malgré le train
Qu'Hélène entend le refrain
Douce nostalgie,

Unique magie
Qui, forte, peut combattre le lointain...

Ô mon maître

Paroles de Charles Trenet *Musique de Jane Bos*

Depuis trois mois
C'est en toi
Que je crois
Depuis toujours
C'est à toi que j'offrais mes jours.
Depuis longtemps
C'est toi que j'attends.
Je me suis fait' belle aujourd'hui
Pour mieux te répondre : oui.

Ô mon maître,
Daigne me permettre
De t'offrir ces fleurs, cet amour.
Trop courte me paraît la vie
Pour céder à plus d'une envie.
Ô mon maître,
Je voudrais connaître
Près de toi, pour l'éternité,
Le plus merveilleux des étés.

Pour être heureux,
Il suffit d'être deux.
Pour s'aimer bien
Il existe de tendre liens
Qui font goûter les moments exquis
La minute douce où l'on dit :
Je n'aime que toi, chéri...

Viens !...

Paroles de Charles Trenet *Musique de Jane Bos*

La vie n'est belle que si demain
L'on part main dans la main.
L'espoir n'est pur que s'il bat toujours
Au rythme des beaux jours.
Voici venir l'aube nouvelle
Du paradis promis !
Où la chanson qui m'ensorcelle
Répète jour et nuit :

Viens, quitte ce soir cette vie,
Viens, et n'écoute que ton cœur ;
Viens, j'ai l'âme toute ravie,
Viens, en moi tout n'est que douceur.
Unissons nos destinées
N'importe où.
Le mystère des années
Nous séduit partout...
Plus de complaintes surannées
Pour toi j'abandonne tout !

L'amour propose mille projets,
L'amour, quel beau sujet !
Et l'on croit en lui jusqu'à la fin
Fidèle à son destin.
Puis un beau jour il se déplace,
Bien souvent sans pitié
Mais qu'importe si l'on remplace
L'amour par l'amitié...

Chantez, mon cœur !

Paroles de Charles Trenet *Musique de Jane Bos*

Quand l'hiver froid me glace
Et que les jours me lassent,

J'oppose au mauvais temps
Un cœur content...
La seule poésie
Que j'ai toujours choisie
S'exprime en un refrain
Éclos en moi soudain :

Refrain

Chantez, chantez mon cœur
Oui, chantez sans cesse
Les larmes, la douleur,
L'amour, la jeunesse.

Si le hasard m'apporte
L'amour juste à ma porte,
S'il demeure chez moi
Pour de longs mois
S'il reste des années
Ou même une journée,
Je ne saurais bannir
Son tendre souvenir !

Tant que vous chanterez
Les fleurs seront belles
Et vous transformerez
Le destin rebelle.
Affrontez la chance sur la route
Éclairez mes nuits, chassez mes doutes...

A l'horizon vermeil
Mes peines dissoutes
Vont devenir un éclatant soleil !

1933

L'école buissonnière

Paroles de Charles Trenet *Musique de Jane Bos*

Bleue, bleue notre enfance
Fut un paradis :
On s'en aperçoit bien trop tard aujourd'hui
On vivait sans souci, sans la moindre méfiance.
N'ayant qu'un seul désir :
Quitter la classe par plaisir.

Quand on faisait l'écol' buissonnière
On découvrait mille chemins
Qu'on parcourait la main dans la main.
On rencontrait Marthon la laitière
Qui s'en allait de bon matin
Un béret bleu sur ses yeux châtains.
Dans la verte nature
Mille chos's nous amusaient
Et sans littérature
Tout's les filles nous plaisaient.
On revenait les yeux pleins d'lumière
Et nos parents nous attendaient
Ne sachant s'il fallait nous gronder.

Bleue, bleue notre vie
Est un triste sort
Toujours enfermé, on voudrait voir dehors
Ce qu'il y a de charmant sur la route éblouie...
Les refrains d'autrefois,
Chantez-les encore avec moi.

Quand on faisait l'écol' buissonnière
On découvrait mille chemins
Qu'on parcourait la main dans la main.
On rencontrait, lisant son bréviaire,
Monsieur l'Curé avec son chien
Qui le suivait, ne pensant à rien.
Une odeur de lavande
S'envolant dans l'air du soir
On mangeait des amandes
Sur l'herbe on allait s'asseoir.
Qui n'a pas fait l'écol' buissonnière.
N'a pas connu le meilleur temps,
Les meilleurs jours du candide printemps.

Dans le lit d'Aline

Paroles et musique de Charles Trenet

Vous connaissez tous mon amie Aline,
Si gentille en tout' saison.
Elle est toujours avec moi très câline,
Comme on est bien dans sa maison.
Un jour pour payer ma chambre,
J'n'avais pas le premier sou,
Et par le froid de décembre,
J'grelottais beaucoup.
Aline m'a dit :
J'te prête mon lit,
C'est la fin du mois
Viens dormir chez moi...

Dans le lit d'Aline on s'est dit
Des mots exquis.
Dans le lit d'Aline on a fait
De doux projets.
Et comme des amoureux bien sages
On n'a pas parlé de mariage.
Sur la vitre tombait la pluie

Comme aujourd'hui.
On était bien, qu'il faisait bon
Sous l'édredon !
Et l'lendemain j'avais bonn' mine
Tout ça grâce à mon amie Aline...
Dans le lit d'Aline, une nuit
J'ai trouvé l'oubli.

Quand le soleil éclaire la colline,
Que le printemps est rev'nu,
Aline est toujours avec moi câline
C'est un secret de tous connu.
Maint'nant, j'ai laissé ma chambre,
Malgré la chaude saison,
Et de juin jusqu'en décembre
J'loge dans sa maison.
A la fin du mois
J'suis toujours chez moi,
Aline m'a dit :
J'te prête mon lit
J'te prête mon lit.

Dans le lit d'Aline on s'est dit
Des mots exquis.
Dans le lit d'Aline on a fait
De doux projets.
Et comme des amoureux bien sages
On n'a pas parlé de mariage.
Sur la vitre tombe la pluie
Toute la nuit
On est dev'nu très polisson
Mais sans façons
J'vivrais bien comm' ça la vie entière,
Malh'reus'ment Aline n'est pas rentière
Et du lit d'Aline sans rêver
Il faut se lever
Pour travailler.

Quand le ciel est clair

Paroles et musique de Charles Trenet

Des enfants révoltés et pâles,
Au regard étrangement beau,
Rêvent de lointaines escales
Au départ des grands paquebots.
A l'heure où le soleil se lève,
Contre mille désirs, luttant ;
Ils écoutent le cœur battant
La chanson que berce leur rêve...

Quand le ciel est clair,
On voit sur la mer,
En haut du bastingage,
Nager les poissons,
Lorsque nous passons :
Les voici les poissons qui nagent.
Quand le ciel est lourd,
On rêve d'amour,
Quelque belle lointaine
Entend nos chansons
Lorsque nous passons :
La voici, la belle que j'aime...
Quand le ciel est noir,
On n'a qu'un espoir
Sur cette mer fatale :
Revoir la maison
Lorsque nous passons :
La voici, la terre natale.

Venez vers nous, les beaux voyages,
Le ciel est un col de marin,
Je vous salue, ô blancs nuages
Qui voguez de si bon matin.
Dans les ports où la lune blonde
Sourit et soudain disparaît

Nous irons chanter à la ronde
Et boire dans les cabarets.

Quand les beaux jours seront là

Paroles et musique de Charles Trenet

La ville est triste quand il neige,
La ville est triste quand il pleut,
La ville est comme un grand manège
Dont chaque tour nous vieillit un peu.

Quand les beaux jours seront là,
Pour la saison prochaine,
Ohé ohé pour trois mois
Vous viendrez vivre avec moi,
Au grand air loin des frimas
Vers des rives lointaines
Nous partirons vous et moi,
Quand les beaux jours seront là.
N'avoir qu'une maison blanche
Pour abriter notre amour,
Vivre un éternel dimanche
Sur un petit bateau qui penche.
N'est-c' pas le meilleur séjour,
N'est-c' pas notre revanche,
Ohé ohé ces trois mois
Quand les beaux jours seront là.

Vivre tout nu sur une plage
Ou rien qu'avec un p'tit cal'çon.
Faire des tas de parties d'nage
Avec des tas d'joyeux garçons.
On rapporte avec ses bagages
Des souvenirs dans un album
Et des milliers de coquillages
Et de petit's fleurs qui embaum'nt.

Quand les beaux jours seront finis
On retourne à la ville,
Ohé ohé c'est l'ennui
Quand les beaux jours sont finis.
On regrett' les doux pays
Où l'on vivait tranquille,
Le bon soleil du midi
Quand les beaux jours sont finis.
La petite maison blanche
Où s'abritait notre amour,
Et les éternels dimanches
Sur le petit bateau qui penche.
Mais quand l'printemps reviendra
Pour prendre sa revanche,
Nous partirons vous et moi
Quand les beaux jours seront là.

On s'embrasse, on s'enlace

Paroles de Charles Trenet *Musique de Johnny Hess*

Mon petit cousin
N'est pas très malin
Il débarqu' de son village,
Il m'a demandé
De bien lui montrer
C'qu'en amour on peut faire à son âge.
J'lui ai répondu :
« Gare à ta vertu
Mais puisque tu es un garçon
Tu peux être polisson »
Mais que fait-on ?
Mais que fait-on ?
On s'embrasse,
On s'enlace,
On s'pass' la main dans les ch'veux
On s'fait tout c'qu'on veut.
On se frôle

C'est très drôle
On s'chatouill' le gros orteil
C'n'est jamais pareil.
C'est si bon de se fair' des p'tits ouistiti dans l'dos
C'est si bon de se fair' des p'tits ouistiti dans l'dos dans
[l'dodo

Puis en douce
On s'trémousse
Pour être heureux en amour
C'est simpl' comm' bonjour.

La comtess' Trumot
S'pay' des gigolos
Qui ont de très bell's voitures.
Elle a de l'argent,
Du tempérament
Et puis ce n'est pas un' miniature.
Ces drôl's de loustics
Lui mang'nt tout son fric
La voyant dans l'désespoir
Je lui ai dit hier soir
Qu'avez-vous donc ?
Ell' me répond :

On m'embrasse,
On m'enlace,
On m'pass' la main dans les ch'veux
On m'fait tout c'qu'on veut.
On m'cajole,
On m'affole
Tout l'mond' sait me fair' du plat
Mais l'cœur n'y est pas.
C'est si bon de se fair' des p'tits ouistiti dans l'dos
C'est si bon de se fair' des p'tits ouistiti dans l'dos dans
[l'dodo

J'suis nerveuse
Très malh'reuse
J'voudrais de nombreux amants
Oui, mais gratuit'ment.

Pourquoi ces p'tits trucs-là ?

Paroles de Charles Trenet *Musique de Jane Bos*

1
On me dit souvent que j'n'ai pas d'imagination
Et que parfois je suis très drôle...
J'ai beau poser tout l'temps des points d'interrogation...
Chacun m'commande à tour de rôle !
On m'dit : « Fait's ça ! » puis v'lan !... on m'laisse en plan...
Je bouzill' tout, j'sais pas comment !...

1er refrain

Pourquoi ? pourquoi ? me fair' ces p'tits trucs-là ?
Vous savez bien qu'ça m'est nuisible...
Pourquoi ? Pourquoi ? me dir' seul'ment : « Voilà ! »
Et me demander l'impossible.
Vous savez bien pourtant que j'perds la tête
Que je m'affol' toujours, que j'deviens bête
Pourquoi ? pourquoi ? me traiter d'Iroquois
Si vous n'me dit's mêm' pas : Pourquoi ?...

2
En amour, on me dit aussi d'aller droit au but,
Et bien que je sois téméraire
J'ai tort de ne jamais vouloir donner le contre-ut
Et d'rester toujours en arrière.
S'il faut parler, agir au bon moment
J'ai plus d'salive, et j'deviens blanc...

2e refrain

Pourquoi ? pourquoi ? me fair' ces p'tits trucs-là ?
Vous savez bien qu'ça m'est nuisible...
Pourquoi ? Pourquoi ? me fair' grimper comm' ça
Jusqu'à des hauteurs impossibles ?
En amour, j'ai beaucoup de caractère
Mais quand j'suis essoufflé... j'peux plus rien faire !...
Pourquoi ? pourquoi ? me fair' monter comm' ça
Quand je s'rais si brillant... en bas !...

3

J'ai pour mon malheur pris en grippe les escaliers,
Je ne peux plus monter d'étage.
L'autre soir, une brunette, me voyant bâiller
Me dit : « Viens chez moi, y a l'chauffage ! »
Je demandais : « C'est loin ? » tout plein d'ardeur,
« Non, au septièm', sans ascenseur ! » *(Au 1er refrain)*

Rengaine d'amour

Paroles et musique de Charles Trenet

1

Je suis amoureux de toi !
C'est bien la première fois
Que mon cœur dit ce poème :
Je t'aime !
Et ton nom qui me poursuit,
Qui m'obsède jour et nuit,
M'oblige à penser à lui
Depuis des mois, mais aujourd'hui :

Refrain

Chérie, j'ai l'âme en peine,
Aie pitié des mauvais jours,
Aie pitié de ma rengaine,
De ma pauvre rengaine,
D'amour.
Je suis seul par le monde
Avec mon triste discours
Et ma détresse profonde
Dans ma rengaine d'amour.
Tu sais bien pourtant
Les rêves charmants
Qu'on doit à la vie.
C'est toi que j'attends
Et mon cœur battant

Toujours te supplie :
Chérie, malgré ta haine
Et malgré les mauvais jours
Daigne écouter ma rengaine
Ma pauvre rengaine d'amour.

2
Pourquoi donc m'as-tu quitté
Brusquement sans m'écouter ?
Ton départ inexplicable
M'accable
Sur quel lointain continent
Voyages-tu maintenant ?
Bien que tu ne sois plus là
Je chante encore malgré moi. *(Au refrain)*

Augustine et Augustin

Paroles et musique de Charles Trenet

Sur la grand-route, vers midi
Si chaude au milieu du village
Fallait voir les garçons hardis
Parler aux filles les moins sages.
Il y avait là tout le pays
Toute une jeunesse charmante
Qui allait puiser de l'eau dans l'puits
Dans le puits, sous l'arbre qui chante
Ce puits d'où sortira toute la vérité
Des amours d'Augustin, des amours d'Augustine.
Ce puits portait en lui quelque fatalité
Car c'est bien là qu'ils se parlèrent j'imagine
Et disaient-ils des chos's osées
Oh, non, pas du tout, ils disaient :
Donnez-moi la main, Augustine
Donnez-moi la main, Augustin
Vous êt's ma voisine,
Je suis votr' voisin

Je suis votr' cousine
Et moi votr' cousin
J'aime votr' beau teint
Vos bottines,
Vos ch'veux blonds platine
Ils sont teints.
J'vous aime Augustine
J'vous aime Augustin
Augustine, Augustin
La voisine, le voisin
La cousine, le cousin,
Les bottines, le beau teint
Quittons ce pat'lin Augustine
Oui partons demain Augustin
Augustin qu'elle épousera un beau matin.

Vers la grand-ville ils sont allés
Augustin travaill' comme un phoque
Mais Augustine dessalée
Fréquente les bars équivoques.
Avec un Cubain, certain soir
Elle partit au bal musette.
Mal lui en prit car le grand Noir
La traita comme une amusette
Dans un hôtel meublé de la place Clichy
Elle dut faire la noce avec des vieux sans âge
Mais un soir qu'Augustin cherchait dans tout Paris
Il rencontra la fille et le Cubain sauvage
Est-ce qu'il leur dit des chos's vexées
Oh, non, pas du tout, il disait :
Je te r'trouve enfin, Augustine
Je te r'trouve enfin, Augustin
Tu n'es qu'une gamine
Oh mon cher gamin
Tu s'ra sa concubine
C'est un concubin
Mon petit coquin
Ma coquine
Tu n'as pas bonn' mine
J'n'ai pas bonn' main

Je t'aime Augustine
Je t'aime Augustin
La gamine, le gamin
Concubine du Cubain
La bonn' mine, la bonn' main,
Et c'est d'puis ce jour qu'Augustine
Aime pour toujours Augustin.

1934

Le duel

Paroles de Charles Trenet *Musique de Johnny Hess*

Monsieur Dupont est fort en gueul'
Monsieur Durand n'est pas bégueul'
Mais l'un et l'autr' possèd'nt à fond
Le bel esprit des traditions !
Monsieur Durand est avocat
Monsieur Dupont est fonctionnaire
Ils ont l'air très bien, très bourgeois :
Canne, chapeau melon, moustaches légendaires !
Mais qu'y a-t-il donc ?
Mais qu'y a-t-il donc ?
Ce soir, Monsieur Durand vocifère
Puis il insulte Monsieur Dupont
Qui lui réplique autoritaire :
Nous laverons ça dans le sang ; mon ami
Dans le sang, dans le sang, je vous dis !

Refrain

Ils partirent au petit jour
Dans un paysage d'amour...
Quelques vaches se retournèrent,
Dans le ciel, le soleil rouillé
Luisait, et les arbres mouillés
Se racontaient à leur manière
« C'est Monsieur Dupont, c'est Monsieur Durand
Qui vont vider une querelle
Et qui brandissent en tremblant
Un revolver ancien modèl' »
C'est Monsieur Dupont, c'est Monsieur Durand
Qui vont se battre, mal à l'aise
A la française !

Tous les témoins se réuniss'nt
Avec des figur's de jaunisse
Puis ils se font photographier
Par les reporters envoyés !
Un premier plan, très cinéma,
Nous montre les deux duellistes
Dès l'instant qu'ils lèvent le bras
Avec un peu de flou, pour faire plus artiste.
Mais qu'y a-t'il donc ? Mais qu'y a-t'il donc ?
On dirait que Durand s'énerve
Comme tremble son pantalon
Comme il s'agite sans réserve...
« Nous laverons ça dans le sang, mon ami,
Dans le sang, dans le sang, je vous jure,
Nous laverons ça dans le sang, mon ami,
Dans le sang, dans le sang, je vous dis !

Refrain

Le coup partit au petit jour
Dans un paysage d'amour...
Quelques vaches se retournèrent,
Tandis qu'un perdreau qui passait,
Tournoyant dans le ciel blessé
Par une balle meurtrière...
Car Monsieur Dupont, car Monsieur Durand
Avaient, pour vider leur querelle,
Tué dans le bleu firmament
Un perdreau et deux tourterelles
Qu'ils ont dévorés de leurs belles dents,
Au cours d'un repas, très à l'aise
A la française !

Le petit oiseau

Paroles et musique de Charles Trenet

Petit oiseau dans la campagne
Petit oiseau n'est pas bien
Petit oiseau sur la montagne s'en va
Qui sait quand il reviendra
Petit oiseau dans la nature
Ivre d'air pur et d'amour
Chante gaiement : « Pourvu qu'ça dure ça va »
Petit oiseau reviendra
Hou Hou Hou... Ouah
Arrive en haut de la montagne
Et jette un œil tout en bas
Sur le clocher, sur la campagne et le bois

Petit oiseau reviendra
Mais avec un fort vent d'Espagne
Un gros orage survient
Voici la pluie et le tonnerre qui va
Faire beaucoup de dégâts
Le vent rugit tout comme un fauve
L'averse tombe à seaux d'eau
Pitié Seigneur laissez vie sauve à l'oiseau
Et rendez-lui ses roseaux
Pitié Seigneur... Pitié Seigneur...
Mais le diable qui bat sa femme
A bu trois litres de vin
Lance furieux de longues flammes sans fin
Petit oiseau pleure en vain

Petit oiseau dans la tempête
Sans arbrisseau, sans maison
Petit oiseau sur un rocher s'est perché
Pour y perdre la raison.
Ouah... Ouah... Ouah... Ouah
S'il avait écouté sa mère
Bien sagement il aurait
Un doux foyer et un bon lit dans son nid.
Ah s'il n'était pas parti,

La la la la... La la la la
Vous avez bien compris mesdames
Pourquoi ce regard moqueur
Petit oiseau... Petit oiseau... c'est mon cœur
Qui pour vous toutes... se meurt.

Un million de disques...

Paroles de Charles Trenet *Musique de Johnny Hess*

Un million de disques
De disques vendus
Si c'était vrai, toi ma chanson
Pour rattraper le temps perdu
Tu t'en irais de ma maison
Tu volerais à tire-d'aile
A travers tous les continents
Chantant l'amour que j'eus pour elle
Passionnément
Éperdument

Un million de disques
De disques vendus
Si c'était vrai, ma mélodie
Tu deviendrais au coin des rues
L'écho de ce qui fut ma vie

D'abord, ce furent des montagnes
Des prés, un châlet de bois
Un monastère de campagne
Puis deux pièces à Levallois
Paris, nous devions nous connaître
Mais le temps est passé trop court
Et je me dis que pour renaître
Il me faudrait avoir un jour

Un million de disques
De disques vendus

Si c'était vrai, toi ma chanson
Pour rattraper le temps perdu
Tu t'en irais de ma maison
Tu volerais à tire-d'aile
A travers tous les continents
Chantant l'amour que j'eus pour elle
Passionnément
Éperdument

Un million de disques
De disques vendus
Si c'était vrai, ma mélodie
Tu chanterais l'amour perdu
Et moi, j'y gagnerais ma vie

1935

Le fils de la femme-poisson

Paroles et musique de Charles Trenet

1
Il pleut sur la foire,
Tout est aux abois,
Tirs et balançoires,
Manèges et ch'vaux d'bois
Et j'entends l'histoire
D'un type un peu fou,
Qui dans la nuit noire
Me dit l'air très doux :

1er refrain

« Je suis le fils de la femm'-poisson,
Ma tante était femme à barbe,
Mon grand'père était homme-tronc,
Mon frère est dompteur de lions
Ah ! Ah !
Et mon cousin tient une maison
De plaisir, près de Tarbes,
Il en a deux près de Toulon,
Où c'qu'on joue de l'accordéon.
Voyez, ils ont tous une bell' situation
Mais moi je ne suis que l' fils d' la femme-poisson.

2
J'aime et j'en suis bête
Quel horrible amour
J'aim'... la femm' sans tête
Et je lui dis un jour :

« Écout'-moi mon âme
Ne sois pas têtue »
Mais l'étrange dame
Vit' m'a répondu :

2ᵉ refrain

Tu n'es qu' le fils de la femm'-poisson
C'n'est pas assez je l'regrette,
Ton grand-père était un homme-tronc
Ton frère est dompteur de lions. Ah ! Ah !
Moi j'veux un typ' qui ait du pognon
Pour n'en faire qu'à ma tête...
J'veux un' maison, des manteaux d'vison
Des chapeaux, des combinaisons,
Repass' un jour si t'as un' situation
Mais maint'nant tu n'es que l' fils d'la femm'-poisson.

3
Depuis je m'délabre,
J'fais tous les métiers,
Avaleur de sabres,
Danseur et charcutier...
Mais j'ai beau m'débattre
Rien n'me réussit,
Ma vie est saumâtre
Car toujours je suis :

3ᵉ refrain

Je suis le fils de la femm'-poisson,
Ma tante était femme à barbe,
Mon grand-père était homme-tronc,
Mon frère est dompteur de lions. Ah ! Ah !
Et mon cousin tient une maison
De plaisir près de Tarbes,
Il en a deux près de Toulon,
Où c'qu'on joue de l'accordéon,
Voyez ils ont tous un' bell' situation
Mais moi je ne suis que l'fils d'la femm'-poisson.

Maman ne vends pas la maison

Paroles de Charles Trenet *Musique de Johnny Hess*

La maison est à vendre
La maison est à prendre
Ils veulent vendre la maison
Y' a même un écriteau pour dir' ces mots :
« A vendre »
Maman ne vends pas notre vieille maison
Là j'peux pas t'donner raison
Elle est si jolie avec ses volets verts
Sa fraîcheur l'été et sa douceur l'hiver
Y' a des souvenirs au fond de chaqu' tiroir
Des parfums dans les placards
Les trains qui vont la nuit nous chantent des chansons
Maman ne vends pas la maison
'ci maman d'avoir gardé la maison

Je sais qu'la vie est dure,
Papa n'fait plus d'peinture,
Il travaill' jusqu'à minuit
Je sais que tu n'as plus beaucoup d'argent,
Comme avant...

Refrain

Maman ne vends pas notre vieille maison
J'vais gagner bientôt l'million,
Je t'achèterai des robes des chapeaux,
Des bijoux qui brill'nt et des chaussur's Pillot.
Gardons le couloir, l'échelle du grenier
Et la bonn' qui boit' d'un pied ;
Le vieux fourneau rougi, le chat qui fait ronron...
Maman ne vends pas la maison

Le temps passe très vite,
Et les années nous quittent,
Un jour on est un grand garçon,
Mais toi malgré tes quelques cheveux gris...
Tu es jolie...

Refrain

Maman tu as bien fait de garder la maison,
Toujours nous y resterons,
Elle est si jolie avec ses volets verts,
Sa fraîcheur l'été et sa douceur l'hiver.
Y a des souvenirs au fond de chaque tiroir,
Des parfums dans les placards.
Les trains qui vont la nuit nous chantent des chansons...
Merci maman d'avoir gardé la maison.

Dans Paris y a une dame

Paroles et musique de Charles Trenet

J'étais venu pour étudier
Le droit romain, moi la méd'cin'
Je vivais seul dans mon quartier
Et je n'avais pas de voisin'.
Lorsqu'un beau jour sonna chez moi
Une dame d'un certain âg'
Bien habillée, belle, ma foi
Et qui s'était trompée d'étage.
Elle s'excusa d'un air gentil
Ell' glissa sa cart' dans ma poche
Me regard' dans les yeux et dit :
J'habite au trent' six av'nue Hoche.
Mon cœur chavira
Mon esprit rêva
Mon corps s'énerva
Et la nuit je me dis tout bas :
Dans Paris, y a une dame
Dans Paris, qui pens' à moi
Dans Paris, ell' me réclame
Dans Paris, j'entends sa voix.
Ell' a des dents en or. De nombreux domestiques
Des cours d'admirateurs. Un jardin sur son toit
Des poissons dans son bain. Des bijoux fantastiques

Des oiseaux du Brésil. Un renard d'Alaska.
Ah ! ah ! ah ! ah !

Je fréquentais les casinos
J'devins un typ'très à la pag'
Y avait mon nom dans les journaux
Et on m'admirait sur la plag'
Mais la dam' n'aimait que moi
Dans son manoir aux tons austèr's
Folle d'amour ell'me priva
De tous les plaisirs de la terre.
Quand nous partîmes pour Paris
Fatigués de cette existence
Profitant d'une sombre nuit
D'un bond hors du train je m'élance
Mon cœur sursauta
Mon esprit sombra
Mon corps se brisa
Et depuis je me dis tout bas :
Dans Paris y avait un'dame
Dans Paris qui pensait à moi
Dans Paris ell'me réclame si
Fort qu'ell'a perdu sa voix
Ell'a perdu ses dents, ses nombreux domestiques
Sa cour d'admirateurs a déserté son toit
Ses poissons ont crevé, ses bijoux fantastiques
Ell'les a mis au clou et tout cela pour moi
Ah ! ah ! ah ! ah !

Mais j'ai gardé toute ma flamme
Pour une fillett'aux yeux bleus
Qui pourra devenir ma femme
Si ell'veut, si ell'veut.

Le diable au village

Paroles et musique de Charles Trenet

Bien loin sur un coteau
Il existe un petit village
Bien loin sur le coteau
Il existe un petit hameau
Où les garçons vivent rangés
Où les filles sont sages
Où les garçons vivent rangés
Avec leur fleur d'oranger.

Par les beaux soirs de juin
On prend le frais devant les portes
Par les beaux soirs de juin
On va courir sur les chemins
Ce sont des cris et des chansons
Qu'le vent du nord emporte
Ce sont des cris et des chansons
Qu'il emporte à la maison.

La vieille Mélanie
Passe pour être un peu sorcière
La vieille Mélanie
A vu le diable à ce qu'on dit
Le diable dans un gros buisson
Pas loin du cimetière
Le diable dans un gros buisson
Pas bien loin de la maison.

La gentille Suzon
Vit un spectacle inoubliable
La gentille Suzon
Était allée sur le gazon
Elle a vu derrière un buisson
Mélanie avec le diable
En train de prendr' une leçon
D'amour près de la maison.

La bonne du curé
Vendit la mèche de la fable
La bonne du curé
Vit le diable déculotté
Elle s'écria d'un air joyeux :
J'ai vu la queue du diable
Et si j'en crois mes pauvres yeux
J'crois même qu'il en a deux.

Les feux de la Saint-Jean

Paroles et musique de Charles Trenet

Nous avons sur les bords de la plage
Mis des tas de bois pour faire un grand feu
Mis des tas de bois pour faire un grand feu
Et bientôt sous le rouge éclairage
Nous irons sauter les brasiers joyeux
Nous irons sauter les brasiers joyeux
Le vent du soir est doux et chaud
Ah ! comme je t'aime ma mie
A peine entendons-nous l'écho
D'une ritournelle endormie.

Nous avons sur les bords de la plage
Échangé des mots qui font un grand feu
Échangé des mots qui font un grand feu
Elle avait une fleur au corsage
Sous le fin corsage il y en avait deux
Sous le fin corsage il y en avait deux
Le vent du soir est si brûlant
Ton corps si frais que j'abandonne
A leur destin mes doigts tremblants
Ah ! que le bon Dieu nous pardonne.

Refrain

Jeunes filles, jeunes gens
Sautez les feux la vie est belle

Jeunes filles jeunes gens
Sautez les feux de la Saint-Jean

Puis du fond de ton cœur aimé
Ce désir pareil à mon rêve
Chantons tous les deux sur la grève
Dans le soir tout illuminé.

Mais le bonheur que l'on étreint
Ne dure pas toute la vie
Il faut vous quitter ah ma mie
Quand le dernier feu s'est éteint.

L'hôtel borgne

Paroles et musique de Charles Trenet

Parc'que j'aimais la fille du bougnat
Qu'avait d'beaux yeux d'beaux seins et les pieds plats...
J'ai tout perdu, triste fortune
J'ai pleuré d'amour,
De faubourg en faubourg
J'ai pleuré d'amour au clair de lune...
Tout seul j'log' dans un quartier perdu
Au fond d'un' petit' rue

J'habite un hôtel borgne, si borgne, si borgne,
Que je frémis lorsque le soir
Je vois son œil qui luit dans l'noir
Quand le patron me lorgne, me lorgne, me lorgne,
J'ai mal au ventre subit'ment,
Je pass' ma clef et je fous l'camp
Coupe-gorge, assassinat
Le crime rôde, rôde, rôde.
Couleur local' pour cinéma

Tard dans la nuit armé d'un grand poignard
On voit passer Bébert l'ancien bagnard...

Il cherche sa brune Andalouse
Qu'a donné son cœur
Au fils du percepteur,
Elle l'a dans la peau la jalouse...
Mais Bébert les surprend et les tue
Au fond d'un' petit' rue

J'habite un hôtel borgne, si borgne, si borgne,
Maint'nant j'ne fais plus qu'un repas
Mais j'peux cracher à trent'cinq pas
Quand le patron me lorgne, me lorgne, me lorgne,
Je lui demand' : « Comment qu'ça va »
J'pos' mon chapeau et je rest' là
Le samedi l'accordéon,
En ritournelle chante, chante,
Quand on s'aime c'est pour de bon...

Les jolies demoiselles

Paroles et musique de Charles Trenet

On vous a chanté des airs d'opéra
Et bien des romances pathétiques,
Des fox langoureux, de sombres javas
Parfois mêm' des bostons anémiques
On a tout chanté : les oiseaux, les loups
Et les accidents de voiture
Mais on a oublié, le meilleur, je l'avoue,
Le meilleur de toute la nature
Qui voyons-nous courir par les bois et les prés ?
Ce sont les jolies demoiselles
Cell's qui n'ont pas vingt ans et ne l'font pas exprès
Ce sont les jolies demoiselles
Vers qui vont les garçons et les vieillards coquets
Avec des yeux pleins d'étincelles
Pour qui battent nos cœurs, pour qui sont-ils inquiets ?
C'est pour les jolies demoiselles.

Un jour il est tard... voilà qu'on est vieux
On trouve la vie un peu moins rose.
On est devenu un monsieur sérieux
Qui a des faux cols durs et d'la coup'rose
On évoque alors, les jours effacés
Les ardentes nuits, les foll's maîtresses
Qui firent du passé
Un jardin tout fleuri de promesses...
Qui se plaignent tout l'temps qui souff'nt des cors aux
[pieds ?
Ce sont les jolies demoiselles
Cell's qui n'ont plus vingt ans et ne l'font pas exprès
Ce sont les jolies demoiselles
Qui cherch'nt les gigolos dans les endroits secrets
Avec des yeux pleins d'étincelles
Et puis qui meur'nt un soir à l'institut d'beauté
Ce sont les jolies demoiselles.

Adieu Paris

Paroles et musique de Charles Trenet

Je prends le train ce soir
Adieu Paris ma ville
Adieu les jours de vrai bonheur !
La bohême charmante et les amours faciles.
Tout ce qui parlait à mon cœur
La comtess' Bokbok son salon et ses lustr's
Les rendez-vous au fond du parc du Luxembourg,
La Sorbonne terrible et sa poussière illustre,
Et ma chambre tout près du ciel près de l'amour près de
[l'amour.

Adieu les vieux copains, les amis que je laisse
Et vous petite femme exquise que j'aimais
Adieu tous mes printemps et tous mes mois de mai
Adieu jeunesse
Je retrouverai la province

Le même calme du foyer
Le même bruit, la port' qui grince
La même odeur de camembert dans l'escalier,
Les dames pieuses, les commèr's, le receveur de
[l'enregistrement
Et les fill's du commandant
Qui ne sort'nt qu'avec leur mère,
Et voilà ! Je suis diplômé,
Le roman est terminé
Je prends le train ce soir
Adieu Paris, ma ville,
Adieu les jours de vrai bonheur,
La bohême charmante et les amours faciles
Tout ce qui parlait à mon cœur,
L'automne blond, le long des quais, sous les grands arbres
Le bouquiniste et son vieux client du jeudi.
Le petit restaurant où l'on sert sur le marbre
Où l'on dîne en vitesse, où l'on mange à crédit quelques
[radis
Adieu les vieux copains, les amis que je laisse
Et vous petit femme exquise que j'aimais
Adieu tous mes printemps et tous mes soirs de mai
Adieu, Adieu jeunesse !

Le petit pensionnaire

Paroles et musique de Charles Trenet

Pour avoir dit à l'oncle Jules qu'il était ridicule,
Pour avoir dit à tante Ida qu'elle avait l'air d'un rat
Pour avoir pincé ma cousine
Au fond de la cuisine,
Pour avoir dit : zut à m'sieur l'sous-Préfet,
Voilà, voilà ce qu'on m'a fait,
On m'a sans plus d'manières
Bouclé, bouclé.
On m'a mis pensionnaire
Dans l'collèg' dont j'n'ai pas la clef

Refrain

Je suis le petit pensionnaire
Qui rentr' au bahut l'dimanch' soir
Après un seul jour éphémère
De grand bonheur et d'espoir
Après les minutes exquises
Il faut retrouver le dortoir
La veilleuse bleue,
La nuit grise
Et le pion, ce monstre noir
Comme un gendarme
Il m'suit des yeux
La vie pour moi n'a plus de charme
Dans le vacarme
Des heur's de jeu
Souvent je vers' plus d'une larme
J'm'endors en pensant à ma mère,
Et à mon gros chien que j'aim' tant,
Je suis le petit pensionnaire,
Qu'on vient d'enfermer pour longtemps.

Les haricots du réfectoire
Sont tous obligatoires
Et les patat's et les navets
Sont à vous fair' crever...
Il faut manger un sal' potage
Où les mouches surnagent
Alors comm' je n'veux pas encor' mourir
Je mang' les mouch's pour me nourrir.
J'n'ai pas de camarade
Je suis tout seul
Et quand je suis malade
Il faut chaqu' fois qu'j'en fass' mon deuil

Refrain

Je suis le petit pensionnaire
Qui rêv' de partir un matin
Sur une grand'route si claire
Qui m'conduira c'est certain

Vers le paradis de lumière
La jolie maison de chez moi
Le jardin fleuri
D'roses trémières
Et le vieux salon bourgeois.
Vers l'oncle Jules
J'irai gaiement.
J'dirai : bonjour à tante Ursule
Et ma cousine
Le cœur ballant,
J'l'embrasserai sous les glycines...
J'connaîtrai des nuits printanières,
Et de bien plus charmants réveils,
Je n'serai plus le p'tit pensionnaire
Et j'irai courir dans l'soleil.

Si nous étions mariés

Paroles et musique de Charles Trenet

On est un peu bête
Quand on est épris
Quand le cœur vous fait perdre la tête
La vie est facile
Quand l'amour sourit
On fait des projets dociles.
Voyez-vous ma mie,
C'est peut-être osé
Mais j'n'ai qu'une envie
J'veux vous épouser.

Madou, si nous étions mariés
Vous auriez des plaisirs variés
L'amour et la fortune
Pour vous j'irais décrocher la lune
Oui, mais nous ne somm's pas mariés
Hélas pas pas mêm' fiancés
Car votre mèr' ignor' tout

Tout, tout tout de nos projets si doux
Vous auriez des robes toutes lamées d'or
Une auto grand sport
Un' vie nouvelle
Si belle
Et un grand bateau merveilleux
Pour voyager sous le ciel bleu...
Voilà c'que vous auriez
Oh, Madou si nous étions mariés...

J'ai dit ce beau rêve
A la p'tit' Madou,
J'ai dit : « Profitons, la vie est brève,
Mais dans un sourire
Et d'un air très doux
Elle s'est empressée d'me dire :
Gardez votr' envie
Gardez vos projets
L'amour pour la vie
C'n'est pas mon sujet

Mon Guy, si nous étions mariés
J'n'aurais pas de plaisirs variés
Je n's'rais plus qu'un' esclave
Une esclave qui frotte et qui lave
Le cœur, un jour se lasserait
Notre rêve s'effacerait
Vous s'riez un vieux gâteux
Qui perd son râtelier et ses ch'veux
J'n'aurais pas de robes mais de ces enfants
Qui hurlent : « Maman ! »
Pendant des heur's
Et pleurent
Et le grand bateau argenté
S'rait celui qu'vous m'auriez monté
Voilà tout c'que j'aurais
Oh, mon Guy si nous étions mariés...

La tête de veau

Paroles de Charles Trenet   Musique de Lionel Cazaux et Pierre Guillermin

C'était pendant le carnaval
Je me sentais le cœur en fête
J'étais amoureux sans rival
De Jeannette
Un jour je me suis déguisé
Lui réservant cette surprise,
Au corso blanc elle était grise,
Ah ! comme elle a dû s'amuser

1er refrain

Dansons, chantons, voici les masques
La lune a fermé les yeux
Vive l'amour, soyons fantasques
Soyons joyeux.

Comme ils sont beaux ces arlequins
Aux broderies bariolées
Murmure Jeannette soudain
Désolée
Hé quoi ? lui d'mandai-j' tout de go
Vous n'aimez donc pas mon costume ?
« Il est idiot. » Quelle amertume
J'éprouv' sous ma tête de veau

Je portais d'ignobles godasses
Avec un' blouse de maçon,
Mais j'étais gai comm' un pinson
Comm' un pinson rempli d'audac'
J'avais ach'té pour fair' nouveau
Un joli masque de fortune
Qui pouvait bien valoir deux thunes
C'était une tête de veau
Une tête de veau très comique
C'était une tête de veau
Si douce avec un long museau.

2e refrain

Dansez, chantez, voici les masques
La lune a fermé les yeux
Adieu l'amour, soyez fantasques
Soyez heureux

Maint'nant j'suis seul dans la poussière
Jeannette est là-bas, très loin,
Qui danse avec les arlequins,
Qui danse, qui danse, si fière...
On ne sait ce que femme vaut.
Ell' m'a plaqué y' a plus de charme
Et je verse de grosses larmes
Au fond de ma tête de veau
De ma tête de veau très comique
Au fond de ma tête de veau.

La ménagerie Patarac

Paroles et musique de Charles Trenet

Près de la baraque de la belle Héléna
Et tout à côté du grand mât
Je revois toujours, le cœur m'en fait tic tac,
La ménagerie Patarac
Où j'ai passé des minutes si charmantes
Sous la soupente
Près de l'orchestre et de ses couacs
Un programme de grande classe
Était écrit sur une glace
Dehors on promettait et tout et tout et tout
Qu'on se demandait en entrant
Si parfois quelques fauves terribles
Pouvaient s'échapper... c'est possible...
Mais il n'y avait qu'un pauvre lion débonnaire
Quadragénaire, très fonctionnaire
Avec un air timide et doux sans trop s'en faire

Il regardait où volaient les moucherons
Il n'avait pas l'air d'être des plus sanguinaires
Mais très pépère comme un notaire
Et qui après avoir rugi
Donne la patte pour dire merci
Il se couchait tout comme un sac
On comprenait que c'était fini
Et pour dix sous c'était gentil
La ménagerie Patarac.

Un jour le vieux lion qui s'appelait Brutus
Tomba malade mordicus
Je revois toujours Patarac affolé
Et courant échevelé
Il avait les moustaches en bataille
Et la marmaille
Autour de lui le questionnait :
(Parlé) Alors m'sieur Patarac... et votre lion ?
Hélas répondit le brave homme
Dans un triste moment nous sommes
Brutus n'a pas mangé depuis huit jours
A mon appel il reste sourd
Comme jadis il n'a plus le cœur allègre
Il est presque aveugle... il est maigre
On fit app'ler un vieux vétérinaire
Sexagénaire, un peu lunaire
Qui s'y connaît et dire enfin sans mystère
Je vois que cet animal est au plus mal
Après ces mots définitifs que l'on vénère
Qu'on exagère qui dégénère
Après que l'homme fut parti
Qu'il ait dit aur'voir et merci
Brutus n'était plus qu'un vieux sac
Alors le monde comprit
Que désormais c'était fini
La ménagerie PATARAC

Cette chanson figurait au répertoire des duettistes « Charles et Johnny ».

Parfois triste

Paroles de Charles Trenet *Musique d'Alex Siniavine*

Parfois on est triste,
Le cœur est si doux
Que plus rien n'existe
La douleur insiste
Chaque jour...

Mais par un miracle,
Voilà qu'un matin
Il n'y a plus d'obstacle
Sur le chemin...
Quel drôle de spectacle
Le Destin !
Le Bonheur n'est pas un mensonge,
La vie nous offre ses plaisirs...
Cueillez les jours, voici les songes
Le Soleil ne veut pas mourir.

Parfois on est triste
Parfois on est gai,
Car pour les artistes
Bon-Dieu a fait

Deux cœurs, dont un triste
Et l'autre très gai !
Mais avec ces deux natures
Il y a des complications...
On se perd en conjectures...
Des aventures
Ont la vie dure,
Mais il y a les illusions

Un p'tit béguin pour le dimanche

Paroles de Charles Trenet *Musique de Johnny Hess*

Adieu la semaine
Bonjour l'heureux jour
L'amour se promène
Suivons, suivons l'amour.
Le ciel est en fête,
Mon cœur l'est aussi ;
Je n'ai plus qu'une idée en tête
C'est d'rencontrer pas loin d'ici...

Refrain

Un p'tit béguin pour le dimanche
Un' rob' blanche
Des yeux bleus ;
Un doux regard, un clair sourire
Qui sait dire
Des aveux.
Quand on part loin de la ville
Et de bon matin
Comme la vie est facile
Comme les ennuis sont lointains...
Un p'tit béguin pour le dimanche
C'est peut-être de l'amour demain.

Venez mad'moiselle
Venez avec moi
J'connais un' tonnelle
A l'orée d'un p'tit bois.
Si le loup se montre
N'ayez pas peur du loup,
C'est une agréable rencontre
Car, lui aussi cherch' voyez-vous

Refrain

Un p'tit béguin pour le dimanche
Un' rob' blanche
Des yeux bleus

Un doux regard, un clair sourire
Qui sait dire
Des aveux
Déjà une étoile brille
Vite il faut rentrer
Car j'ai dit à ma famille
Que j'étais chez tante Aglaé
Nous nous retrouverons dimanche
Mon amour, en toute liberté.

Loup où es-tu

Paroles et musique de Charles Trenet

Tu vois mon enfant cette galette
Tu vas l'apporter chez Mère-Grand
Mais en passant par le grand bois fillette
Attention au loup il est méchant

Chaperon :
Loup où es-tu
Dans le bois je te cherche je t'appelle
Mon petit Loup que fais-tu
Que dis-tu tu tu tu tu tu
Loup :
Je vois que vous m'avez app'lé mam'zelle
Chaperon :
Oui car depuis longtemps je veux vous voir
Loup Ô mon Loup on s'dit tout
Ô mon Loup où êtes-vous

Loup :
Voulez-vous monter dans mon carosse
Nous irons chez moi dans mon château
Je ne suis pas une bête féroce
Chaperon :
Mais avant je dois porter mon gâteau

Loup où allons-nous
Par le bois tout au bout chez Grand'Mère ?

Loup :
Nous partons visiter ma maison
Je vous offrirai la gloire et la fortune
Je vous donnerai mon nom
Chaperon :
Non... Non... Non...
Loup que faites-vous
Pourquoi donc tombez-vous à genoux ?
Quel est dans ce bois ce beau jeune homme ?
Qui sur son cheval tire son char...
Loup :
C'est mon jeune fils... Gunter... Gunter il se nomme
Chaperon :
Gunter ! ! Ô Gunter ! !

Loup :
Voulez-vous vous taire
Chaperon :
Loup voulez-vous que Gunter m'accompagne chez Grand'
[Mère ?

Loup :
Non Non Chaperon... Nous partons visiter ma maison
Chaperon :
Ô Gunter délivrez-moi je vous en supplie
Gunter :
Mam'zelle quel bonheur venez sur mon cœur

Chaperon :
Loup fils de Loup
Oui pour vous je f'rai tout tout tout

Et dans le grand bois le fils du Loup lui-même
Emporta la fillette à sa merci

Il lui dit : « Chérie c'est vous seule que j'aime
Mais votre galette me plaît tant. »

Chaperon :
Loup prenez tout
Je m'en fous et tant pis pour Grand'Mère
Loup fils du Loup
C'est bien vous qui faute à mes genoux
Nous vivrons heureux dans une petite cabane
Ou dans un château... on vend l'gâteau
Loup fils du Loup
Prenez tout je ne suis qu'à vous...

Cette chanson figurait au répertoire des duettistes « Charles et Johnny ».

1936

Vous oubliez votre cheval

Paroles de Charles Trenet *Musique de Charles Trenet et Arcady*

Coiffé d'un large sombrero
Vêtu d'une veste à carreaux
Et chaussé de bottes légères
Hier dans une boîte de nuit
On vit arriver seul sans bruit
Un homme d'allure étrangère
Ses yeux avaient des reflets verts
C'était le reflet des pelouses
Sa voix avait un timbre clair
Il avait un accent de Toulouse
Un peu plus tard quand il sortit
En donnant son ticket d'vestiaire
La dame du vestiaire lui dit
Cette phrase très singulière :

Refrain

Monsieur, Monsieur
Vous oubliez votre cheval
Ne laissez pas ici cet animal
Il y serait vraiment trop mal
Monsieur, Monsieur, pour un pur-sang dans un vestiaire
C'est triste de passer la nuit entièr'
Sans mêm' coucher dans un' litière
Comme il s'ennuyait
Et comme il bâillait
Je chantais pour qu'il soit sage
Comme il avait faim
Qu' j'n'avais plus d'pain
J'y ai donné un peu d'potag'
Monsieur, Monsieur

Chose pareill' est anormale
Ne laissez pas ici cet animal,
Vous oubliez votre cheval.

Cinquante ans plus tard le jockey
A ses p'tits enfants expliquait
Des aventur's invraisemblables
Il avait un sourire amer
Et comme il se croyait loup d'mer
Il jurait et crachait à table
Tout en mâchonnant un mégot
Il y'allait de son bavardage
Il ne parlait que de cargos
De tempêtes et d'abordages
Mais les p'tits enfants pas dupés
Montrant un tableau qui s'effrite
S'écriaient « Grand-père, ce beau pré
C'est-y la mer ou Maison-Laffitte ! »

Refrain

Grand-père, Grand-père
Vous oubliez votre cheval
Vous nous menez en bateau c'est normal
Mais vous n'êtes pas amiral
Grand-père, Grand-père
Jamais vous ne fûtes corsaire
Et vous n'avez pas connu de mal de mer
Que lorsque vous montiez Prosper
Dites-nous plutôt
Comment à Puteaux
Vous avez connu Grand-mère
Comme à Paris
Le jour du Grand Prix
V'z'êt's foutu la gueul' par terr' Grand-père
Grand-père
Vous n'êtes pas un vieux loup de mer
Vous n'êtes pas non plus un amiral
Vous oubliez votre cheval.

Tout est au Duc

Paroles de Charles Trenet et Philippe Parès *Musique de Albert Lapeyrere*

Le navire accoste au quai
Je suis invité
Chez le Duc de Barbarency
Qui demeure ici
Château, villas, maisons superbes
Jardins fleuris bel aqueduc
Jeunes poulains sautant les herbes
Tout cela tout cela est au Duc
Et sur les marches du perron
Douze laquais chantent en rond
Attention !

Refrain

Tout est au Duc ici
Monsieur tout est au Duc
Tout est au Duc Tout est au Duc
Il possède à lui seul des millions de ducats
Ah oui vraiment monsieur c'est fou ce que le Duc a
Le Duc a tout monsieur pour être heureux
Mais le Duc est très malheureux
Depuis vingt ans il a perdu ses ch'veux
Il est nerveux, il est nerveux
Et nous cherchons en vain depuis un truc
Pour faire pousser les poils du Duc.

Le soir c'est un grand dîner
Car le Duc a tué
A la chasse des Izards
Des pies, des lézards
La Duchesse est une jeune femm'
Qui n'a pas plus de vingt printemps
Et moi je suis tout feu tout flamme
Et je ne tiens plus mon cœur battant
Mais sur les marches du perron
Douze laquais chantent en rond
Attention !

Refrain

Tout est au Duc ici
Monsieur tout est au Duc
Tout est au Duc Tout est au Duc
Il tue les gens qui os'nt à sa femme dire « Tu »
Ah oui vraiment monsieur c'est fou ce que le Duc tue
Le Duc a tué déjà plus de trente rivaux
Il leur a bouffé le cerveau
Alors tant pis pour vous mon cher monsieur
Si vous êtes trop audacieux
Songez hélas qu'on peut dev'nir eunuque
En recevant le pied au Duc

Quand je revins au château
On me dit bientôt
Vous trouverez du chang'ment
Depuis vingt-cinq ans
Papier timbré, huissiers terribles
Saisies, arrêts du percepteur
Murs délabrés trucs impossibles
Oh là là... Oh là là quel malheur
Et sur les marches du perron
Un seul miteux chantait en rond
Déception...

Refrain

Rien n'est au Duc ici
Monsieur rien n'est au Duc
Rien n'est au Duc, rien n'est au Duc
Elle lui a bouffé son fric la p'tite Nana
Ah oui vraiment monsieur c'est fou ce que le Duc n'a
Le Duc n'a rien monsieur, nos bas sont rapiécés
Nos culottes sont toutes froissées
Nous avons faim, nous sommes capables de tout
Et s'il n'y'a rien, mais rien du tout
Il faudra qu'on lui fauche sa perruque
Et nous bouff'rons les poils du Duc !

Le fiancé

Paroles et musique de Charles Trenet

Charles et Johnny :
Pour épouser ma belle
Je donnerais ma vie
Charles :
Ainsi chantait un fiancé
Qui s'en allait chercher fortune
Johnny :
Sac au dos sautez et dansez
Charles et Johnny :
Ainsi chantait un fiancé
Sur la grand'route de Paris
Il rencontra deux camarades
Charles :
Il leur dit : Je suis fiancé
Charles et Johnny :
Sac au dos sautez et dansez
Pour épouser ma belle
Je donnerais ma vie
Pour épouser ma belle
Je donnerais ma vie
Charles :
Le premier dit : Ma femme est morte
Johnny :
Je l'ai trouvée
Dans le grenier
Charles :
Le second dit : J'ai pris la porte
Johnny :
Deux jours après m'être marié
Si je suis infidèle
Sac au dos sautez et dansez
Charles et Johnny :
Elle oubliera bien vite !
Dans les bras d'un galant
Johnny :
Si le galant la quitte

Charles :
Elle en prend dix
Charles et Johnny :
Ou cent
Pour épouser ma belle
Charles :
J'aurais donné ma vie
Johnny :
Mais tu donnes ta belle
Charles et Johnny :
Pour épouser la vie.

La valse à tout le monde

Paroles de Charles Trenet *Musique de Charles Trenet et Ch. Jardin*

Da la Bastille
A Ménilmontant,
Garçons et filles
Vont fredonnant,
Un air qui grise
Leur jeune cœur
D'ardeur exquise
De mots charmeurs.

Refrain

C'est la valse à tout l'monde,
C'est la valse d'amour
Que l'on chante toujours à la ronde
Jusqu'au fin fond de nos vieux faubourgs
Les brunes et les blondes
La redis'nt tour à tour,
On se tient enlacés, j'ai pas l'rond t'as pas l'sou ;
Mais pour danser comme des fous,
Pas besoin d'beaux habits, t'as pas d'rob's on s'en fout,
C'est la valse à tout l'monde.

Ce soir mignonne
L'amour nous suit
L'amour se donne
Pour une nuit,
Tendre grisette
Viens sur mon cœur
Au bal musette
Chantons en chœur. *(Refrain)*

Le prince

Paroles de Charles Trenet *Musique de Charles Trenet et Arcady*

Le prince y m'a eue sur sa bouche,
Le prince y m'a eue dans sa couche,
Le prince y m'a eue dans son plumard,
Mais moi du prince j'en ai marr'
Je m'fous pas mal du prince, Messieurs,
Car je n'l'ai pas dans la peau, Mesdames,
Et bien qu'il soit grand et mince, Messieurs,
Bien qu'il me fass' des cadeaux, Mesdam's,
Je lui préfère mon p'tit Julot
Qui a du sentiment et un' bell' gueule,
Pour lui j'donn'rais tous les châteaux,
Pour lui je turbin'rais tout'seule,
Car c'est à lui qu'j'appartiens, Mesdam's,
Et je m'fous pas mal du prince, Messieurs.

C'est une altesse qu'y a une allure,
Faut l'voir à la form' de sa hure,
Il a des trésors, des tas d'argent,
Mais moi, pour moi, j'ai mon amant.
Je m'fous pas mal du prince, Messieurs,
J'ai des bonheurs bien plus doux, Mesdames,
De sa fortun' je m'en rince, Messieurs,
Et tant pis pour ses bijoux, Mesdam's,
Je lui préfère mon vieux bistrot,
Mon quartier moch', les gens du dimanche,

Le cinéma l'sam'di, l'métro,
Et chaqu'soir le bal où je m'déhanche,
C'est à tout ça qu'j'appartiens, Mesdam's,
Et je m'fous pas mal du prince, Messieurs.

1937

Amour... Amour

Paroles de Charles Trenet   Musique de Charles Trenet et Christiane Verger

L'amour est un soleil frivole
Et comme lui toujours il meurt
L'amour comme le jour s'envole
Et la nuit tombe dans nos cœurs
Ainsi nous disent les poètes
Depuis longtemps, oui mais ce soir
Je veux chanter l'amour en fête
Je veux chanter la vie, l'espoir...

Amour, amour
Rien n'est plus doux que ta caresse
Amour, amour
Ta voix c'est toute la jeunesse
Le cœur est fou, comme il bat vite, on a vingt ans
La vie pour nous est un joli soleil de printemps
La nuit, le jour
C'est le bonheur, la joie de vivre
Amour, amour
Qui s'offre à nous comme un beau livre
Le temps est court
Il faut cueillir chaque beau jour
Car deviendra sans retour
Ne pensons qu'à l'amour.

Si ma chanson a su te plaire
Amour, il faut sourire un peu
Un bon sourire et tout s'éclaire
Le jour se lève dans tes yeux
Mais quelle peine te tourmente ?
Tu pleures ? c'est mon souvenir

Pourtant la vie n'est pas méchante
Ce qu'elle veut c'est refleurir.

La Biguine à Bango

Paroles et musique de Charles Trenet

Connaissez-vous la Martinique ?
Connais-tu là-bas le Bango ?
Dès qu'il entend jolie musique
Le voilà debout tout de go
Pour danser avec demoiselle,
Ah, c'est un galant damoiseau,
Demoiselle, tu as des ailes,
Quand tu fais Biguine à Bango...

Refrain

Mami, Mami,
Biguine à Bango
Mami, Mami,
Biguine à Bango !
La nuit à Bango !

La nuit et le jour on ne pense
Qu'à danser Biguine à Bango,
Jeunes filles vont dans la danse,
Les mamis attendent là-haut.
En buvant avec les nourrices
Elles chantent sous leurs chapeaux :
« Mami, Mami, c'est un délice,
Quand on fait Biguine à Bango. » *(Refrain)*

Le mariage c'est une fête
Où l'on boit du lait de coco
Et lorsque la nuit est complète,
Papi, mami, s'en vont bientôt.
Alors tous deux vite on commence

Les caresses dans le dodo,
On recule et puis on avance,
Et puis c'est... Biguine à Bango ! *(Refrain)*

Bango, Bango a des p'tits frères
Des p'tit's sœurs qui dans'nt à Paris
A Paris aussi on sait faire
La Biguine comme au pays.
Et tout comme à la Martinique,
Demoisell's ont le ventre gros,
On travaill' pour la République
Quand on fait Biguine à Bango ! *(Refrain)*

Le Grand Café

Paroles et musique de Charles Trenet

Au Grand Café vous entrez par hasard
Tout ébloui par les lumières du boul'vard
Bien installé devant la grande table
Vous avez bu, quelle soif indomptable
De beaux visages fardés vous disaient bonsoir
Et la caissière se levait pour mieux vous voir
Vous étiez beau vous étiez bien coiffé
Vous avez fait beaucoup d'effet
Beaucoup d'effet au Grand Café.

Comme on croyait que vous étiez voyageur
Vous avez dit des histoires d'un ton blagueur
Bien installé devant la grande table
On écoutait cet homme intarissable
Tous les garçons jonglaient avec Paris-Soir
Et la caissière pleurait au fond d'son tiroir
Elle vous aimait, elle les aurait griffés
Tous ces gueulards, ces assoiffés
Ces assoiffés du Grand Café.

Par terre on avait mis de la sciure de bois
Pour que les cracheurs crachassent comme il se doit
Bien installé devant la grande table
Vous invitiez des Ducs, des Connétables
Quand on vous présenta, soudain, l'addition
Vous avez déclaré : Moi, j'ai pas un rond.
Cette phrase-là produit un gros effet
On confisqua tous vos effets
Vous étiez fait au Grand Café.

Depuis ce jour, depuis bientôt soixante ans
C'est vous l'chasseur, l'commis de restaurant
Vous essuyez toujours la grande table
C'est pour payer cette soirée lamentable
Ah, vous eussiez mieux fait de rester ailleurs
Que d'entrer dans ce café plein d'manilleurs
Vous étiez beau, le temps vous a défait
Les mites commencent à vous bouffer
Au Grand Café, au Grand Café.

Pigeon vole

Paroles de Charles Trenet *Musique de Charles Trenet et Paul Misraki*

Amoureux d'une cousine
Qui pouvait avoir vingt ans,
Je vivais, on le devine,
Haletant,
(Ah ! le temps, le printemps, inquiétant, excitant)
On se couchait sur la plage,
C'était pas encor l'été,
On avait l'air d'être sage,
En vérité on l'était,
Quel état que l'été met en moi, quel émoi,
Et quel mois de mai !...

Refrain

Pigeon vole,
Le ciel vole,
Chapeau vole
Et vole aussi mon cœur
Plein de bonheur
Cheveu vole
Et vole mon regard
Vers tes yeux noirs
Ah ! quel vent du nord
Qu'il fait bon dehors
Qu'il fait bon et doux
Près de vous
Rentrons vite
Ma petite
Car j'ai peur à l'horizon
De voir s'envoler la maison

Nous voici dans la chambrette,
Demoiselle et grand garçon,
Célébrons notre amourette,
Célébrons le moment sans maman, sans la
[bonne, sans personne.
Bonjour l'ange de ma vie,
La Ninette et le Toutou,
Bonjour ma petite amie,
Ma Lili et ma Loulou,
Ma Nini, ma Nounou, mon amie, ma chérie,
Mon rien et mon tout.

Refrain

Pigeon vole,
Le lit vole,
Chemise vole
Tout tourne et vole autour
De notre amour.
Baisers volent,
Jambes volent,
Les mains volent

Volent de beaux trésors
Trésors en or.
Ah ! quelle émotion !
Ah ! quelle passion !
Ah ! quelle vigueur !
Quelle douceur...
Il faut vite,
Ma petite,
Prévenir Monsieur le Curé,
Avant qu'il ne soit envolé.

Mais hélas les beaux ménages
Se fâchent toujours, c'est curieux,
Tout à l'heure, sur la plage,
Un monsieur, un peu vieux, l'air vicieux, t'a dit
[« Viens », tiens, tiens, tiens,
Pour cette raison suprême
Sans émoi, je suis parti.
Alors tu m'as dit « Je t'aime »
J'ai répondu « C'est fini ».
Je m'en vais loin d'ici, loin de toi, sans souci,
Sous un autre toit.

Refrain

Pigeon vole,
Larmes volent,
Chagrin vole.
Je vais te mettre au pli.
Tu me supplies,
Tu m'assures,
Tu me jures,
Imposture.
Le petit vieux d'la mer
C'est ton grand'père...
Je suis bon et doux,
Je pardonne tout,
Reviens dans mes bras,
Parle-moi.
La rue vole,

Tout s'affole,
Tout chante, danse et sourit,
Pigeon vole et vive la vie !

Ma ville

Paroles et musique de Charles Trenet

Refrain

Ma ville,
C'est le clocher qu'on voit de loin,
Ma ville,
C'est du soleil dans tous les coins,
Ma ville,
C'est un ciel pur,
Ma ville,
Ce sont les rues et les maisons tranquilles,
C'est dans la mer,
Cette jolie presqu'île,
De fleurs et de fruits mûrs,
Ma ville,
C'est vers le soir un grand jardin fragile
Où tout est mystérieux mais pas hostile
Aux amoureux,
Ma ville,
C'est le printemps quand on revient
Et dans le cœur, c'est un p'tit rien
Ma ville,
Qui fait du bien.

Le jardin du notaire,
Où poussent des pomm's de terre,
Le jardin du curé,
Tout frais et récuré,
La fontaine tout en marbre
Qui coule entre les arbres,
La fontaine tout en bois

Où tout le monde boit.
Bonjour.
Ça va...
Je suis là.

Refrain

Ma ville,
C'est un visage frais, des yeux dociles
Que je reconnaîtrais entre cent mille
C'est merveilleux,
Ma ville,
C'est tout l'amour et tout le sex-appeal,
C'est la bergère et son p'tit air gracile
Ma ville,
C'est les vendanges et leur plaisir facile
Et tous les souvenirs, là, qui défilent
D'un pas joyeux,
Ma ville,
C'est le printemps quand on revient
Et dans le cœur, c'est un p'tit rien,
Ma ville,
Qui fait du bien.

Je chante

Paroles de Charles Trenet *Musique de Charles Trenet et Paul Misraki*

Je chante !
Je chante soir et matin,
Je chante sur mon chemin,
Je chante, je vais de ferme en château
Je chante pour du pain je chante pour de l'eau
Je couche
Sur l'herbe tendre des bois
Les mouches
Ne me piqu'nt pas
Je suis heureux, j'ai tout et j'ai rien

Je chante sur mon chemin
Je suis heureux et libre enfin.

Les nymphes
Divinités de la nuit,
Les nymphes
Couchent dans mon lit.
La lune se faufile à pas de loup
Dans le bois, pour danser, pour danser avec nous.
Je sonne
Chez la comtesse à midi :
Personne,
Elle est partie,
Ell' n'a laissé qu'un peu d'riz pour moi
Me dit un laquais chinois.

Je chante,
Mais la faim qui m'affaiblit
Tourmente
Mon appétit.
Je tombe soudain au creux d'un sentier,
Je défaille en chantant et je meurs à moitié.
« Gendarmes,
Qui passez sur le chemin,
Gendarmes,
Je tends la main.
Pitié, j'ai faim, je voudrais manger,
Je suis léger... léger... »

Au poste,
D'autres moustaches m'ont dit,
Au poste,
« Ah ! mon ami,
C'est vous le chanteur vagabond ?
On va vous enfermer... oui, votre compte est bon. »
Ficelle,
Tu m'as sauvé de la vie,
Ficelle,
Sois donc bénie

Car, grâce à toi, j'ai rendu l'esprit,
Je me suis pendu cette nuit... et depuis...

Je chante !
Je chante soir et matin,
Je chante
Sur les chemins,
Je hante les fermes et les châteaux,
Un fantôme qui chante, on trouve ça rigolo
Je couche,
Parmi les fleurs des talus,
Les mouches
Ne me piqu'nt plus.
Je suis heureux, ça va, j'ai plus faim,
Heureux, et libre enfin !

Fleur bleue

Paroles et musique de Charles Trenet

Refrain

Un doux parfum qu'on respire
C'est fleur bleue
Un regard qui vous attire
C'est fleur bleue
Des mots difficiles à dire
C'est fleur bleue
C'est fleur bleue
Une chanson qu'on fredonne
C'est fleur bleue
Un jeune amour qui se donne
Deux grands yeux qui s'abandonnent
C'est fleur bleue

On envoie des pneumatiques
A fleur bleue
Les dimanches sont poétiques

Tout fleur bleue
On se met du cosmétique
Dans les cheveux, oui parbleu, pour fleur bleue
On jure que l'on s'adore
Tous les deux
Et l'on jurerait encore
Si fleur bleue
Ne vous plaquait, ça c'est vache
Pour un dragon à moustache
Ah morbleu !...

Elle n'est pas revenue
Mystérieux
Oui à jamais disparue
Sans adieux
Et je suis seul dans la rue
Larmes aux yeux, larmes aux yeux, larmes aux yeux
Mais soudain le cœur bat vite
Ah mon dieu :
La voilà c'est la petite
L'air joyeux
Non ce n'est pas elle, quel drame
C'est une assez grosse dame
Pas fleur bleue.

Alors le printemps l'automne
Sans fleur bleue
Coulent des jours monotones
Ciel pluvieux
Et cet air que je fredonne
Sans fleur bleue, devient vieux, ennuyeux
Pourtant ne soyons pas triste
Pour fleur bleue
J'en ai là toute une liste
C'est bien mieux
Amourettes passagères
Joies peines de cœur légères
Oui, fleurs bleues. *(Refrain)*

Bateau d'amour

Paroles et musique de Charles Trenet

Au hasard d'un voyage
Un jour j'ai rencontré
Sur un lointain rivage
L'amour que je cherchais
Et j'ai dit à ma belle :
« Je suis ton amoureux,
Ce soir mon cœur t'appelle
Viens, partons tous les deux... »

Refrain

L'amour est un petit bateau
Qui s'en va tout joyeux sur l'onde,
Voguant vers des pays nouveaux
Au hasard de sa course vagabonde,
Bercé par la chanson des flots,
Nos deux cœurs y feront le tour du monde
Tous les deux, rien que nous, c'est mon rêve le plus beau
L'amour est un petit bateau.

Ce fut l'instant suprême,
Le destin merveilleux,
On se disait : « Je t'aime »,
Sous un ciel toujours bleu.
Et des voix nostalgiques
Sous les étoiles d'or,
Pendant les nuits magiques
Nous fredonnaient encor : *(Au 1er refrain)*

Mais les lointains voyages
Doivent finir un jour.
L'amour y fait naufrage,
Ainsi sombre l'amour.
Un soir j'ai vu des larmes
Au fond de tes grands yeux,

Et j'ai compris : le charme
Était sous d'autres cieux.

Dernier refrain

Adieu notre petit bateau
Qui s'en va tout seul par le monde,
Portant le rêve le plus beau
Au hasard de sa course vagabonde.
Plus d'amour... Plus rien que les flots
C'est la nuit et déjà l'orage gronde,
Adieu bonheur, beaux jours, souvenirs, tendres bécots,
Adieu notre petit bateau.

Vous qui passez sans me voir

Paroles de Charles Trenet *Musique de Johnny Hess*

Refrain

Vous, qui passez sans me voir
Sans même me dire bonsoir
Donnez-moi un peu d'espoir ce soir...
J'ai tant de peine,
Vous, dont je guette un regard,
Pour quelle raison, ce soir passez-vous sans me voir...
Un mot : je vais le dire : « je vous aime »
C'est ridicule, c'est bohème,
C'est jeune et c'est triste aussi,
Vous, qui passez sans me voir,
Me donn'rez-vous ce soir
Un peu d'espoir ?...

Les souvenirs sont là pour m'étouffer
De larmes, de fleurs, de baisers
Oui je revois les beaux matins d'avril
Nous vivions sous les toits tout en haut de la ville

Refrain

Vous qui passez sans me voir
Vous, qui passez sans même me dire bonsoir
Donnez-moi un peu d'espoir ce soir...
J'ai tant de peine,
Vous, dont je guette un regard,
Pour quelle raison, ce soir passez-vous sans me voir...
Un mot : je vais le dire : « je vous aime »
C'est ridicule, c'est bohème,
C'est jeune et c'est triste aussi,
Vous qui passez sans me voir,
Sans me donner d'espoir...
Adieu... Bonsoir !...

Y'a de la joie

Paroles de Charles Trenet *Musique de Charles Trenet et Michel Emer*

1er refrain

Y'a d'la joie bonjour bonjour les hirondelles
Y'a d'la joie dans le ciel par-dessus le toit
Y'a d'la joie et du soleil dans les ruelles
Y'a d'la joie partout y a d'la joie
Tout le jour, mon cœur bat, chavire et chancelle
C'est l'amour qui vient avec je ne sais quoi
C'est l'amour bonjour, bonjour les demoiselles
Y'a d'la joie partout y'a d'la joie

Le gris boulanger bat la pâte à pleins bras
Il fait du bon pain du pain si fin que j'ai faim
On voit le facteur qui s'envole là-bas
Comme un ange bleu portant ses lettr's au Bon Dieu
Miracle sans nom à la station Javel
On voit le métro qui sort de son tunnel
Grisé de ciel bleu de chansons et de fleurs
Il court vers le bois il court à tout'vapeur

2e refrain

Y'a d'la joie la Tour Eiffel part en balade
Comme un' foll' elle saut' la Seine à pieds joints
Puis ell' dit :
« Tant pis pour moi si j'suis malade
J'm'ennuyais tout' seul' dans mon coin »
Y'a d'la joie le percepteur met sa jaquette
Plie boutique et dit d'un air très doux, très doux
« Bien l'bonjour, pour aujourd'hui finie la quête
Gardez tout
Messieurs gardez tout »

Mais soudain voilà je m'éveill' dans mon lit
Donc j'avais rêvé, oui, car le ciel est gris
Il faut se lever, se laver, se vêtir
Et ne plus chanter si l'on a plus rien à dir'
Mais je crois pourtant que ce rêve a du bon
Car il m'a permis de faire une chanson
Chanson de printemps, chansonnette d'amour
Chanson de vingt ans chanson de toujours. *(Au 1er refrain)*

J'aime une rivière

Paroles de Charles Trenet *Musique de Ph. Parès et Antonio Matas*

Moi j'aime une rivière
Qui chante au fond de mon cœur
Une chanson légère
Pour bercer ma douleur
Plus belle qu'une femme
Et plus fidèle aussi

Je sais lire en son âme
Bien mieux que dans vos yeux gris
Comme vos blonds cheveux, elle a des reflets d'or
Et la nuit, comme vous elle dort

Comme vous au soleil elle tend ses longs bras
Comme vous elle pleure tout bas
Mais seule ma rivière
Connaît le rythme enchanteur
D'une chanson légère
Qui chante au fond de mon cœur

Elle prendra mon âme
Tout au fond de ses flots gris
Près d'elle j'oublierai le mal que tu m'as fait
Le bonheur dont jadis je rêvais
Sur mon front passera la caresse de l'eau
Et le vent portera mes sanglots
Alors dans la rivière
Je dormirai pour toujours
Et sa chanson légère
Mourra comme mon amour

Je suis triste
Pourquoi n'es-tu pas là ?
Rien n'existe
Car désormais sans toi
Je suis tout seul et je résiste
La rivière me tend les bras...

J'ai ta main

Paroles et musique de Charles Trenet

Nous sommes allongés
Sur l'herbe de l'été,
Il est tard on entend chanter
Des amoureux et des oiseaux
On entend chuchoter le vent de la campagne
On entend chanter la montagne,

Refrain

J'ai ta main dans ma main
Je joue avec tes doigts
J'ai mes yeux dans tes yeux
Et partout l'on ne voit
Que la nuit, belle nuit,
Que le ciel merveilleux
Qui fleurit, tour à tour, tendre et mystérieux
Viens plus près, mon amour, ton cœur contre mon cœur
Et dis-moi qu'il n'est pas de plus charmant bonheur
Que ces yeux dans le ciel,
Que ce ciel dans tes yeux,
Que ta main qui joue avec ma main.

Je ne te connais pas
Tu ne sais rien de moi,
Nous ne sommes que deux vagabonds
Fille des bois, mauvais garçon
Ta robe est déchirée, je n'ai plus de maison,
Je n'ai plus que la belle saison,

Refrain

Et ta main dans ma main
Qui joue avec mes doigts
J'ai mes yeux dans tes yeux
Et partout l'on ne voit
Que la nuit, belle nuit,
Que le ciel merveilleux
Qui fleurit, tour à tour, tendre et mystérieux
Viens plus près, mon amour, ton cœur contre mon cœur
Et dis-moi qu'il n'est pas de plus de charmant bonheur
On oublie l'aventure,
Et la route et demain,
Mais qu'importe puisque j'ai ta main

Quel beau dimanche !

Paroles de G. Groener et Charles Trenet *Musique de Clément*

Tu m'avais dit un samedi,
« Demain c'est le jour des folies
On a vingt ans, et le printemps
Chante l'amour, chante la vie. »

Refrain

Quel beau dimanche que celui-là.
La route est blanche, tu prends mon bras.
Tu sais me dire dans un sourire,
L'amour que je t'inspire.
Tout est en fête sous le ciel bleu,
Lourde est ma tête près de tes yeux...
Si tu te penches,
Dieu quel émoi,
Quel beau dimanche que celui-là...

Mais les beaux jours hélas sont courts,
Déjà l'hiver frappe à la porte
Malgré le temps le cœur content
Sourit encore aux choses mortes.

Refrain

Quel beau dimanche que celui-là.
Ma tête est blanche, tu prends mon bras.
Tu sais me dire, dans un sourire
Les mots que je désire.
Sur la grand'route du souvenir
Je ne redoute pas l'avenir.
Ma tête est blanche
Tu prends mon bras
Quel beau dimanche que celui-là.

1938

Annie-Anna

Paroles de Charles Trenet *Musique de Charles Trenet et Michel Emer*

Tandis qu'Anna se met à la machine à coudre
Voyez sa sœur Annie qui se met de la poudre
Tandis qu'Anna toujours nettoie le linge sale
En ascenseur sa sœur Annie s'en va au bal

Annie
Vous êtes bien plus jolie qu'Anna
Anna je vous aime beaucoup plus qu'Annie
Annie
Vous avez des yeux bleus qu'Anna n'a
Anna
Je préfère vos jolis yeux gris
L'amour est entré dans mon cœur depuis
Le jour béni
Où je vous vis
Annie
Vous avez séduit un maharajah
Anna
Eh bien vous n'avez séduit que moi

Tandis qu'Anna dans sa maison fait la lessive
Dans les salons sa sœur Annie fait la lascive
Le maharajah met des bijoux sur sa poitrine
Cette poitrine m'a tout l'air d'une vitrine

Annie
Tous vos amis font du cinéma
Anna
Je suis vraiment votre seul ami
Annie

Cet Hindou vous dit toujours « Ça va »
Anna
Il ne faut pas envier sa vie
Rajah je préfère aux trésors d'un jour
Un bel amour
Qui dure toujours
Annie
Vous sortez en robe d'apparat
Anna
Vous restez toujours seule à Paris.

Un jour la pauvre Annie vient frapper à ma porte
Elle a des yeux qui font des plis l'air d'une morte
Le maharajah vient de partir pour Singapour
En emportant ses bijoux faux comme son amour

Annie
Vous vous êtes jetée dans mes bras
Anna
Tous trois nous avons pleuré sans bruit
Annie
Vous êtes restée trois jours dans le coma
Anna
Hier vous avez épousé le commis
Et moi qui ne suis pas un maharajah
Mais un ami
Je suis parti...
Parti
Je suis parti pour Bratislava
Là-bas
Je vais essayer de refaire ma vie
En oubliant Anna-Annie.

Polka du Roi

Paroles et musique de Charles Trenet

1
Voulez-vous danser marquise
Voulez-vous danser le menuet
Vous serez vite conquise
Donnez-moi la main s'il vous plaît

Refrain

Ah ah ah ah
Ah ah ah ah
Entrons en danse
Quelle cadence
Ah ah ah ah
Ah ah ah ah
Le menuet c'est la polka du Roi

2
Pendant que le marquis sommeille
Je veux poser un baiser sur vos doigts fluets
Et sur votre bouche vermeille
Moi pour l'amour je suis toujours prêt *(Au refrain)*

3
Montons sans faire de tapage
Tout en dansant le menuet là-haut
Montons jusqu'au troisième étage
Du bonheur nous aurons bientôt *(Au refrain)*

4
J'enlève votre jolie robe
Et doucement j'ouvre votre corset
Votre perruque est malcommode
Il faut vous en débarrasser *(Au refrain)*

5
Oh doux émoi minute brève
C'est dans la joie la soie et le satin

Que j'accomplis mon plus beau rêve
Chérie je vous possède enfin *(Au refrain)*

6
Mais soudain qu'y a-t-il marquise
Je ne vous sens plus très bien dans mes bras
Vous fondez comme une banquise
Expliquez-vous je ne comprends pas *(Au refrain)*

7
Hélas Monsieur je suis en cire
Et vous vous êtes au musée Grévin
Louis XIV ? ah triste sire
Nous ne sommes plus des humains

Dernier refrain

Ah ah ah ah Ah ah ah ah
Finie la danse
Plus de cadence
Ah ah ah ah Ah ah ah ah
Ainsi s'achève la polka du Roi

Sérénade portugaise

Paroles et musique de Charles Trenet

J'écoute le vent qui parle de ma belle,
J'écoute le vent qui me parle d'amour.
Le jour s'est enfui car il fait nuit sans elle,
Sans elle, l'écho dans le bois reste sourd.
Et gronde, gronde le tonnerre
Et gronde, gronde le ciel lourd.

Je suis un marin, je chante les rivages,
Je chante les flots et je chante les fleurs,
Je fais des bouquets avec tous les nuages
Mais la fleur d'amour est toujours dans mon cœur.

Et chante, chante ma jeunesse
Et chante, chante la joie et les pleurs !

Ce soir à minuit c'est la fête au village,
Et nous danserons sous les platanes verts,
J'aurai dans mes bras la fille la plus sage
Pour qui je fredonne ma chanson sur la mer.
Et vogue, vogue mon ivresse,
Et claque ma voile dans l'air !...

Tout me sourit

Paroles de Charles Trenet et Henry Dumont *Musique de Charles Trenet et Arcady*

Ce matin j'ai l'âme en fête,
Je suis d'humeur satisfaite
Et je me sens tout florissant
Florissant cent pour cent...
Je ne pens' plus à mes peines
Je suis en veine
Certain'ment
Je n'sais comment
S'est produit ce chang'ment.

Refrain

Le ciel est d'un bleu très pur
Les oiseaux chantent dans l'azur,
De tous mes soucis je suis guéri :
Tout me sourit...
M'étant levé du pied droit
J'suis parti plus heureux qu'un roi,
Me prom'ner à travers Paris
Qui me sourit...
J'ai tout à l'heur' aperçu
Dans la rue un petit bossu
Viv'ment j'ai frôlé son dos
Ça c'est du bonheur pour bientôt

Un peu plus loin, j'ai trouvé
Un billet entre deux pavés :
C'est un billet de la lot'rie :
Tout me sourit.

Quand je travers' les avenues,
Les agents à ma venue
Tout aussitôt,
J'en deviens marteau,
Font stopper les autos...
Et les chauffeurs semblent dire
Dans un sourire :
« Passez donc. »
Tant de bon ton
Quell' chance pour un piéton...

2e refrain

En passant quai Malaquais,
Un' petit' vendeus' de bouquets
D'un brin de lilas m'a fleuri ;
Tout me sourit...
L'autobus que j'appelais
Ô stupeur n'était pas complet...
Sans plus attendre, je l'ai pris :
Tout me sourit...
Je m'suis assis à côté
D'une blonde et jeune beauté...
Arrêt brusque et, patatras,
Voilà qu'ell' tombe dans mes bras...
Comm' j'avais l'air plein d'émoi,
Ell' m'a dit : « Accompagnez-moi,
Je demeure au parc Montsouris... »
Tout me sourit...

3e refrain

Arrivé d'vant sa maison,
J'appris qu'elle se nommait Suzon,
Moi, j'lui dis : « Je m'appelle Henri... »
Elle a souri...

« C'est merveilleux, croyez-vous,
Me glissa-t-ell', d'un ton très doux,
Car c'est mon prénom favori.. »
Tout me sourit...
Puis ell' me fit les honneurs
De son joli p'tit intérieur,
Intérieur plein d'intérêt
Aux mille et mille et un attraits...
La suit', vous la devinez...
Je pourrais vous la dessiner...
Mais, en somm', vous avez compris :
Tout m'a souri...

Les oiseaux de Paris

Paroles et musique de Charles Trenet

Quand tout dort sur la ville et que brille
Cette gueule en or, la lune,
Quand j'éteins du chevet la lumière
Que je retrouve la nuit familière
Quand je fume la dernièr' cigarette
Que je ferme doucement la fenêtre
Et que dans le sommeil je me glisse
Pour rêver aux plus belles délices

Les oiseaux de Paris
Me réveillent la nuit
Par leurs chants et leurs cris
Ils font bien plus de bruit
Qu'les autos
Les oiseaux
Chaque soir à minuit
Dans mon île Saint-Louis
Tout le monde les maudit
Mais moi, j'les trouve gentils
Les oiseaux d'Paris
Vous croyez peut-être qu'ils ont entr' eux

D'innocents bavardages
Non, Mesdames, l'amour ils ont joyeux
Ah ! Quel beau tapage
Je ne dors plus la nuit
Je m'remue dans mon lit
Et je rêve c'est inouï
Que je suis un oiseau de Paris

Mais hélas la vie est vagabonde
Un artiste doit courir le monde
Et Berlin, Chicago, capitales
Sont bien loin de ma terre natale
Ce matin j'm'éveille en Amérique
Dans dix jours je serai en Afrique
Et je pense avec mélancolie
A ma ville qui m'attend, si jolie.

Refrain

Un oiseau de Paris
Est venu faire son nid
Dans l'hôtel où je suis
Il fait bien plus de bruit
Qu'les autos
Cet oiseau
Chaque soir je lui dis
Si tu vas à Paris
Dis bonjour aux amis
Dis bonjour à la Seine
Au bois d'Vincennes
Va revoir ma chambre sous les toits
Où l'on voit les étoiles
Porte à tous de bonnes nouvelles de moi
Dis-leur il reviendra
Pose-toi dans le ciel
En haut d'la Tour Eiffel
Au printemps qui sourit
Et chante avec tous les oiseaux de Paris.

Ménilmontant

Paroles et musique de Charles Trenet

Ménilmontant mais oui madame
C'est là que j'ai laissé mon cœur
C'est là que je viens retrouver mon âme
Toute ma flamme
Tout mon bonheur...
Quand je revois ma petite église
Où les mariages allaient gaiement
Quand je revois ma vieille maison grise
Où même la brise
Parle d'antan
Elles me racontent
Comme autrefois
De jolis contes
Beaux jours passés je vous revois
Un rendez-vous
Une musique
Des yeux rêveurs tout un roman
Tout un roman d'amour poétique et pathétique
Ménilmontant !

Quand midi sonne
La vie s'éveille à nouveau
Tout résonne
De mille échos
La midinette fait sa dînette au bistro
La pipelette
Lit ses journaux
Voici la grille verte
Voici la porte ouverte
Qui grince un peu pour dire « Bonjour bonjour
Alors te v'là de retour ? »

Refrain

Ménilmontant mais oui madame
C'est là que j'ai laissé mon cœur
C'est là que je viens retrouver mon âme

Toute ma flamme
Tout mon bonheur...
Quand je revois ma petite gare
Où chaque train passait joyeux
J'entends encor dans le tintamarre
Des mots bizarres
Des mots d'adieux
Je suis pas poète
Mais je suis ému,
Et dans ma tête
Y a des souvenirs jamais perdus
Un soir d'hiver
Une musique
Des yeux très doux les tiens maman
Quel beau roman d'amour poétique
Et pathétique
Ménilmontant !

Miss Emily

Paroles et musique de Charles Trenet

Ils s'étaient rencontrés en gare de Budapest
Mais lorsqu'en arrivant tous deux en gare de l'Est
Soudain, pris d'un culot excessif à son âge
Il lui dit : « Voulez-vous que je port' vos bagages ? »
Six mois après ils étaient mariés,
Il était charmant, elle était anglaise
Et tout le jour il soupirait
Cette chanson, ne vous déplaise.

Miss Emily vous êtes
La muse du poète
« Le poète c'est moi, avec un grand chapeau
Et la muse c'est vous couverte d'oripeaux. »
Miss Emily, cher ange,
Ah ! L'envie me démange
De vous mordre le cou, si vous ne m'aimez pas,

Vous m'aimez Emily, n'est-ce pas ? Oui
Ah ! Quoi qu'il arrive, quoi qu'il arrive
Vous êtes passée sur ma rive,
Quoi que l'on dise, quoi que l'on fasse,
Le temps s'enfuit et tout s'efface.

Il se montra très doux, elle se montra coquette,
Elle lui flanquait des coups, il en restait tout bête,
Il faisait le marché, balayait le salon,
Il réparait l'évier, le toit de la maison.
Six mois après, il ne marchait plus
Il était bancal, elle était anglaise
Et malgré ça, toujours ému
Il lui chantait ne vous déplaise.

Un jour il eut assez de cette vie de bagne,
Il amène Emily là-haut sur la montagne
Soi-disant pour cueillir d'innocents champignons,
Mais il a son idée, son idée, le mignon.
C'est un couteau qu'il brandit soudain,
Il était terrible, elle était anglaise,
Mais au moment de mourir un brin,
Il lui chanta ne vous déplaise : *(Au refrain)*

Miss Emily, vous êtes
La veuve du poète
Le poète c'est moi avec un grand couteau,
Et la muse c'est vous qui me tuez bientôt,
Miss Emily je pleure
Des larmes comme du beurre,
Mais avant de mourir, avant mon trépas,
Vous m'aimez, Emily, n'est-ce pas ?
Oui, ah !
Je me décide, je me décide
A ce charmant petit suicide
Quoi que l'on dise, quoi que l'on fasse,
Le temps s'enfuit et tout s'efface.

La chanson des amoureux

Paroles de Charles Trenet et Raoul Breton *Musique de Charles Trenet*

Quand revient le printemps, quand reviennent les fleurs
On entend une voix familière
Qui murmure un refrain d'amour et de douceur
Et qui porte la joie au fond des cœurs
Quel est cet air qui fleurit sans façon
A chaque coin de rue
Dans chaque jardin et dans chaque maison
A la belle saison

1er refrain

C'est la chanson des amoureux
Que l'on fredonne le dimanche
On a vingt ans le ciel est bleu
Et l'oiseau chante sur les branches
Viens près de moi, restons tous deux
Sur mon petit bateau qui penche
Pour nous bercer d'un doux refrain
Tendre et joli comme ta main
Y en a pas dix y en a pas deux
C'est la chanson des amoureux

Je préfère au muguet la jolie fraise des bois
La forêt gentiment nous appelle
On s'allonge sans soucis et les oiseaux nous voient
On regarde plonger une fourmi qui se noie
Et quand le ciel est en feu, tout en or
Moi comme lui je brûle
Quand tu me dis chéri, encor, encor
Qu'est-ce qu'on entend alors ? *(Au 1er refrain)*

Les beaux jours sont partis, le soleil s'est éteint
Voici l'hiver, adieu la jeunesse
Tout est triste et muet dans la rue ce matin
Le printemps et l'été ont pris le dernier train
Mais il nous reste les chers souvenirs
Des heures les plus tendres

Et dans le soir qui finit de mourir
On croit encor entendre :

2e refrain

C'est la chanson des amoureux
Que l'on fredonnait le dimanche
Pour nos vingt ans sous le ciel bleu
Un oiseau chantait sur la branche
Toi rien que toi rien que nous deux
Sur mon petit bateau qui penche
On se berçait d'un doux refrain
Tendre et joli comme ta main
Y'en a pas dix, y'en a pas deux
C'est la chanson des amoureux

J'ai connu de vous

Paroles et musique de Charles Trenet

Il ne faut pas Madame
Que vous passiez sans me voir
Non, ce n'est pas un drame
Que je jouerai ce soir,
Je n'ai que quelques mots à dire
Je vais les dire sans retard
Mais avant je veux un sourire,
Très bien, vous allez tout savoir.

1er refrain

J'ai connu de vous
De folles caresses,
Des moments très doux
Tous pleins de tendresse.
J'ai connu de vous
Votre corps troublant
Vos yeux de petit loup
Vos jolies dents.

J'ai connu de vous
Toutes les extases
Tous les rendez-vous
Et toutes les phrases,
Vous voyez Madame que l'on n'oublie pas tout :
Moi je pense encore à vous.
Je me souviens de la boutique
Où l'on s'est rencontré un soir
Et je revois les nuits magiques
Où nos deux cœurs battaient, battaient remplis d'espoir.
Quand on a connu
Les mêmes ivresses,
Et qu'on ne s'aime plus
Il y a la tendresse
Vous voyez Madame que l'on n'oublie pas tout,
Moi, je pense encore à vous :

2e refrain

J'ai connu de vous
Les soupes brûlées,
Les ragoûts trop doux,
Les tartes salées,
Pour un oui, un non,
Vous sautiez du balcon.
Tranquille, je vous laissais
Tomber du rez-de-chaussée.
J'ai connu de vous
Les assiettes qui volent,
Les soirs de courroux
Quand vous étiez folle
Vous voyez, Madame, que l'on n'oublie pas tout,
Moi, je pense encore à vous.
Je me souviens de la cuisine
Où très gentiment voisinait
Le poivre avec la naphtaline
Le sucre, la moutarde, le lait, la chicorée !
Quand on a connu les mêmes ivresses
Et qu'on ne s'aime plus,
Il y a la tendresse,

Vous voyez, Madame, que l'on n'oublie pas tout,
Moi, je pense encore à vous,
Moi, je pense encore,
Moi, je pense encore,
Moi, je pense encore à vous.

En quittant une ville, j'entends

Paroles et musique de Charles Trenet

Dans le train de nuit y a des fantômes
Qui me sourient quand nous passons sur les prairies
Dans le train de nuit y a des royaumes
Et puis du bruit et puis Paris au bout de la nuit
Les souvenirs si tendres
Viennent s'y faire entendre

Refrain

J'entends la voix des flots enchanteurs
Qui font au fond de mon cœur
Des sérénades
J'entends le triste appel des bateaux
Et la chanson des oiseaux
Sur l'esplanade
Voici l'esplanade
Voici le ciel peuplé
De ses moutons blancs
Voici la mer troublée
Spectacle troublant...
J'entends la ville qui me dit bonsoir
Et moi sur le quai de la gare
Je dis de mon mieux des mots d'adieu

Dans le train de nuit y a des visages
Des yeux rêveurs des cheveux blonds des cheveux fous
Dans le train de nuit le paysage
C'est du brouillard qui va danser dans l'air très doux

Chantent sur la rivière
Les ombres familières

2e refrain

J'entends les mots de nos rendez-vous
Le tu remplace le vous
C'est la campagne...
J'entends claquer ton pas dans la rue
Quand le jour a disparu
Je t'accompagne
Voici les prés, les bois
Près de moi tu bois
Voici la ville qui dort
Dans son rêve d'or
J'entends ta voix trembler de bonheur
Et j'entends battre ton cœur
Adieu beaux jours
Adieu l'amour...

Boum

Paroles et musique de Charles Trenet

1
La pendule fait tic tac tic tac
Les oiseaux du lac font pic pic pic pic
Glou glou glou font tous les dindons
Et la jolie cloche ding din don.
Mais...

Refrain

Boum
Quand notre cœur fait Boum
Tout avec lui dit Boum
Et c'est l'amour qui s'éveille.
Boum
Il chante « love in bloom »

Au rythme de ce Boum
Qui redit Boum à l'oreille.

Tout a changé depuis hier
Et la rue a des yeux qui regardent aux fenêtres
Y a du lilas et y a des mains tendues
Sur la mer le soleil va paraître.

Boum
L'astre du jour fait Boum
Tout avec lui dit Boum
Quand notre cœur fait Boum Boum.

2
Le vent dans les bois fait hou hou hou
La biche aux abois fait mê mê mê
La vaisselle cassée fait cric crin crac
Et les pieds mouillés font flic flic flac.
Mais...

Boum
Quand notre cœur fait Boum
Tout avec lui dit Boum
L'oiseau dit Boum, c'est l'orage
Boum
L'éclair qui lui fait Boum
Et le Bon Dieu dit Boum
Dans son fauteuil de nuages.

Car mon amour est plus vif que l'éclair
Plus léger qu'un oiseau qu'une abeille
Et s'il fait Boum s'il se met en colère
Il entraîne avec lui des merveilles.

Boum
Le monde entier fait Boum
Tout l'univers fait Boum
Parc'que mon cœur fait Boum Boum
Boum
Je n'entends que Boum Boum

Ça fait toujours Boum Boum
Boum Boum Boum...

L'amour m'a

Paroles de Charles Trenet *Musique de Philippe Parès*

1
On s'était connu à bicyclette
Et puis un soir on s'est dit : Je t'aime !
Alors pour fêter cette amourette
Nous avons acheté un tandem...
Et d'puis ce jour, sur le gazon
Quand nous nous reposons
Nous nous disons :

Refrain

Si je t'aime un peu, l'amour m'a ;
Si tu m'aim's un peu, l'amour t'a ;
Si l'on s'aim' tous deux, l'amour va ;
Quand l'amour va, l'amour m'a, l'amour t'a !
Un peu de bonheur, l'amour m'a ;
Quelques jolies fleurs, l'amour t'a ;
Un peu de ton cœur, l'amour va,
Quand l'amour va, l'amour m'a, l'amour t'a !
Pourquoi dir' des phrases
D'extase
Qu'on lit dans les romans ?
Pourquoi dir' : « Poème
Suprême ? »
Mieux vaut dir' gentiment :
Si je t'aime un peu, l'amour m'a ;
Si tu m'aim's un peu, l'amour t'a ;
Si l'on s'aim' tous deux, l'amour va ;
Quand l'amour va, l'amour m'a, l'amour t'a !

2
A la soirée de la Sous-Préfète
La Marquise dit au Général :
Si vous ne me trouvez pas mal faite
Moi je ne vous trouve pas trop mal.
Tout en dansant une rumba
Le Général baba
Disait tout bas : *(Refrain)*

3
En passant l'autr' jour au Bois d'Boulogne
Je fus accosté par un Monsieur
Qui sentait la poudre et l'eau d'Cologne,
Plein de rouge aux lèvr's et d'noir aux yeux.
Il me dit : — Viens ! Ce s'ra pour rien,
Je s'rai doux comme un p'tit chien,
Je s'rai tout tien ! *(Refrain)*

4
Je n'voudrais pas fair' de politique,
Pas plus qu'le métier d'impressario,
Mais si j'l'étais j'engag'rais tout d'suite
Les duettist's Hitler et Benito ;
Charmant duo, costum's très chics,
Refrain d'amour nouveau,
Et pathétiqu' ! *(Refrain)*

5
Tous les amoureux dans le bocage
Dès qu'arrive la jolie saison,
Au lieu des serments qui les engagent
Chantant tous en chœur ma p'tit' chanson.
Chantons aussi à l'unisson,
Chantons, fill's et garçons,
Chantez ! Chantons ! *(Refrain)*

1939

Les enfants s'ennuient le dimanche

Paroles et musique de Charles Trenet

1
Les enfants s'ennuient le dimanche
Le dimanche les enfants s'ennuient
En knickerbockers ou en robes blanches
Le dimanche les enfants s'ennuient

Vienne vienne
La semaine
Lundi mardi jeudi
Car la rue est toujours pleine
De lumière et de bruit !

2
Que ce soit promenade ou tartine
Pâtissier pas plus que les bois
N'auront de succès : gamins et gamines
Sont plus tristes que maman ne croit

Vienne vienne
La semaine
Lundi mardi jeudi
Car la rue est toujours pleine
De lumière et de bruit !

3
A travers les rues sans rien dire
On parcourt la ville sans fin
Y a que les mannequins qui font des sourires
Aux vitrines des grands magasins

Vienne vienne
La semaine
Lundi mardi jeudi
Car la rue est toujours pleine
De lumière et de bruit !

4

Les parents s'ennuient le dimanche
Le dimanche les parents s'ennuient
Avec leurs lorgnons et leurs barbes blanches
Le dimanche les parents s'ennuient

Vienne vienne
La semaine
Lundi mardi jeudi
Car la rue est toujours pleine
De lumière et de bruit !

Valse des amours passées

Paroles et musique de Charles Trenet

C'est un souvenir banal, peut-être
C'est la fin du bal, c'est tout...
C'est un rendez-vous sous votre f'nêtre,
C'est votre maison, c'est nous...
C'est le grand bonheur, c'est la vi' commune
L'amour romantique et le clair de lune,
Mais hélas un jour tout passe
Le temps s'est enfui sans laisser de trace.

Amours du passé,
Tendres fleurs d'autrefois,
Baisers envolés, caresses...
Où donc êtes-vous, beaux soirs de mes amours
Et vous mes serments pour toujours.
La vie vous a pris dans ses bras, choses mortes,
Mais si de mon cœur vous frappiez à la porte,

Je vous ouvrirais bien vite les verrous
Amours du passé souvenir très doux.

Je voudrais revivre ma jeunesse,
Les joyeux matins d'avril,
Mes tendres amours et mes faiblesses
Au fond de mon triste exil.
Alors que m'importera la fortune
Tous mes souvenirs sont rayon de lune
Voici tour à tour sans nombre
Les visages frais qui naissent de l'ombre.

Le soleil et la lune

Paroles de Charles Trenet *Musique de Charles Trenet et Albert Lasry*

1

Sur le toit de l'hôtel où je vis avec toi
Quand j'attends ta venue mon amie
Que la nuit fait chanter plus fort et mieux que moi
Tous les chats tous les chats tous les chats
Que dit-on sur les toits que répètent les voix
De ces chats de ces chats qui s'ennuient
Des chansons que je sais que je traduis pour toi
Les voici les voici les voilà

Refrain

Le soleil a rendez-vous avec la lune
Mais la lune n'est pas là et le soleil l'attend
Ici-bas souvent chacun pour sa chacune
Chacun doit en faire autant
La lune est là, la lune est là
La lune est là, mais le soleil ne la voit pas
Pour la trouver il faut la nuit
Il faut la nuit mais le soleil ne le sait pas et toujours luit
Le soleil a rendez-vous avec la lune

Mais la lune n'est pas là et le soleil l'attend
Papa dit qu'il a vu ça lui...

2
Des savants avertis par la pluie et le vent
Annonçaient un jour la fin du monde
Les journaux commentaient en termes émouvants
Les avis les aveux des savants
Bien des gens affolés demandaient aux agents
Si le monde était pris dans la ronde
C'est alors que docteurs savants et professeurs
Entonnèrent subito tous en chœur *(Au refrain)*

3
Philosophes écoutez cette phrase est pour vous
Le bonheur est un astre volage
Qui s'enfuit à l'appel de bien des rendez-vous
Il s'efface il se meurt devant nous
Quand on croit qu'il est loin il est là tout près de vous
Il voyage il voyage il voyage
Puis il part il revient il s'en va n'importe où
Cherchez-le il est un peu partout...

Quand j'étais p'tit je vous aimais...

Paroles et musique de Charles Trenet

1
Oublions le solfège
Pour des rêves meilleurs
Les murs de ce collège
Sont les murs de mon cœur...

Refrain

Quand j'étais p'tit je vous aimais sans rien vous dire
Je vous voyais soir et matin. Je vous aimais
On s'amusait avec des riens
N'importe quoi nous faisait rire

La barbe du parrain, le nez du pharmacien
Je me souviens des soirs d'hiver seul dans la grange
Où j'attendais les yeux fermés Colin-Maillard
L'amour venait faire ses vendanges
Nos cœurs étaient des raisins verts
On s'est aimés à la folie quand j'étais p'tit.

2
Aujourd'hui j'os' vous dire
Puisque nous sommes âgés :
Je t'aim' allez-vous rire
Moi, je n'ai pas changé...

Refrain

Quand j'étais p'tit je vous aimais sans rien vous dire
Mais à présent dans ma chanson vous trouverez
Tous les aveux, les souvenirs
Et tous les rêves qui soupirent
Tous les projets, tous les serments, tous les romans,
Toutes les joies, tous les désirs, toutes les larmes
La jalousie, les cris, les pleurs et les baisers
Quand j'étais p'tit j'ai pas osé
Mais aujourd'hui y a plus d'gendarmes...
On peut s'aimer à la folie
On n'est plus p'tit !

La route enchantée

Paroles et musique de Charles Trenet

1
Le ciel est plein de joie
La nuit est parfumée
Ah ! quel parfum subtil
Odeur de feu de bois
Douce odeur de fumée
Odeur du mois d'avril

On sent que bientôt c'est la fête
La jolie fête du printemps
Qui fleurit par-dessus nos têtes
Le ciel d'avril comme les champs

Refrain

Une étoile m'a dit
Deux étoiles m'ont dit
Connais-tu le pays du rêve
Le pays d'amour où sous le ciel bleu
Tout est joyeux
Les beaux jours sont courts
Au pays d'amour
Et les nuits les nuits sont brèves
Mais l'on vit sa vie
Loin de tous soucis
Viens cette nuit
Pars c'est du mystère
Que tu veux : en voilà !
Pars oublie la terre
Pars viens avec nous tu verras
Les joyeux matins et les grands chemins
Où l'on marche à l'aventure
Hiver comme été
Toujours la nature
La route enchantée...

2

Rivière mon amie
C'est pour toi que je chante
Et vous petits oiseaux écoutez-moi
Cochons vaches et veaux
Et vous bêtes méchantes
Qui hurlez dans les bois
Demain c'est le jour où l'on s'aime
Et qui sème récolte l'amour
L'amour c'est le plus beau poème
Pourquoi ne pas s'aimer toujours

Refrain

Une étoile m'a dit
Deux étoiles m'ont dit
Chante l'amour au clair de lune
Chante sans un sou
Chante comme un fou
Partout partout
La jeunesse est là
Qui te tend les bras
Le soleil c'est la fortune
Si tu vis ta vie
Loin de tous soucis
Viens cette nuit
Pars c'est du mystère
Que tu veux : en voilà
Pars oublie la terre
Pars viens avec nous tu verras
Les joyeux matins et les grands chemins
Où l'on marche à l'aventure
Hiver comme été
Toujours la nature
La route enchantée...
Bonjour le jour la vie la nuit l'amour !

Rendez-vous sous la pluie

Paroles de Charles Trenet — *Musique de Johnny Hess*

1
En plein's vacances
Pour moi quelle chance
Tu m'avais dit :
« A bientôt à Paris »
Mais la grand'ville
Est très hostile
Aux tendres vœux sur la plage promis !...
Viendras-tu ?...

Viendras-tu ?...
Nini ?

Pourquoi m'avoir donné rendez-vous sous la pluie,
Petite aux yeux si doux trésor que j'aime
Tout seul comme un idiot j'attends et je m'ennuie
Et je me pose aussi plus d'un problème
Pourtant on s'est connu par une claire nuit
Le ciel était si pur, la mer si belle !...
Oui mais soudain voilà, tout est sombre aujourd'hui,
Pourquoi m'avoir donné rendez-vous sous la pluie ?...
Sous la pluie ?...

2
J'ai mes chaussettes
Qui font trempette
J'ai des frissons
Mes pieds sont des glaçons
Et dans la brume
J'attrape un rhume
Combien d'garçons sont morts de cett' façon
Mais pourquoi ?...
Mais pourquoi ?...
Ninon ? *(Au refrain)*

La vie qui va

Paroles et musique de Charles Trenet

Refrain

C'est la vie qui va toujours
Vive la vie
Vive l'amour
La vie qui nous appelle
Comme l'amour elle a des ailes
Oui c'est elle qui fait chanter la joie
Quand tout vit c'est que tout va

Quand tout va la vie est belle
Pour vous et pour moi
Je sais bien que demain tout peut changer
Je sais bien que le bonheur est passager
Mais après les nuages
Mais après l'orage
On voit se lever joyeux
L'arc-en-ciel dans vos yeux
Tout est beau comme un mirage
Quand la vie va mieux.

Vous qui rêvez d'un désir fou
Vous qui chantez la jeunesse
Vous qui pleurez d'un air très doux
Le cœur empli de tendresse
Stop ! arrêtez-vous un instant
Écoutez la marche du temps...
Voici la vie *(Au refrain)*

Coda

La vie va mieux
La vie va mieux
Pour vous et pour moi
C'est la vie qui va !

Ah dis Ah dis Ah dis Ah Bonjour

Paroles et musique de Charles Trenet

1

Quel est dans le bois ce lumineux coquelicot
C'est le soleil plus matinal que tes jolis yeux ma chérie
Quel est dans le ciel cet écho ce cocorico
C'est la chanson d'un jeune coq qui chante sur la prairie
Quelle est cette goutte sur la joue de cette fleur
C'est la rosée qui met partout qui met des larmes de
[bonheur

Quelle est cette ardeur qui vient avec le gai printemps
C'est du désir réveille-toi la nature a vingt ans

Refrain

Ouvre ton cœur à l'amour
Ouvre ta fenêtre au jour
Laisse entrer chez toi le gai soleil et dis
Ah dis Ah dis Ah dis Ah Bonjour !
Cueille la fleur la plus belle
Chante une chanson nouvelle
Et va-t'en courir sur les chemins
Qui sont de la nature les lignes de la main
Prends un bain dans la rivière
Sèche-toi dans la clairière
Et n'assieds pas ton derrière
Sur les orties familières...
Dis-toi que le temps est court
Qu'il faut penser à l'amour
Ouvre ton cœur et ta fenêtre au jour
Et dis : Ah dis Ah dis Ah dis Ah Bonjour !

2

Quel est cet oiseau qui gentiment nous applaudit
C'est l'hirondelle de mon cœur qui chante chante jour et
[nuit
Quel est ce château qui nous sourit à l'horizon
C'est le mirage le plus beau ma chérie c'est notre maison
Qui est ce gros chien qui jappe au bas de l'escalier
C'est le gardien le gros Médor dont le visage est familier
Quel est cet étang qui nous invite à canoter
C'est le bon temps l'avenir c'est le printemps et l'été.

(Au refrain)

Fermier Isidore

Paroles et musique de Charles Trenet

1

Marie aime Isidore
Car Isidore adore Marie
Mais il y a le mari de Marie
Qui n'aime pas Isidore
Mais il y a le mari de Marie
Qui toujours les poursuit

Refrain

Fermier Isidore
Le mari de Marie vous regarde
Fermier Isidore changez de décor
Il revient encor
Le mari de Marie vous regarde
Il revient encore
Changez de décor
Vous êtes au pôle Nord
Le mari de Marie vous regarde
Prenez vos passeports changez de décor
Courez sautez cachez-vous mieux
Dans la rivière ou dans les cieux
Il court avec un grand fusil
Il est là-bas il est ici
Fermier Isidore
Le mari de Marie vous regarde
Fermier Isidore
Changez de décor

2

Courant au bout du monde
Voilà qu'Isidore entraîne Marie
Dansant toujours la ronde
Ils arrivent à Paris
Mais il y a le mari de Marie
Qui toujours les poursuit

Refrain

Fermier Isidore
Cachez-vous derrière l'obélisque
Fermier Isidore
Changez de décor
Il vient encor
Dans le bois de Vincennes y a pas de risques
Prenez un taxi
Il y monte aussi
Partez soyez sport
Dans un ballon stratosphérique
Mais il revient encore
Volant sans effort
Voici la lune à l'unisson
Hallucinés atterrissons
Cachez-vous derrière ce volcan
Non le voici vite foutez le camp
Fermier Isidore
Le mari de Marie vous regarde
Fermier Isidore
Changez de décor

Ils ont couru cent ans
Sentant un jour leur fin prochaine
Ils s'arrêtèrent gaiement
A l'ombre d'un vieux chêne
Ils s'arrêtèrent gaiement
Et s'aimèrent tendrement

3

Fermier Isidore
Ça y est le mari d' Marie vise
Fermier Isidore
Adieu triste sort
Fermier Isidore
Le mari de Marie était borgne
Fermier Isidore
Le coup fut très fort... (Poum)
Puis il vous a cru mort

Et depuis plus jamais ne lorgne
Vos baisers d'amour
Qui durent toujours
Car le jaloux pour faire un deuil
Pour mieux viser se trompa d'œil
Ferma le bon ne vit plus rien
Et comme cela tout finit bien
Fermier Isidore
Y a plus de mari de Marie qui lorgne
L'amour est plus fort
Plus fort que la mort

Jardin du mois de mai

Paroles et musique de Charles Trenet

1

Chérie comme il fait doux le vent s'est endormi
Déjà la brume vient danser après la pluie
Une hirondelle bleue écrit des mots d'amour
Dans le ciel et je pense aux beaux jours...

Refrain

Jardin du mois de mai où êtes-vous ce soir ?
Jardin fleuri nos cœurs se sont aimés
Par une nuit de tendre espoir
Jardin du souvenir mon premier rendez-vous
Désir charmant et soudain désir fou
Tout tourne autour de nous
Depuis j'ai voyagé là-haut souvent dans de beaux nuages
Changeant d'amour comme l'oiseau change de paysage...
Mais rien n'a pu changer au jardin de mon cœur
Mon seul amour y dort vivant et nu comme une belle
[fleur...

2

Je vous écris de loin d'un pays merveilleux
Où les choses vous parlent quand on ferme les yeux

La chambre que j'habite est chambre de voleur
Car j'abrite la vie le temps les heures...

Refrain

Jardin du mois de mai vous êtes là ce soir
Jardin fleuri où nos cœurs vont s'aimer
Dans l'ombre ardente du ciel noir
Tes bras qui vont s'ouvrir je les caresse encor
Comme autrefois ta bouche est près de moi,
Je sens vibrer ton corps
Depuis j'ai voyagé là-haut souvent dans de beaux nuages
Changeant d'amour comme l'oiseau change de paysage...
Mais rien n'a pu changer au jardin de mon cœur
Mon seul amour y dort vivant et nu comme une belle
[fleur...

Il pleut dans ma chambre

Paroles et musique de Charles Trenet

Refrain

Il pleut dans ma chambre
J'écoute la pluie
Douce pluie de septembre
Qui tombe dans mon lit
Le jardin frissonne toutes les fleurs ont pleuré
Pour la venue de l'automne
Et pour la fin de l'été
Mais la pluie fredonne
Sur un rythme joyeux
Tip et tap et tip top et tip
Et tip tip et tip
Et tip top et tap
Voilà ce qu'on entend la nuit
C'est la chanson de la pluie

Demain le jour fleurira sur vos lèvres
Mon amour et la pluie qui calme notre fièvre

Sera loin très loin dans la mer
Voguant sous le ciel clair
Demain les bois auront fait leur toilette
Et les toits peints de frais auront un air de fête
Les oiseaux contents de ce shampooing
Ne se plaindront point

Refrain

Il pleut dans ma chambre
Il pleut dans mon cœur
Douce pluie de septembre
Chante un air moqueur
Dans toute la campagne
Poussent de beaux champignons
Et dans la montagne
Le vent joue du violon...
Tous les chats de gouttière
Dansent chantent en rond
Tip et tap et tip tap et tip
Et fut fut et tic
Et pic pac et toc
Voilà ce qu'on entend la nuit
C'est la chanson de la pluie

Hop ! Hop !

Paroles et musique de Charles Trenet

Je suis seul, sans amis.
Dans les champs endormis
Il fait noir, il fait nuit
Tout est tranquille aucun bruit
Dans le soir merveilleux
Un oiseau monte aux cieux
C'est mon cœur qui s'en va
C'est mon cœur c'est ma joie.

Refrain

Hop hop
Monte plus vite mon cœur là-haut vite
Hop hop
Monte plus haut qu'il fait bon là...
Dans un nuage sage
Bleu blanc rose et doux
D'où vient ce paysage
Il n'est pas de chez nous
Non Hop hop
Quel est cet air qu'on fredonne là
La la la la la la la la la la
Est-ce la voix des anges
Est-ce vous est-ce moi
Hop hop
C'est la chanson d'une époque, d'autrefois...
Hop hop
C'est la chanson d'une époque, d'autrefois...

Il suffit d'un soleil
Qui tombe à l'horizon
Il suffit d'un regard
D'un aveu d'une chanson
Pour comprendre la vie
Pour comprendre l'amour
Il suffit de ces riens
Pour faire des beaux jours.

La java des scaphandriers

Paroles et musique de Charles Trenet *Harmonisé par André Cadou*

1
Pour chercher une épave
Ça, bien des gens le savent
Il faut descendre aux fins fonds de la mer, à pied
C'n'est pas la mer à boire.
C'est un' petite histoire

Mais simplement il faut être scaphandrier
Allons mes amis, quittez les Champs-Élysées
Prenez vos habits imperméabilisés.

Refrain

Z'yeux dans les yeux, boîte à air contre boîte à air,
On se dit des chos's tendres
On est heureux tous les deux au fond de la mer
Chacun dans son p'tit scaphandre
Scaphandrier enlaçant sa scaphandrière
N'ont que l'désir de se prendre
Un p'tit bécot sans peur de s'marcher sur les pieds
Tout en dansant la Java des scaphandriers.

2
Gigolos, Gigolettes,
S'en vont à l'aveuglette
Les amoureux cherchent les coins les plus ombreux,
Gentiment on se pousse
On roule sur la mousse
Un gros poisson nous regarde avec des yeux ronds
En se promenant on va jusqu'à Chicago, oh !
On voit des trésors : perles, diamants, lingots...

Refrain

Z'yeux dans les yeux, boîte à air contre boîte à air,
On se dit des choses tendres :
« T'es mon cyclop', ma Nana chérie, mon Prosper
Viens donc je n'peux plus attendre
Ta robe blanche et ta jolie fleur d'oranger
Iront-ils sur ton scaphandre ?
Moi, mon smoking est toujours chez le teinturier...
Alors, tant pis on s'marie en scaphandriers. »

3
Un jour, c'est tout un drame,
Non mais voyez Madame
Qui se promèn' dans les bras de son gigolo, oh ?
Alors, fou de colère,

Oubliant qu'il est père,
Le pauvr' mari fait un fond jusqu'au fil de l'eau
Il va se venger, ah, ça va leur coûter cher,
D'un geste enragé, il brise..., la pompe à air...

Refrain

Z'yeux dans les yeux, la Nénette et le grand Julôt
N'arrivent pas à comprendre
Pourquoi soudain, ils n'respirent plus... que de l'eau
Chacun dans son p'tit scaphandre
Tandis qu'là-bas on arrête le meurtrier,
Qui gentiment se laiss' prendre...
Nénett' Julôt sont morts sans même avoir crié...
Tout en dansant la Java des scaphandriers.

Mam'zelle Clio

Paroles et musique de Charles Trenet

1
Mam'zelle Clio
Mam'zelle Clio
Le premier jour je me rappelle
C'était chez des amis idiots
Mam'zelle Clio
Mam'zelle Clio
Votre maman avait des ailes
Dans une robe de taff'tas
Vous étiez une demoiselle
Et je vous murmurais tout bas

Refrain

Dormir avec vous dormir une nuit
Faire un rêve à deux quand le ciel est noir au fond de ma chambre
Le sommeil est doux quand tombe la pluie
Quand le vent du nord murmure tout bas

Décembre
Tous les mots d'amour le vent nous les dit
Quand la cloche sonne une heure perdue lointaine...
Oublier la vie oublier nos peines
Dormir une nuit dormir mon amour dormir avec vous

2
Mam'zelle Clio
Mam'zelle Clio
Vous êtes mariée c'est ridicule
Avec le fils de ces idiots
Mam'zelle Clio
Mam'zelle Clio
Votre mari est somnambule
Il se promène sur les toits
Toute la nuit tandis que moi

Refrain

Je dors avec vous dans le même lit
Nous rêvons tous deux quand le ciel est noir au fond de
[ma chambre
Votre corps charmant se donne à minuit
Dans un petit hôtel tout près de la rue Delambre
Y a pas d'eau courante et pour faire pipi
C'est au fond de la cour
Mais là-bas y a pas de lumière
Mais ces petites bêtises me sont familières
Je dors avec vous et pendant le jour
J'attends notre nuit

3
Mam'zelle Clio
Mam'zelle Clio
Votre mari dans une crise
M'a flanqué deux balles dans la peau
Mam'zelle Clio
Mam'zelle Clio
Je suis bien mort quoi qu'on en dise

Oui mais le diable m'a permis
De revenir toutes les nuits

Refrain

Dormir avec vous sans vous faire peur
Caresser vos cheveux toucher votre cœur vous dire à
[l'oreille
« Je t'aime chérie je t'aime et j'en meurs »
Et tirer les poils du petit cocu qui veille
La commode qui grince un bruit sur le toit
Le lit qui gémit c'est moi dans le bois ma brune
Je suis courant d'air et rayon de lune
J'ai l'éternité pour chanter tout bas
Je dors avec toi

Vous êtes jolie

Paroles et musique de Charles Trenet

1
J'ai longtemps rêvé de vous parler chérie
Bien avant de vous connaître
Je vous avais vue brillante au fond des nuits
De tous mes rêves champêtres
Ou dans la campagne, comme aujourd'hui
Oui, mais j'ai perdu la tête
Ma chanson commence comme elle finit
Le grand amour me rend bête.

Refrain

Vous êtes jolie mon petit oiseau
Près de vous les fleurs ne sont plus si belles

2
J'inventais pour vous des mots et des chansons
Bien avant de vous connaître
Je vous les disais souvent dans les buissons

Ou le soir à la fenêtre
Mais tous ces grands airs, ces opéras
Aujourd'hui je les oublie
Et cette chanson s'arrête là...
Parce que vous êtes jolie

Refrain

Vous êtes jolie mon petit oiseau
Près de vous les fleurs ne sont plus si belles

3
La source qui court et les fraîches eaux
N'ont pas votre voix, vous riez mieux qu'elles
Que dire de vos yeux, que dire de vos mains, de vos
[ch'veux
De tout votre corps jaloux de tout l'amour que j'veux
Vous êtes pour moi la petite fée
Le petit oiseau de mon cœur qui vous aime.

Refrain

Vous êtes jolie mon petit oiseau
Vous êtes jolie mon petit oiseau... bleu.

La vieille

Paroles et musique de Charles Trenet

1
Tiens, voilà la vieille qui passe là-bas,
Tiens, voilà la vieille qui sort du grand bois.
Ah ! quelle merveille
La vieille, la vieille
Ah ! quelle merveille, cette vieille-là !

2
La vieille est farouche comme on ne l'est pas
Elle remue la bouche et parle tout bas

Elle dit des merveilles
La vieille, la vieille
Elle dit des merveilles, cette vieille-là.

3
Elle dit : — Je suis riche et je vais au bois
L'argent je m'en fiche, je le donne au roi.
— Il prend ton oseille
Ma vieille, ma vieille.
— Il prend mon oseille, mais je vais au bois.

4
On y voit des choses qu'on n'voit ailleurs
De sauvages roses des oiseaux piailleurs
Et puis des satyres
Qui tirent, qui tirent
Et puis des satyres qui vont droit au cœur.

5
Un jour elle est morte la vieille du bois
Et v'là qu'on l'emporte tout est aux abois
Adieu les groseilles,
La vieille, la vieille,
Adieu les groseilles et les petits pois !

6
La vie est méchante, dit un rossignol
Les oiseaux qui chantent ont dit « C'est un vol »
On nous prend la vieille,
La vieille, la vieille
On nous prend la vieille — plus de *si* bémol.

7
Et tous les satyres font grèv' sur le tas
On ne veut plus rire sans la vieille-là
Et tout s'ensommeille sans vieille, sans vieille,
Et tout s'ensommeille sans la vieille au bois.

1940

Papa pique et maman coud

Paroles de Charles Trenet *Musique de Charles Trenet et Antonio Matas*

Endormez-vous au bruit de la machine à coudre
enfance cœur cruel, amoureux des supplices.
Jean Cocteau.

1
Je suis né dans un village
Près du ciel plein d'oiseaux,
Je suis l'enfant le plus sage
De Padie-les-Eaux.
Mes parents sont culottiers
Et la nuit, et le jour,
Ils font leur triste métier
Le cœur plein d'amour.

Refrain

Papa pique et maman coud,
Papa pique et maman coud,
Papa pique, maman coud,
Papa pique et maman coud.

2
La nuit j'entends leur machine
Qui gémit au grenier
Comm' le vent chez la voisine
Pleure dans l'escalier.
Parfois au milieu d'un rêve.
Je m'réveille en sursaut,
Je vois le jour qui se lève

Tandis que là-haut
Papa pique et maman coud.

3
C'est l'printemps et c'est ma fête
J'ai quinze ans, quel bonheur,
Et les fill's à bicyclette
Emportent mon cœur.
J'en connais une très jolie
Qui s'appelle Louison,
Je la vois dans la prairie
Car à la maison. *(Au refrain)*

4
Un matin clair de décembre
Tous les deux on s'mariait
Et le soir dans notre chambre
Ma femme riait.
Nous allions bientôt connaître
Le bonheur cette nuit
Quand soudain à la fenêtre
On entend un bruit... *(Au refrain)*

5
Hélas, j'ai perdu ma mère,
Elle est morte doucement ;
Peu de temps après mon père
A suivi maman.
Et Louison s'en est allée
Avec un hors-la-loi.
Et dans la maison hantée,
Tout comme autrefois,

Refrain

Y'a papa qui pique
Et y'a maman qui coud. } *(bis)*

Près de toi mon amour

Paroles de Charles Trenet *Musique de Charles Trenet et Guy Luypaerts*

J'ai vu tomber la pluie des villes
J'ai vu tomber la pluie des champs
Solitude amie trop tranquille
Tu pleurais dans le mauvais temps.
Mais toi chérie malgré le givre
Tu fais refleurir du printemps
Dans la chambre où nous allons vivre
La chanson que nous aimons tant.

Refrain

Près de toi mon amour
Tout est bleu comme dans un songe
Tout est pur près de toi mon ange
Près de toi le ciel est moins lourd.
Dans tes yeux je revois les beaux jours
Les jours d'insouciance
Je revois mes jolies vacances
Et je pense sans cesse au jour.
Où tu vins dans ma vie pour changer tout.
Ma joie, ma tendresse
Ô mon amour, près de toi
J'oublierai la vie et ses peines
J'oublierai pour une heure à peine
Le monde et tous ses discours
Près de toi mon amour.

Pic !... Pic !... Pic !...

Paroles et musique de Charles Trenet

1
Quand le jour se lève
Je pense à vous ma chérie
Et c'est un beau rêve

Vos yeux me sourient
Quand le jour s'achève
J'pense encore à vous chérie
Et c'est dans un rêve
Qui vient me troubler la nuit...

Refrain

Pic Pic Pic
Qui frappe à ma porte ?
C'est l'amour qui vient, oh mad'moiselle écoutez-moi !
Je vous aime et que m'importe
Tous mes serments d'autrefois !
Pic Pic Pic
C'est l'amour qui vient
C'est l'amour qui chante, oh mad'moiselle voyez-le !
Dans vos yeux, là dans la glace
Brillants de mille feux
Nos cœurs sont deux oiseaux légers
Nos cœurs vont voltiger
Plus de temps perdu,
Venez, venez vite en mon rêve
Pic Pic Pic
La vie est si brève...
Mais rien n'est plus doux que de s'aimer sans trop savoir
Si demain, on doit partir et ne plus se revoir...
Pic Pic Pic
Prenez mon cœur ce soir !

1941

Chanson de Lormel

Paroles et musique de Charles Trenet

Oui, j'ai lu dans vos yeux
Le plus doux des aveux
Et depuis ce jour
Une folle passion bouleverse mon cœur
Ah ! quel grand amour
N'ayez pas peur, chérie, ne craignez pas demain
Car notre destin
Est rivé pour longtemps,
Nos fidèles serments
Dureront éternellement.
Oui je te le jure encore
Madame, je vous adore.

Je veux, je veux t'aimer ma mie,
Je veux, je veux t'aimer toujours
Je sais que c'est une folie,
Une tendre folie d'amour
Mon cœur sera toujours fidèle
Car tu lui as brisé les ailes,
Une chaîne sans fin me lie
A ton amour d'un soir, pour la vie.

Je voudrais très longtemps
Revivre cet instant ;
Cet instant rêvé,
Cet émoi si divin
Que je cherchais en vain
Sans le retrouver.
Et s'il me faut un soir connaître la douleur
Au fond de mon cœur

Je garderai pourtant
Le souvenir charmant
De cette passion d'un moment.
Oui je l'avoue, madame,
Vous avez pris mon âme.

Poule zazou

Paroles de Charles Trenet *Musique de Charles Trenet et Léo Chauliac*

Un bon fermier découvrit un matin
Dans sa bass'-cour une poul' fort étrange...
« Viens donc Mélie, viens donc voir j'croyons ben que la [Noiraude a
Queuqu'chos' qui la démange...
Elle a l'air contente
Ell' n'a point l'air méchante...
Mais pour c'qu'ell' chante j'n'y comprends rien !

Elle fait
Écoute... ell' fait...
Cot cot

Ohé, la Mélie, viens donc voir !...
Mais regarde donc la Noiraude !...
Mais elle danse maintenant !!!...
Mais elle est folle !!!
Elle est zazou, cette poule-là...
Qu'est-ce que c'est donc que ça !!!
Ben vrai !!...
Cot cot ca dett...

Sainte Catherine

Paroles de Charles Trenet *Musique de Charles Trenet et Antonio Matas*

1
Et Sainte Catherine,
Et bron, bron, bron,
Et Sainte Catherine,
Était fille de roi,
Voilà, voilà,
Était fille de roi,
Voilà, voilà, voilà.

2
Un jour dans sa prière,
Et bron, bron, bron,
Un jour dans sa prière,
Son père la trouva,
Voilà, voilà,
Son père la trouva,
Voilà, voilà, voilà.

3
« Que faites-vous, ma fille ?
Et bron, bron, bron,
Que faites-vous, ma fille,
Dans cette pose-là ?
Voilà, voilà,
Dans cette pose-là ?
Voilà, voilà, voilà.

4
— Je prie le Dieu, mon père,
Et bron, bron, bron,
Je prie le Dieu, mon père,
Que vous n'adorez pas,
Voilà, voilà,
Que vous n'adorez pas,
Voilà, voilà, voilà.

5

« Qu'on m'apporte mon sabre,
Et bron, bron, bron,
Qu'on m'apporte mon sabre,
Et mon grand coutelas,
Voilà, voilà,
Et mon grand coutelas,
Voilà, voilà, voilà.

6

Au premier coup de sabre,
Et bron, bron, bron,
Au premier coup de sabre,
La tête lui trembla,
Voilà, voilà,
La tête lui trembla,
Voilà, voilà, voilà.

7

Au second coup de sabre,
Et bron, bron, bron,
Au second coup de sabre,
La tête lui tomba,
Voilà, voilà,
La tête lui tomba,
Voilà, voilà, voilà.

8

Deux anges descendirent,
Et bron, bron, bron,
Deux anges descendirent,
Et dirent au roi :
Voilà, voilà,
Et dirent au roi :
Voilà, voilà, voilà.

9

Devant ce grand miracle,
Et bron, bron, bron,
Devant ce grand miracle,

Le roi resta baba,
Voilà, voilà,
Le roi resta baba,
Voilà, voilà, voilà.

10
La morale de l'histoire,
Et bron, bron, bron,
La morale de l'histoire...
Je ne m'en souviens pas,
Voilà, voilà,
Je ne m'en souviens pas,
Voilà, voilà, voilà.

Swing ! Troubadour

Paroles et musique de Charles Trenet

1
Tu viens chanter malgré l'orage
A ce balcon qui reste sourd
Mais ton amie est en voyage
Pauvre swing Troubadour
Elle est partie, chang'ment d'adresse
Et j'ai repris l'appartement
Et c'est à moi que tu t'adresses
Tu n'as pas d'chance vraiment.

Refrain

Swing Troubadour
Ton destin, swing Troubadour
C'est d'chanter le bonheur
Même si ton p'tit cœur est bien lourd.
Swing Troubadour
Rien pour toi n'peut effacer
Les beaux jours du passé même si dans ta voix y'a d'la
[joie

Quand tu souris
Tout comm' toi je pleure en secret
Un rêv' chéri
Un amour timide et discret
Moi j'n'ai plus rien
Mais comm' toi j'chant' pour mon bien
La plus belle des chansons d'amour
Swing Troubadour.

2

Tout est fini, plus de prom'nades
Plus de printemps swing Troubadour
Elle est finie ta sérénade
Tu vas quitter l'faubourg
Comm' j'ai quitté, jadis, moi-même
Le vieux quartier triste et charmant
De mes amours un peu bohèmes
Qui changeaient trop d'log'ment.

Refrain

Swing Troubadour
Ton destin, swing Troubadour
C'est d'chanter le bonheur
Même si ton p'tit cœur est bien lourd.

Swing Troubadour
T'en fais pas, les beaux jours passés
Reviendront simplement un beau soir et sans même y
[penser
Pleur' pas mon vieux
Tu vivras et tu verras mieux
Tous les p'tits cœurs
Qui s'donn'nt sur la rout' du bonheur
Moi j'n'ai plus rien
Mais tant pis, chantons pleins d'entrain
La plus belle des chansons d'amour
Swing Troubadour.
Swing ! Swing ! Swing ! Swing ! Oh ! Swing Troubadour.

Terre !

Paroles et musique de Charles Trenet

1

Depuis des mois Christophe Colomb
Voguait sur la mer immense
Interrogeant les horizons
Les vents des quatre saisons,
Les matelots, pauvres garçons,
Disaient nous n'avons pas d'chance
Quand un beau jour, en haut du pont,
On entendit Colomb dire :

1er refrain

Terre ! Terre ! Oui c'est toi
Terre ! Terre ! Je te vois
Terre ! Terre ! Viens à moi
Oui, Terre je suis à toi
Terre ! Terre ! Oui c'est toi
Terre ! Terre ! Qui donn' la joie
Terre ! Terre ! Viens à moi
Oui, Terre je suis à toi.

Descendons au plus tôt
Le pays est beau
La plaine est joyeuse,
Bâtissons des maisons
Pêchons des poissons
Chantons des chansons !
Ah Terre ! Terre ! Oui c'est toi
Terre ! Terre ! qui donn' la joie.
Terre ! Terre ! Viens à moi
Oui ! Terre je suis à toi.

2

Tout comm' Colomb sur son bateau
Nous voguions à la dérive
L'eau était sal' (ah quell' sale eau !)
Ah, quel méli-mélo

Et puis un jour tout devint beau
Tout devint clair sur la rive
Et l'on riait et l'on pleurait
Et le monde chantait ohé.

2e refrain

Terre ! Terre ! Oui c'est toi
Terre ! Terre ! Je te vois
Terre ! Terre ! Viens à moi
Oui, Terre je suis à toi
Quel jardin merveilleux
Brille sous nos yeux
Ah les bell's tomates
Le ciel est parfumé
Quand on aura s'mé
On pourra s'aimer
Ah Terre ! Terre ! Dis'nt les bois
Terre ! Terre ! Dit la loi
Terre ! Terre ! Viens à moi
Oui, Terre je suis à toi.

Viv' la Terre ont dit les blondes
Viv' la Terre a dit le monde
Viv' la Terre ont dit les brunes
Viv' la Terre a dit la lune
Viv' la Terre ont dit les brunes
Viv' la Terre a dit la lune.

Un rien me fait chanter

Paroles et musique de Charles Trenet

Un rien me fait chanter
Un rien me fait danser
Un rien me fait trouver belle la vie
Un rien me fait plaisir
Un rêve un désir

Un rien me fait sourire l'âme ravie
Quand le ciel est joyeux je me sens le cœur heureux
Et même quand il pleut j'aime la pluie
J'aime la terre les fleurs la vie et le ciel bleu
Et puis les femmes les femmes les femmes qu'ont les yeux
[bleus

Venez avec moi
Je cours dans les bois
Je brûle des branches pourries
Au cœur de l'hiver
Il y a du bois vert
Au printemps la neige est fleurie
Et la marmotte dit à l'écureuil :
« Depuis trois mois je n'ai pas fermé l'œil »

Un rien me fait chanter
Un rien me fait danser
Un rien me fait trouver belle la vie
Un rien me fait plaisir
Un rêve un désir
Un rien me fait sourire l'âme ravie
Quand le ciel est joyeux je m' sens le cœur heureux
Et même quand il pleut j'aime la pluie
J'aime la terre les fleurs la vie et l' ciel bleu
Et puis les femmes les femmes les femmes qu'ont les yeux
[bleus
Marmotte vous mentez voici venir l'été
Les oiseaux vont chanter dans la nature
Aimons nos pères nos mères la vie et le bon Dieu
Et puis les femmes les femmes les femmes qu'ont les yeux
[bleus

Bonjour mes amis
Le ciel a permis
Que l'on chante encore par le monde
La joie et l'amour
Reviendront un jour
Chantons tous en chœur à la ronde

Ho là ! là ! garçons et filles jolies
Dites-vous bien chaque jour chaque nuit

Un rien me fait chanter
Un rien me fait danser
Un rien me fait trouver belle la vie
Un rien me fait plaisir
Un rêve un désir
Un rien me fait sourire l'âme ravie
Quand le ciel est joyeux je m' sens le cœur heureux
Et même quand il pleut j'aime la pluie
J'aime la terre les fleurs la vie et l' ciel bleu
Et puis les femmes les femmes les femmes qu'ont les yeux
[bleus.
Oui ! bleus

Les bruits de Paris

Paroles et musique de Charles Trenet

1
Chaque nuit je rentre si tard
Que sur mon chemin tous les balayeurs
Les fantômes noirs changent de couleur
Et dans le ciel rose on comprend
Qu'il se passe quelque chose de grand

Refrain

Quand j'entends dans mon quartier
La voiture du laitier
Je m'dis c'est sept heur's et quart
Il faut s'lever sans retard
Quand j'entends la boulangère
Qui porte son pain, légère
Je m'dis c'est sept heur's et d'mie
Et je suis encore au lit
Dehors c'est l'printemps

Les gens sont contents
Quand on leur demande si c'est jeudi
Ils répondent tous oui ! c'est jeudi
Quand j'entends près du métro
La voix du marchand d'journaux
Je m'dis c'est déjà midi
Et je suis encore au lit
Je m'dis c'est déjà midi
Et je suis encore au lit

2
Chaque nuit je rentre si tôt
Que j'éteins la lune d'un coup de chapeau
Que j'éteins le ciel adieu belle nuit
Voici ma maison et mon lit
Et voici les bruits de Paris. *(Au refrain)*

Bonsoir jolie Madame !

Paroles et musique de Charles Trenet

1
J'ai couru dans la nuit vers une humble chaumière
J'ai couru dans la nuit de printemps
Vers le seuil où tremblait une faible lumière,
De la porte j'ai poussé le battant
Et c'est là que Madam' je vous ai vue sourire
Endormie dans un rêve si léger
Qu'à mon tour, j'ai cru bon de rêver pour vous dire
Ces mots qui voltigeaient :

Refrain

Bonsoir jolie Madame
Je suis venu vous dir' bonsoir,
Tout simplement, je ne réclame
Qu'un peu d'espoir

Espoir d'une visite
Reviendrez-vous ? tout vous attend
Dans ma maison revenez vite
C'est le printemps
Demain par la fenêtre ouverte
La rivière vous f'ra les doux yeux
Demain la nature est offerte
Au soleil qui luit dans vos ch'veux
Bonsoir jolie Madame
Reviendrez-vous au rendez-vous
Où le printemps vous met dans l'âme
Un désir fou.

2

Je me suis étendu près de vous dans un songe
Près de vous, j'ai rêvé tendrement
Que rien n'était changé car les rêves prolongent
Du bonheur le doux sentiment
Et la terre a tourné de l'ombre à la lumière
Et j'ai pris votre corps dans mes bras
Quand le jour s'est levé dans cette humble chaumière
Pour vous dire tout bas :

Refrain

Bonsoir jolie Madame
Je suis venu vous dir' bonjour
Tout simplement, je ne réclame
Qu'un peu d'amour
Amour comm' dans un rêve.
Amour, amour, tout vous attend
Dans ma maison je vous enlève
C'est le printemps
Voyez par la fenêtre ouverte,
La rivière vous fait les doux yeux
Voyez la nature est offerte
Au soleil qui luit dans vos ch'veux,
Bonjour, jolie Madame
Qu'il est charmant le rendez-vous

Où le printemps vous met dans l'âme
Un désir fou.

Tout ça c'est pour nous

Paroles de Charles Trenet *Musique de Charles Trenet et Léo Chauliac*

1

Les amants possèd'nt
Mille trésors,
Ces trésors les aident
Mieux que l'or.
Ils sont millionnaires de baisers
Qu'ils se vol'nt pour s'amuser.
Par les beaux dimanches de printemps
Ils vont en chantant :

1er refrain

Tout ça c'est pour nous
Si le ciel est bleu, mon amour
Tout ça c'est pour nous
C'est pour fêter cet heureux jour,
Ce jour où nos cœurs battent à l'unisson
Et rythment, joyeux, la même chanson.
Tout ça c'est pour nous,
Si les p'tits oiseaux chant'nt gaiement
Tout ça c'est pour nous,
C'est pour nous ce gentil roman.
Si le soleil brille, si l'air est plus doux,
Mon amour, ma vie, mon tout,
Tout ça c'est pour nous
Mon amour, ma vie, mon tout,
Tout ça, c'est pour nous !

2

On voit en vacances
Mille clochers,

Beaux villag's de France
Bien cachés.
La nature est belle et l'on s'dit :
« J'resterais bien tout' ma vie. »
Mais quand on retrouv' la Sein', le Bois
On pens' plein d'émoi :

2e refrain

Tout ça c'est pour nous
C'est pour nous, ce bon vieux Paris,
Tout ça c'est pour nous
C'est pour nous, ce Louvr', ces Tuil'ries,
Si la Tour Eiffel,
Se par' dans le ciel
D'un manteau joyeux
Blanc, rose ou bleu.
Tout ça c'est pour nous
Notre-Dam', Montmartr', les Boul'vards,
Tout ça c'est pour nous,
C'est pour nous, même quand il fait noir.
C'est notr' vieux Paris, qui garde un chic fou !
Mon pays, ma ville, mon tout,
Tout ça c'est pour nous...
Mon pays, ma ville, mon tout,
Tout ça c'est pour nous !

1942

Quand tu reverras ton village

Paroles et musique de Charles Trenet

Quand tu reverras ton village
Quand tu reverras ton clocher
Ta maison tes parents les amis de ton âge
Tu diras :
« Rien chez moi n'a changé »
Quand tu reverras ta rivière
Les prés et les bois d'alentour
Et le banc vermoulu près du vieux mur de pierre
Où jadis tu connus tes amours
Ta belle est fidèle et bien sage
C'est elle qui viendra te chercher
Quand tu reverras ton village
Quand tu reverras ton clocher.

La grande rue ce jour-là prendra ses airs de fête
Son visage fleuri d'autrefois
Et la nuit sur la plage un orchestre musette
Bercera ton amour et ta joie...
Mon pays tout mon cœur écris-tu tendrement
A bientôt je pense à toi maman !

Deux mots à l'oreille

Paroles de Charles Trenet *Musique de Charles Trenet et Guy Luypaerts*

1

On dit toujours les mêmes choses
Dans les chansons
On parle des oiseaux, des roses
Et des frissons
Moi, ma chanson, je le regrette
N'a que deux mots ma mignonnette.

Refrain

Deux mots à l'oreille mon amour
Deux mots à l'oreille chaque jour
Je dis ces mots quand tu sommeilles
Je dis ces mots simples et courts
Je dis ces mots quand tu t'éveilles
Mon amour.
Pourtant comme des abeilles
Tour à tour
Des chants, des phrases vermeilles,
Des discours
Butinent mon cœur qui s'ensoleille
Et moi je te redis toujours
Deux mots, deux mots à l'oreille
Mon amour.

2

Le temps est court de la jeunesse
Tout passe un jour
Un jour le printemps nous délaisse
Jamais l'amour.
Et je veux quand tu seras vieille
Chanter ces deux mots à l'oreille. *(Refrain)*

La romance de Paris

Paroles et musique de Charles Trenet

1

Ils s'aimaient depuis deux jours à peine
Y a parfois du bonheur dans la peine
Mais depuis qu'ils étaient amoureux
Leur destin n'était plus malheureux,
Ils vivaient avec un rêve étrange,
Et ce rêve était bleu comm' les anges,
Leur amour était un vrai printemps, oui !
Aussi pur que leurs tendres vingt ans.

Refrain

C'est la romance de Paris,
Au coin des rues elle fleurit,
Ça met au cœur des amoureux
Un peu de rêve et de ciel bleu.
Ce doux refrain de nos faubourgs
Parle si gentiment d'amour
Que tout le monde en est épris :
C'est la romance de Paris !

2

La banlieue était leur vrai domaine,
Ils partaient à la fin d'la semaine
Dans les bois pour cueillir le muguet
Ou sur un bateau pour naviguer.
Ils buvaient aussi dans les guinguettes
Du vin blanc qui fait tourner la tête,
Et quand ils se donnaient un baiser, oui !
Tous les couples en dansant se disaient : *(Au refrain)*

3

C'est ici que s'arrêt' mon histoire,
Aurez-vous de la peine à me croire ?
Si j'vous dis qu'ils s'aimèrent chaque jour,
Qu'ils vieillir'nt avec leur tendre amour ;
Qu'ils fondèr'nt une famille admirable,

Et qu'ils eur'nt des enfants adorables,
Qu'ils mourur'nt gentiment, inconnus, oui !
En partant comme ils étaient venus. *(Au refrain)*

Vous souvenez-vous grand'maman

Paroles et musique de Charles Trenet

Vous souvenez-vous, grand'maman
Du petit chat blanc
Ou de la pelote de laine
Qui jouaient ensemble ou faisaient semblant

Vous souvenez-vous maman
De vos mitaines
Vous souvenez-vous du mauvais temps
Ou de la pluie qui tombait toute la semaine

Vous souvenez-vous du loup
Des dents de croque-mitaine
De croque-mitaine pleurant
Tout en mangeant
Les petits enfants
Ou même les grands-parents
Lorsqu'ils étaient méchants
Vous souvenez-vous de tout grand'maman

Le soleil a des rayons de pluie

Paroles et musique de Charles Trenet

1
Le ciel est gris mais ta présence le rend bleu
Le soleil luit quand tu reviens même s'il pleut
Partout où se posent tes yeux naissent des fleurs
Mais quand tu pars hélas tout change et dans mon cœur

Refrain

Le soleil a des rayons de pluie
Quand tu n'es pas là
Je suis triste et mon amour s'ennuie
Quand tu n'es pas là
Et l'oiseau arrête sa chanson
Le vent dans les buissons
Ne chante plus la joie
La colline en deuil fait l'endormie
Quand tu n'es pas là
La rivière se languit ma chérie
Quand tu n'es pas là
Ell' remont' son courant
Pour guetter ton retour
Le soleil a des rayons de pluie
De pluie, mon amour.

2
Si loin de toi lorsque je rêv' de notre amour
Je te revois pareill' au jour au premier jour
Où tu me souris je t'aimais quel beau destin
Tu partis à jamais bien loin oui mais demain

Refrain

Le soleil aura des rayons d'or
Quand tu reviendras
Et l'oiseau reprendra sa chanson
Le vent dans les buissons
Pourra crier sa joie la la
La collin' vivante et parfumée
Quand tu reviendras
Fera signe à la rivière aimée
Quand tu reviendras
Et chaque arbr' chaque fleur
Chanteront avec nous
Le soleil aura des rayons d'or
Pour nous ce jour.

Que reste-t-il de nos amours

Paroles et musique de Charles Trenet

1

Ce soir le vent qui frappe à ma porte
Me parle des amours mortes
Devant le feu qui s'éteint
Ce soir c'est une chanson d'automne
Dans la maison qui frissonne
Et je pense aux jours lointains

Refrain

Que reste-t-il de nos amours
Que reste-t-il de ces beaux jours
Une photo vieille photo de ma jeunesse
Que reste-t-il des billets doux
Des mois d'avril des rendez-vous
Un souvenir qui me poursuit sans cesse
Bonheur fané cheveux au vent
Baisers volés
Rêves mouvants
Que reste-t-il de tout cela
Dites-le-moi
Un petit village
Un vieux clocher
Un paysage
Si bien caché
Et dans un nuage
Le cher visage
De mon passé

2

Les mots les mots tendres qu'on murmure
Les caresses les plus pures
Les serments au fond des bois
Les fleurs qu'on retrouve dans un livre
Dont le parfum vous enivre
Se sont envolés pourquoi ? *(Au refrain)*

C'est bon

Paroles et musique de Charles Trenet

C'est bon par la fenêtre ouverte
C'est bon d'entendre le pas du cheval
C'est bon de voir des prairies vertes
Et des ruisseaux en amont et en aval
C'est bon de rencontrer sur la route
Des gosses jouant au ballon
Un chien qui court librement
Et des oiseaux qui s'en foutent
Un vieux berger tout tremblant
Qui porte un sac de casse-croûte
Un sac de noix
Un sac de joie
Un sac de n'importe quoi écoute
C'est bon ça

C'est bon lorsque revient l'automne
C'est bon de courir dans les bois
C'est bon quand la maison frissonne
Qu'il n'y a personne c'est bon d'êtr' seul avec toi
C'est bon la chambre et son mystère
C'est bon et c'est tentant
Sommes-nous encor sur la terre
Ah ! quel instant épatant
Chérie j'ai le cœur palpitant
Je suis un volcan un cratère
Je suis un Etna
L'Etna c'est moi
Je suis l'Popocatepetl en colère
C'est bon ça

C'est bon de courir sur la plage
C'est bon d'entendre le bruit de la mer
C'est bon de se rappeler à tout âge
La douce image d'un souvenir jamais amer
C'est bon d'avoir une grande famille
C'est bon de dire chaque soir :
« Bonjour les garçons les filles

Je suis bien content de vous revoir »
Bonjour monsieur tout en noir
Bonjour madame : y a de l'espoir
Bonjour par-ci bonjour par-là
Bonjour amis vive la joie qui brille
C'est bon ça !

Papa peint dans les bois

Paroles et musique de Charles Trenet

1

A l'école des Beaux-Arts
Je vivais comme un lézard
Je n'foutais rien soir et matin
J'passais mon temps à fair' l'idiot d'vant les copains
A l'école des Beaux-Arts
On chantait cet air bizarr'
Cet air que j'me rappelle un peu
Écoutez-le.

Refrain

Papa peint dans les bois
Papa boit dans les pins
Quand papa peint dans les bois
Quand papa boit dans les pins
Il peint des pins seul dans les bois, papa
Il boit du vin et mang' du pain
C'n'est pas en vain car lorsqu'il boit
Il tremp' son pain mon papa
(Ah ! quel repas de rapin)
Qu'il est heureux dans les pins
Mon papa quand il boit
Qu'il est heureux dans les bois
Mon papa quand il peint.

2
Le samedi mon atelier
Était plein de fous à lier
Il y avait Suzy et puis Marie
Et les amis de leurs maris et tout Paris
Ça gueulait jusqu'au p'tit jour
Et ça finissait toujours
Par mon refrain que l'on chantait
Quand on s'quittait. *(Au refrain)*

3
A l'école de la vie
Là non plus j'n'ai rien appris
Et j'ai vieilli, et puis, et puis
C'était mon sort, je n'ai rien fait alors, tant pis...
Mais parfois quand je m'souviens
Des Beaux-Arts, des jours anciens
J'entends cet air de mes vingt ans
J'entends... j'entends. *(Au refrain)*

La marche des jeunes

Paroles et musique de Charles Trenet

Le ciel est bleu, réveille-toi !
C'est un jour nouveau qui commence.
Le ciel est bleu, réveille-toi !
Les oiseaux chantent sur les toits,
Réveille-toi !

Refrain

Ah ! qu'il fait bon d'avoir notre âge !
Ah ! qu'il fait bon d'avoir vingt ans,
Et de marcher le cœur content,
Vers le clocher de son village.
Qu'elle est jolie notre rivière,

Qu'elle est jolie notre maison,
Qu'elle est jolie la France entière,
Qu'elle est jolie en toute saison !
Montagnes bleues l'été, l'hiver montagnes blanches,
Printemps du mois d'avril, automne au chant berceur,
Ah ! qu'ils sont beaux tous les dimanches,
Ah ! qu'ils sont beaux les jours en fleurs
De la jeunesse qui se penche
Sur notre terre avec ardeur.

Y a des cailloux sur les chemins,
Y a du vent qui court dans la plaine.
Y a des cailloux sur les chemins,
Mais à l'auberge y a du vin !
Y a du bon vin ! *(Au refrain)*

Quand nous passons fiers et joyeux,
Tout's les fill's nous font des sourires.
Quand nous passons fiers et joyeux,
Y a du soleil dans tous les yeux !
Dans tous les yeux ! *(Au refrain)*

Ma rivière

Paroles et musique de Charles Trenet

On vit, on aim', on fait le tour du monde,
Et puis un jour, lassé de tout on r'vient
On retrouv' la maison et les souv'nirs anciens
On retrouv' son enfance en échos à la ronde.
Et mill' bruits vous répond'nt dans le vent :
La forêt n'est pas loin de la port' du couvent.

Refrain

Mieux que mon clocher près de la clairière
Quelle est cette voix familière
Qui chante amis approchez,

C'est ma rivière, approchez, écoutez :
Au fil de l'eau les heures qui passent
Parlent du passé qui s'efface
Du temps qui va nous quitter,
C'est ma rivière, approchez, écoutez
Doux murmure des oiseaux
Doux frissons des roseaux
Dans le vent qui dit toujours
Des mots d'amis des mots, de si jolis mots d'amour
Mieux que mon clocher près de la clairière
Quelle est cette voix familière
Qui chante amis approchez
C'est ma rivière, approchez, écoutez.

Elle a des flots où l'on voit des visages,
Des paysag's d'amour, des souvenirs,
Des carpes très âgées y font tout à loisir,
De bonn's parties de carp's, de bonn's partie de nage
Et quand gliss' le bouchon d'un pêcheur
Rouge et léger sur l'eau ce bouchon : c'est mon
[cœur. *(Refrain)*

1943

L'héritage infernal

Paroles et musique de Charles Trenet

1

Il y eut un héritage
Dans la rue des Trois-Mages
Un vieux marchand d'fromage
Était mort sans enfant
Ses voisins, ses voisines
Ses cousins, ses cousines
Au fond d'une cuisine
Se partageaient gaiement

2

La table de son père
La montre de son frère
Le fauteuil de sa mère
La pendule à coucou
Une paire de bretelles
Un' bouteill' d'Eau d'Vittel(e)
Et un' coiffe en dentelle
Qu'il se mettait au cou.

3

Il arriva de Chine
Sur une vieill' machine
Un homm' courbant l'échine
Et qui leur dit : « Messieurs
Ne dites pas qui est-ce ?
Je suis l'cousin d'la nièce
De l'homm' qu'on met en pièces
Et pour cela je veux

4

La table de son père
La montre de son frère
Le fauteuil de sa mère
La pendule à coucou
La vieill' pair' de bretelles
La bouteill' d'Eau d'Vittel(e)
Et la coiffe en dentelle
Qu'il se mettait au cou.

5

Il arriva de Prague
Un personnag' très vague
Qui portait une bague
Et qui leur dit : « Messieurs
Ma grand'mère volage
Fauta dans son jeune âge
Avec l'marchand d'fromage
Et c'est pour ça qu'je veux

6

La table de son père
La montre de son frère
Le fauteuil de sa mère
La pendule à coucou
La vieill' pair' de bretelles
La bouteill' d'Eau d'Vittel(e)
Et la coiffe en dentelle
Qu'il se mettait au cou.

7

Ce fut le diable à quatre,
Les homm's voulur'nt se battre
Les femmes devant l'âtre
Appelaient Polic'-Secours
Commenc'ment d'incendie
Et presque épidémie
Collective folie
Et tout ça, tout ça pour

8
Une pendule en dentelle
Une coiffe d'Eau d'Vittel(e)
Un fauteuil à bretelles
Un' table à coucou
Histoire lamentable
De fauteuils et de tables
Qu'un' voisin' détestable
Vint raconter chez nous. } *(bis)*

La bourse ou la vie

Paroles et musique de Charles Trenet

1
Le temps hésitant
Nous a fait tant et tant
De mal et de bien, d'hivers et de printemps
De rosiers fleuris et de feuill's déjà mortes
D'amours éternelles qu'un p'tit béguin emporte
Qu'on s'demande un jour :
« Que vais-je donc choisir
L'argent ou l'amour ? »
L'malheur ou l'plaisir ?

Refrain

La bourse ou la vie ?
L'inquiétude ou l'âme ravie
Solitude ou fantaisie,
L'argent ne fait pas l'bonheur
Dis, mon cœur,
Que prendrais-tu, toi, dans ta course,
Prendrais-tu la vie, ou la bourse
Rien qu'la terre ou la Grande Ourse
Liberté chérie
Moi j'prends la meilleure
La vie à toute heure

La rout' qui s'enfuit
Et le temps béni, le jour la nuit
Qui nous dit :
« Oui, d'aventure
Rien ne reste, rien ne dure
C'est l'oubli et dame nature
Refleurit.
La bourse ou la vie ?

2

Le temps hésitant
Nous a fait tant et tant
De mal et de bien, d'hivers et de printemps
Qu'un jour on n'sait plus au bout du beau voyage
Quelles furent les folies d'une existence bien sage
On s'demande alors :
Qu'ai-je donc préféré
Le bonheur ou l'or,
Ou les deux... C'est vrai

Refrain

La bourse ou la vie ?
L'inquiétude ou l'âme ravie
Solitude ou fantaisie,
L'argent ne fait pas l'bonheur
Dis, mon cœur,
Qu'as-tu volé toi dans ta course
Prendrais-tu la vie, ou la bourse
Rien qu'la terre ou la Grande Ourse
Liberté chérie
Quelles furent les meilleures
La vie à toute heure
Et l'argent qu'on pleure
Ou la rout' qui fuit le jour la nuit
Et nous dit :
« Oui, d'aventure
Rien ne reste, rien ne dure
C'est l'oubli et dame nature refleurit.

La bourse ou la vie ?
Je préfère la vie !

Frédérica

Paroles et musique de Charles Trenet

Depuis l'enfance
Je pense
A cet instant
Où l'on peut dir'
Sans rir'
Chéri' je t'aim' tant
Mais un poèt'
C'est bête
En amour c'est timide
Ça reste là
Sans rien dir'
Ça n'ose pas c'est stupide

Ô Frédérica
Mon rêv' d'amour
Mon idéal
Je pense à toi
Frédérica
La nuit le jour
Tes yeux merveilleux
Ont pris mon cœur
Et c'est fatal

De ton amour
Frédérica
Mon cœur est lourd
Quand tombe la nuit
Je vol' vers toi
Vers ton mensonge

Au pays joyeux
Au pays bleu
Pays des songes

Ô Frédérica
Mon rêv' d'amour
Mon idéal
Je pense à toi
Frédérica
Et c'est normal

Quand un facteur s'envole

Paroles et musique de Charles Trenet

1

Quand un facteur s'envole
S'envole s'envole
C'est qu'il est trop léger
Alors pour voyager
Au-dessus des platanes
Il plane il plane
Au-dessus des maisons
Il chante une chanson
Les oiseaux à la ronde
Lui font bonjour
Autant d'oiseaux au monde
Autant de lettres d'amour
Que le facteur apporte
Et glisse sous les portes
C'est le courrier du cœur
Le courrier du bonheur
C'est le courrier du cœur
Le courrier du bonheur
Joie sans pareille
Pour le facteur
Comme il fait bleu qu'il fait bon dans son cœur
Il s'émerveille

Ô liberté
Joli soleil
Amour clarté !

2
Quand un facteur s'envole
S'envole s'envole
Il voit le monde petit
Les gens comme des fourmis
Le clocher du village
Bien sage bien sage
L'école et la mairie
Et la gendarmerie
Sa fiancée toute rose
Dans un jardin
Comme une fleur éclose
Au milieu du chemin
Alors vite il se repose
Et cueille cette rose
Qu'il emporte avec lui
Seul dans son paradis
Qu'il emporte avec lui
Seul dans son paradis
Et c'est ainsi
Ainsi qu'finit
La chanson folle
Du facteur qui s'envole

Je fais la course avec le train

Paroles et musique de Charles Trenet

1
J'aime les passages à niveau
Et leurs maisons sous le lierre,
J'aime cueillir des coqu'licots,
Sur la bouche des gardes-barrière,
J'aime les disques et les signaux

Et les poteaux télégraphiques
Et quand je suis sur mon vélo
Dans la campagne magnifique

Refrain

Je fais la course avec le train,
Pour ça, je m'lève de bon matin
Voir des visages ensommeillés
Que le p'tit jour a réveillés
Tous ces visages sont mes amis,
Leurs yeux me parlent de Paris
Et gentiment, je leur souris
Je leur souris beaucoup beaucoup
J'oublie la route et tout à coup
Je m'casse le nez sur un caillou
Je fais la course avec le train
Oui mais le train est déjà loin

2

J'connais un train bien plus p'tit,
Les vaches aussi le préfèrent,
Il ne passe que le samedi,
Mais ce jour-là, faut l'voir faire,
Un jour de beaux yeux m'ont souri,
C'étaient deux grands yeux bleus d'province
Et deux petites mains m'ont dit :
« Montez montez mon gentil prince »

Refrain

J'ai fait la course avec le train,
Et j'ai fait la course avec le train,
Et j'ai compris, compris soudain
Que je courais après l'amour,
Après l'bonheur depuis toujours
J'attends un cœur, deux yeux aussi,
Des yeux d'ailleurs, ou bien d'ici
J'attends qu'ils me disent : « Nous voici »
Montez, montez, diront les mains,
Montez aujourd'hui ou demain

Pour les trouver sur mon chemin
Je fais la course avec le train
Et c'est un beau voyage sans fin sans fin sans fin

Débit de l'eau débit de lait

Paroles de Charles Trenet et Francis Blanche — *Musique de Charles Trenet et Albert Lasry*

1

Dans ma rue, y a deux boutiques
Dans l'une on vend de l'eau dans l'autre on vend du lait
La première n'est pas sympathique
Mais la seconde en revanche où l'on vend du lait l'est
Et c'est pour ça que tous les passants
La montrent du doigt en disant

Refrain

Ah qu'il est beau le débit de lait
Ah qu'il est laid le débit de l'eau
Débit de lait si beau débit de l'eau si laid
S'il est un débit beau c'est bien le beau débit de lait
Au débit d'eau y a le beau Boby
Au débit de lait y a la belle Babée
Ils sont vraiment gentils chacun dans leur débit
Mais le Boby et la Babée sont ennemis
Car les badauds sont emballés
Par les bidons de lait de Babée
Mais l'on maudit le lent débit
Le lent débit des longs bidons du débit d'eau de Boby
Aussi Babée ses bidons vidés
Elle les envoie sur le dos de Boby
Et Boby lui répond
En vidant les bidons
Les bidons d'eau de son débit et allez donc
Les bidons d'eau de son débit et allez donc

2
Dans ma rue y a un mariage
Celui du beau Boby et de la belle Babée
Les voilà tous deux en ménage
Le débit d'eau épouse le grand beau débit de lait
Ils ont repeint leur boutique en blanc
Et chacun dit en y allant

Refrain

Ah qu'il est beau le débit de lait
Ah quel palais le débit de l'eau
Débit de lait si beau débit de l'eau pas laid
S'il est un débit beau c'est bien le beau débit de lait
Boby a mis du lait dans son eau
Et la Babée de l'eau dans son lait
Ils ont enfin compris que leurs débits unis
Font le plus grand le plus joli des beaux débits
Et les badauds sont emballés
Par les bidons de lait de Babée
Oui mais Boby garde pour lui
Les deux plus beaux bidons de lait de la Babée jolie
Et maintenant si vous y alliez
Vous entendriez de joyeux babils
De deux beaux bébés blonds
Qui font tomber d'un bond
Tous les bidons d'eau et de lait de la maison
Tous les bidons d'eau et de lait de la maison.
Ils se battent à coups de beaux bidons
Chez Boby et chez Babée et allez donc

Douce France

Paroles et musique de Charles Trenet

1
Il revient à ma mémoire
Des souvenirs familiers

Je revois ma blouse noire
Lorsque j'étais écolier
Sur le chemin de l'école
Je chantais à pleine voix
Des romances sans paroles
Vieilles chansons d'autrefois

Refrain

Douce France
Cher pays de mon enfance
Bercée de tendre insouciance
Je t'ai gardée dans mon cœur !
Mon village au clocher aux maisons sages
Où les enfants de mon âge
Ont partagé mon bonheur
Oui je t'aime
Et je te donn' ce poème
Oui je t'aime
Dans la joie ou la douleur
Douce France
Cher pays de mon enfance
Bercée de tendre insouciance
Je t'ai gardée dans mon cœur

2

J'ai connu des paysages
Et des soleils merveilleux
Au cours de lointains voyages
Tout là-bas sous d'autres cieux
Mais combien je leur préfère
Mon ciel bleu mon horizon
Ma grande route et ma rivière
Ma prairie et ma maison. *(Au refrain)*

Si vous aimiez

Paroles et musique de Charles Trenet

Vous qui riez de la vie
Vous qui chantez mille chansons
Vous qui trouvez la vie jolie
Parce qu'elle est simple et sans façon

Si vous aimiez
Si vous aimiez comme moi
Si vous aimiez vous auriez le cœur en émoi
Si vous aimiez vous auriez le cœur plein de joie
Si vous aimiez vous auriez des larmes comm' moi

Et la vie vous paraîtrait plus merveilleuse
Chaque jour vous troublerait éperdument
Mais vous n'aimez
Vous n'aimez pas comme moi
Non non jamais vous n'aurez le cœur en émoi
Non non jamais vous n'aimerez comme moi
Comme moi comme moi

Maman Bouquet

Paroles et musique de Charles Trenet

1er refrain

Maman Bouquet, je me rappell' quand j'étais p'tite
Vous me berciez en murmurant une chanson
Qui m'emportait au pays bleu dans un frisson
Maman Bouquet, je m'endormais bien vite
Tout en rêvant d'une chanson.

La chanson parlait d'un' marchand' de fleurs
D'une enfant trouvée au pied d'une église.
Il y avait aussi un enfant de chœur
Et des chœurs d'enfants et des fleurs exquises.

Et tout cela, maman Bouquet, nous ressemblait
Car vous vendiez des fleurs et que je vous aimais.

2ᵉ refrain

Maman Bouquet, quand j'eus seize ans je me rappelle
Vous m'avez dit avec des larmes plein les yeux
Ma p'tite enfant, aujourd'hui tu comprendras mieux
Cette chanson que tu trouvais si belle
C'est notre histoire à toutes les deux.

Moi, depuis longtemps, j'avais compris
Qu'on m'avait trouvée au pied d'une église
Mais ça n'empêch' pas que j'avais grandi
Au milieu des fleurs et quoi qu'on en dise,
Vint le printemps, un beau garçon m'a dit bonjour
Et moi, j'ai dit « bonjour » croyant qu'c'était l'amour.

3ᵉ refrain

Maman Bouquet, pour cet amour, cette folie
J'ai tout quitté, les jolies fleurs et la maison
Et puis un soir brusquement sans donner d'raison
Il est parti, j'étais seul' dans la vie
Je n'avais plus que ma chanson.

Ma chanson parlait d'un amour déçu
D'un hiver sans joie et d'un homm' volage
Et moi, je m'disais « Ah ! si j'avais su
Comm' je s'rais resté' près de vous bien sage »
Maman Bouquet, quand je revins à la maison
Vous n'étiez plus chez nous, j'en compris la raison.

4ᵉ refrain

Maman Bouquet, à l'hôpital, on m'dit tout d'suite
Ma p'tite enfant si vous voulez encor' la voir
Vit', je courus le cœur battant, rempli d'espoir
Maman Bouquet, c'est moi votre petite
Pardon, maman, hélas, trop tard.

Et c'est ainsi que finit tristement
Un rêv' d'amour et l'amour d'un' maman.
(Parlé) Maman Bouquet.

Je n'y suis pour personne

Paroles et musique de Charles Trenet

1

Le ciel est en fête
Mais triste je suis
Le coucou s'arrête
Puisqu'ils sont partis
Le jour est limpide
Pour moi tout est gris
Dans la maison vide
Je n'ai plus d'amis.

Refrain

Je n'y suis pour personne
Que pour toi mon amour
Pour personne jour et nuit nuit et jour
Que m'importe si l'on sonne
Que m'importe les discours
Je n'y suis pour personne
Mon amour
Tout seuls nous somm's bien seuls
Autour de nous la vie
Murmure épanouie
La chanson du bonheur
Que l'on chant' tour à tour
Et mon cœur en frissonne
Je n'y suis pour personne
Mon amour.

2
C'est pour toi Paulette
Que je suis resté
Notre amour fillette
Ils le détestaient
C'est toi que j'emporte
J'en bénis le sort
Fermons vit' la porte
Et restons... dehors ! *(Au refrain)*

Des mots démodés

Paroles et musique de Charles Trenet

Amour, Toujours
Poème, Je t'aime
Frisson, Passion
Fascination
Va-t'en, reviens
Pars, attends-moi.
Ces mots anciens Chérie,
Ces vieux mots d'autrefois,
J'ai peur, j'ai peur que ces mots
Deviennent des mots démodés.
Des mots qu'on peut sans tarder
Ne plus entendre
J'ai peur que mes souvenirs,
Mes jeunes instants de plaisir,
Mes jours ardents de désir,
Mes rêves tendres
Soient emportés dans l'ouragan des choses nouvelles
Comm' des oiseaux qu'un jour d'automne
Emporte sans retour
J'ai peur, j'ai peur que l'amour
La joie et les cœurs fidèles
J'ai peur qu'on doive sans tarder
Oublier à jamais ces vieux mots démodés.

Automobile
Tarte à la crème
Sardine à l'huile
Oui je vous aime
Bifteack pommes frites
Qui faisaient ma joie
Et toi mon rythme zazou
Alidou doud la douda
J'ai peur, j'ai peur que ces mots
Deviennent des mots démodés.
Des mots qu'on peut sans tarder
Ne plus entendre.
J'ai peur que mes souvenirs,
Mes jeunes instants de plaisir,
Mes jours ardents de désirs,
Mes rêves tendres
Soient emportés dans l'ouragan des choses nouvelles,
Comm' des oiseaux qu'un jour d'automne
Emporte sans retour.
J'ai peur, j'ai peur qu'un beau jour,
Perdu dans la vie cruelle,
Cet air devienne sans tarder
Démodé par des mots
Par des mots démodés
Démodé par des mots démodés.

Le bonheur ne passe qu'une fois

Paroles et musique de Charles Trenet

1

Tout homm' dans son cœur porte un rêve idéal
Un amour ardent c'est normal
Cet homm' je l'ai vu bien souvent en émoi
C'était vous Messieurs, c'était moi
On oubliait en jouant la comédie
Qu'il n'y en a qu'un' et qu'ell' s'appell' la vie

On oubliait qu'il n'y a qu'un seul bonheur
Qu'il faut saisir quand il vient dans nos cœurs.

Refrain

Le bonheur ne passe qu'une fois
Prenez-le quand il vous appelle
Le bonheur ne passe qu'une fois
Prenez-le quand il vous tend les bras
Prenez-le quand il effleur' d'un grand coup d'aile
Notre p'tit cœur comme un oiseau effleure un ciel de joie
Le bonheur ne passe qu'une fois
Prenez-le quand il vous tend les bras
Prenez-le quand il vous tend les bras

2
Hâtez-vous d'aimer Mad'moisell' car demain
Une ros' fanée au jardin
Vous dira combien le printemps était court
Avec lui la joie et l'amour.
Ne soyez pas une « vieille accroupie »
Comm' dit Ronsard, cueillez la ros' jolie.
Et pour cela n'attendez pas trop tard
Voici mon cœur, prenez-le, car ce soir.... *(Au refrain)*

Marie-toi

Paroles de Charles Trenet *Musique de Charles Trenet et Léo Chauliac*

Si tu cherch' dans le mariage un feu d'joie,
Si l'amour est de ton âge marie-toi.
Si tu veux rester bien sage sous un toit,
Marie-toi, marie-toi, marie-toi.

Si ta petite femme est jolie, marie-toi
Si tu rêves mille folies, marie-toi
Mais loin d'être un pur modèle

Si ton cœur est infidèle
T'marie pas, t'marie pas, t'marie pas.

Devant la mer

Paroles et musique de Charles Trenet

Nous voici pour les vacances
Au pays de notre enfance
Au pays du sans souci
Qu'allons-nous faire ici
Nous irons faire un p'tit tour devant la mer mon amour
Nous irons voir si les vagues sous le ciel clair roul'nt
[toujours
Nous irons voir des souvenirs qui nous enchantent là-bas
Les rochers gris, les oiseaux du paradis qui chantent
Qui font bonjour aux enfants, aux amoureux, au soleil
A l'épicière un peu folle dont le chignon est pareil
Devant la mer près du port devant le ciel ébloui
Toi et moi, nous deux, rien que nous deux
Hein ?... Oui !

1945

Souvenir d'un chanteur à voix

Paroles et musique de Charles Trenet

Mesdemoiselles messieurs,

Maintenant si vous le voulez bien je vais vous faire l'imitation d'un chanteur à voix, un chanteur qui a appris à chanter en Italie, qui a la voix bien placée dans le masque, dans le masque il chante du nez. Ce sont ces chanteurs qu'on entend souvent à la radio et on ne comprend pas un seul mot de ce qu'ils disent.

Voici l'histoire d'un souvenir d'un chanteur à voix :

Dans les bois le soir
On entend le chant
Des petits oiseaux
Une hirondelle qui vient
A tire-d'aile
M'apportant... ses ailes
La brise parfumée
Les sentiers en fleurs
Et moi je dis à l'hirondelle
Et moi je dis à l'hirondelle
Et moi je dis...
Qu'est-ce que je lui dis... voyons
Ah oui !
Je lui dis qu'elle apporte de mes nouvelles
A ma belle qui m'attend là-bas
Elle lui dit que je l'aime
Et que j'ai hâte de la revoir
Pour l'embrasser et pour la...

Hélas ! Deux fois hélas ! Trois fois hélas !
Cinq fois hélas ! Vingt-six fois hélas !
Elle ne comprendra jamais
Ce que je voulais lui dire
Non jamais elle ne comprendra
La jolie chanson du papillon
Qui se pose par-ci par-là
Sur un rocher à tire-d'aile
La jolie chanson du papillon... Oh !... Oh !
La jolie chanson du papillon
Qui s'en va par-ci par-là
Qui volait
Du papillon d'amour

Quartier latin

Paroles et musique de Charles Trenet

Si Montmartre est moins jeune
Si Montparnasse est triste
Si les Champs-Élysées ne brillent plus la nuit
Si dans les bals musette on n'voit plus de touristes
Si place de l'Opéra on n'entend plus de bruit
Si boul'vard Saint-Germain il n'y a plus de douairières
Si la fête à Neu-Neu n'vend plus de berlingots
Si la Bourse n'est plus le centre des affaires
Il nous reste pour nous un coin très parigot
Quartier latin chez toi rien n'a changé
Quartier latin toujours aussi léger
Quartier latin pays de mes folles amours
Quartier latin où j'ai connu mes meilleurs jours
J'ai retrouvé ma chambre sous les toits
Dont je rêvais : j'étais heureux là-bas
Car je vivais amoureux sans souci du lendemain
Quartier latin, Quartier latin !

Quand on quitt' sa province et qu'un jour on retrouve
Un Paris qui vivait à l'ombre des souv'nirs

Quand on revoit la Sein', les Tuil'ries et le Louvre
On sent au fond du cœur un frisson de plaisir
Quand on r'voit le Chât'let où pour vingt sous mesdames
On faisait tranquill'ment le tour du monde assis,
Et la plac' Saint-Michel, le Boul'Mich', ô Paname
Je suis à toi ce soir, adieu tous mes soucis...

La mer

Paroles de Charles Trenet *Musique de Charles Trenet et Albert Lasry*

La mer
Qu'on voit danser le long des golfes clairs
A des reflets d'argent
La mer
Des reflets changeants
Sous la pluie

La mer
Au ciel d'été confond
Ses blancs moutons
Avec les anges si purs,
La mer bergère d'azur
Infinie

Voyez
Près des étangs
Ces grands roseaux mouillés
Voyez
Ces oiseaux blancs
Et ces maisons rouillées

La mer
Les a bercés
Le long des golfes clairs
Et d'une chanson d'amour

La mer
A bercé mon cœur pour la vie,

On danse à Paris

Paroles et musique de Charles Trenet

Depuis longtemps
Depuis plus d'un printemps,
J'avais envie d'danser
Cœur contre cœur et sans penser à mal
Danser dans un grand bal.
Mais il a fallu vous attendre
Chanson tendre
Pour entendre
La voix des anciens jours
Au Quatorze Juillet de l'amour
On danse à Paris, grand bal dans les rues

Quelle joie
On danse à Paris, grand bal, quelle cohue
On s'y noie
L'amour fleurit au hasard
D'un regard
D'une aventure.
Pierrette et Jacquot échangent un baiser
Demain ce s'ra la nature
Les prés et les bois qui sauront les griser
Mais ce soir ils vont danser.

Danse
La cadence
D'une valse de chez nous,
Danse,
La romance
De la France
Malgré tout.
Chante

La touchante
Chansonnette à deux sous,
Tournez couples d'un soir dans la ronde d'un jour
Tournez couples d'amour
Le bonheur vous prendra dans son rêve joli
Car on danse à Paris.

Un air qui vient de chez nous

Paroles et musique de Charles Trenet

Refrain

Un air qui vient d'chez nous
Et qu'on chante un peu partout
Un air dans l'air très doux
Qui s'envole n'importe où
Un air qui vient le soir
Quand il pleut sur le boul'vard
Ou quand il berce
Une âme tendre et déçue
Comme une averse
Berce dans la nuit la rue...
Un air qui vient le jour
Et qui parle un peu d'amour
D'un tête-à-tête gamin
D'une main et d'un chemin
Un air qui se fout d'tout
Mais oui Madam' qui s'en fout
Car c'est la France
Qui chante toujours en lui...
Un air qui se balance
Dans le ciel de mon pays !...

Ce qui vient d'ailleurs
N'est pas parfois c'qu'il y a d'meilleur
Car le meilleur
Se trouve dans nos cœurs

Bien sûr je parle des chansons
Qu'en France nous faisons
Et que nous répétons
Depuis des siècles dit-on :
Sur le pont d'Avignon
Et la Mèr' Michel
Qu'avant d'aller au ciel
Nous apprendrons
A tous nos p'tits rej'tons

Refrain

Un air qui vient d'chez nous
Dagobert où êtes-vous ?
Et vous bon saint Éloi
Si gentil pour votre roi
Si vous aviez chanté
« Auprès d'ma blonde » un été
Dans la nature
Si pure, sous un pommier
Comme on chantait déjà
Sous François Premier
Si vous aviez repris
« Les Trois Orfèvres » une nuit
Dans un Quartier latin
Plein de copains et de bruit,
Avec la fraîch' Mad'lon
Dont on frôle le jupon
Chanson de France,
Amours, joie de l'esprit ;
Soleil qui se balance
Dans le ciel de mon pays !...

Si le bon vent

Paroles et musique de Charles Trenet

Refrain

Si le bon vent souffle par ici
Il emporte nos soucis
Et l'espoir chante en nos cœurs, à l'aventure.
Si le bon vent s'en va par là
Il emporte notre joie
Dam' nature pleur' ses beaux jours d'amour.
Chance ou malheur
Soleil ou pluie jours de bonheur
Espoir en fleur tendre lueur ou triste nuit.
Chacun son lot tout est ainsi chacun sa rout' oui mais,
[si...

Si le bon vent souffle par ici
Il emporte nos soucis
Et l'espoir à la vie
Merci !

L'orage qui grondait
La mer qu'on regardait
Les vagues qui sautaient sur la plage.
La pluie qui sanglotait
Les marins qui chantaient :
Souv'nir d'un jour lointain
Chanson d'un vieux voyage. *(Au refrain)*

Poésie

Paroles et musique de Charles Trenet

Poésie
Qui fait rêver garçons et filles
On danse dans la nuit
On chante le matin
Et l'on dit : « Quel beau destin que la vie »

Poésie
Mon seul amour ma fantaisie
Tu marches sur mon ch'min
Et quand je prends ta main
J'oublie tout : hier demain.
Le ciel a beau s'obscurcir
Le vent peut gémir
Ou bien s'endormir
Pour moi l'azur est toujours
Couleur des beaux jours
Du temps de l'amour
Poésie,
Je t'ai donné toute ma vie
Mon rythme, mon seul bien
Sans toi je n'serais rien
Rien qu'un vaurien
Musique lointaine
D'où viens-tu ce jour d'été
Je viens de la plaine
La brise m'a portée.
J'arrive, j'arrive
Les bras chargés de gaies chansons
Cueillies sur la rivière
Tout près d'l'horizon

La folle complainte

Paroles et musique de Charles Trenet

Les jours de repassage
Dans la maison qui dort
La bonne n'est pas sage
Mais on la garde encore
On l'a trouvée hier soir
Derrière la porte de bois
Avec une passoire
Se donnant de la joie
La barbe de grand-père

A tout remis en ordre
Mais la bonne en colère
A bien failli le mordre
Il pleut sur les ardoises
Il pleut sur la basse-cour
Il pleut sur les framboises
Il pleut sur mon amour

me cache sous la table
Le chat me griffe un peu
tigre est indomptable
Et joue avec le feu
Les pantoufles de grand-mère
Sont mortes avant la nuit
Dormons dans ma chaumière
Dormez dormons sans bruit
Berceau berçant des violes
Un ange s'est caché
Dans le placard aux fioles
Où l'on me tient couché
Remède pour le rhume
Remède pour le cœur
Remède pour la brune
Remède pour le malheur

La revanche des orages
A fait de la maison
Un tendre paysage
Pour les petits garçons
Qui brûlent d'impatience
Deux jours avant Noël
Et sans aucune méfiance
Acceptent tout pêle-mêle
La vie, la mort, les squares
Et les trains électriques
Les larmes dans les gares
Guignol et les coups d' trique
Les becs d'acétylène
Aux enfants assistés

Et le sourire d'Hélène
Par un beau soir d'été

Donnez-moi quatre planches
Pour me faire un cercueil
Il est tombé de la branche
Le gentil écureuil
J' n'ai pas aimé ma mère
J' n'ai pas aimé mon sort
J' n'ai pas aimé la guerre
J' n'ai pas aimé la mort
J' n'ai jamais su dire
Pourquoi j'étais distrait
Je n'ai pas su sourire
A tel ou tel attrait
J'étais seul sur les routes
Sans dire ni oui ni non
Mon âme s'est dissoute
Poussière était mon nom

Ding ! Dong !

Paroles et musique de Charles Trenet

1
Sur un sentier de vert printemps
Plein de fleurs en papier
On voit courir les p'tits enfants
On voit trotter leurs pieds
Ils vont le long des ruisseaux
Font bonjour aux oiseaux
Ils se batt'nt à coups de poing
Tandis qu'on entend au loin...

Refrain

Ding ! Dong !
Écoutez la cloche

Enfants en galoches
Aïe donc !
La cloche a fait
Ding ! Dong ! la cloche de l'école
Vous appell' Nicole Gaston,
La cloche a fait Ding ! Dong !
Il faut courir
Pour apprendre ses leçons
Et devenir
De bell's fill's de grands garçons
Ding ! Dong !
Écoutez la cloche
Ou gare aux taloches,
Aïe donc la cloche fait Ding ! Dong !
Les cloches font Ding ! Dong !

2
Pour sa demande le fiancé
Sue dans un col cassé
En jaquette, en souliers vernis :
Il a l'air abruti
Il bafouill' devant papa,
Qui ne le comprend pas ;
Puis il dit : « J'adore Mad'lein' ! »
Aussitôt tout s'enchaîne.

Refrain

Ding ! Dong !
Écoutez la cloche
Le mariage est proche
Aïe donc !
La cloche a fait Ding ! Dong !
Ding ! Dong !
La cloche du baptême :
Un enfant qu'on aime
Aïe donc !
La cloche a fait Ding ! Dong !
Puis le temps passe
On devient un homme sérieux

Et dans la glace
On s'dit J'suis pas trop vieux
Ding ! Dong !
Mais la vie va vite
La jeunesse vous quitte
Aïe donc !
La cloche a fait Ding ! Dong !

3

Un jour on se sent raplapla :
Y a quelqu' chos' qui n'va pas ;
On n'entend plus bien d'une oreille
Et de l'autr' c'est pareil
Dans son fauteuil on revoit
Ce qui fut autrefois,
Premièr's amours, doux frisson,
C'est la fin de la chanson.

Ding ! Dong !
Écoutez la cloche
Un' voitur' s'approche
Aïe donc !
La cloche a fait Ding Dong !
Ding ! Dong !
C'est la cloche funèbre
Le glas des ténèbres
Aïe donc !
La cloche a fait Ding ! Dong !
Je vous r'connais,
Dit Saint Pierre à M'sieur Durand
Qu'avez-vous fait
Sur la terr' la vie durant ?
Ding ! Dong !
J'écoutais les cloches...
Vous n'avez rien fait d'moche ?
Moi ? Non !
Entrez, mais entrez donc !

Liberté

Paroles et musique de Charles Trenet

Liberté
Sur la grande route de la liberté
Un homme passe et chante « Liberté ! »
Joie dans le ciel et dans l'espace vers l'été
Liberté
Mais les oiseaux en ribambelle,
Ailes et bruits d'eau
Je vous salue et vous rivière ma belle
Qui voyagez, qui voyagez le cœur léger
Sur les coteaux les nuages hauts
Dans l'azur vont les veaux
Et leurs moutons s'amusent à saute-mouton
Dans l'air qui les tond

Liberté
Si par le monde gronde : Liberté !
Un ouragan veut tout emporter
Je jure de toujours te chanter

Liberté
Vagabond si tu rêves
Au cœur profond de la forêt,
Rêve d'amour, d'espoir, de trêve,
Rêve le calme, rêve la paix.
Tous les rêves ne sont pas mensonges,
Mais si demain à ton réveil
Ta belle histoire se prolonge
Tu chanteras sous le soleil :

Liberté
Sur la grande route de la liberté
Plus aucun doute, l'hiver comme l'été
Vous entendrez de tous côtés : Liberté !
Écoutez
Sur la mer les vagues dansent et dans le désert
Les chameaux pensent que le plus doux des airs
En vérité, c'est l'air de la liberté.

Au plan Pôle Nord
Les ours polaires chantent mon air encore
Et l'clerc d'huissier au clair de lune
Se trompe, saisit d'liberté.
Liberté
Si par le monde gronde : Liberté !
Un ouragan qui veut tout emporter
Je jure de toujours te chanter
LIBERTÉ

1946

Seul... depuis toujours

Paroles de Charles Trenet *Musique de Charles Trenet et Albert Lasry*

Seul depuis toujours,
Mon cœur se berce d'un rêve d'amour.
Et ce soir, sans espoir,
Triste il chante,
Perdu dans la nuit.
Seul il a souffert chaque jour.
Il pleure avec le ciel de Paris
Sa peine et sa romance d'amour,
Tout seul depuis toujours.

Seul depuis toujours,
Mon cœur se berce d'un rêve d'amour ;
Chaque jour il espère
Seul dans l'ombre
Perdu dans la nuit,
Seul, il a connu de la vie
La peine sur la grande route suivie
Il pleure au souvenir des beaux jours,
Tout seul depuis toujours.

Tombé du ciel

Paroles et musique de Charles Trenet

1
Par une matinée
Où le vent jouait avec les graminées,
Par une matinée

Où les amandiers en fleur
Semblaient avoir trouvé l'âme sœur,
Voici ce que disait un ange
Qui descendait en parachute.
Écoutez sa chanson étrange, écoutez-la,
Chut... chut...

1er refrain

Tombé du ciel
Je suis tombé du ciel
Destin providentiel
Car sur la terre
Tout est charmant
Surtout quand vient l'printemps
Et qu'on voit les étangs pleins de lumière
Quand un oiseau se pose
Sur un roseau morose
Quand un nuage d'orage
Semble nous dire
Ami si j'éclate en voyage
Tombé du ciel
Je suis tombé du ciel
C'est le rythme éternel
Tombé du ciel

2e refrain

Tombé du ciel
Je suis tombé du ciel
Destin providentiel
Car sur la terre
Rien n'est plus doux
Que d'aller n'importe où
Libre, sans rendez-vous la vie entière
Quand un amour se pose
Sur un destin morose
Tout change et cette rose
C'est notre amour, amie, que mes larmes arrosent
Tombé du ciel
L'amour qui tomb' du ciel

C'est le rythme éternel
Tombé du ciel.

Une vache sur un mur

Paroles de Charles Trenet *Musique de Charles Trenet et Albert Lasry*

1
Une vache sur un mur
Qui rumine du pain dur
Rumini rumina
Lève la queue et puis s'en va

2
Un oiseau sur une ardoise
Qui mangeait quelques framboises
Les mangi les mangea
Et ne laissa rien au chat

3
Un matou sur une table
Qui écoutait la radio
L'écoutait par ses moustaches
En clignant ses yeux de feu
Moustachi moustacha
Lève la queue et se fâcha

4
Une puce dans mon lit
Me réveille cette nuit
Moi les yeux que j'écarquille
Elle avec ses deux béquilles
Béquilli béquilla
Bégaya et me piqua

5
Un poète dans le ciel
Se prenait pour l'Éternel

Éterni éterna
Sur un nuage éternua

6
Le monde fut renversé
La lune s'était cassée
Il y avait des souris vertes
Qui annonçaient la découverte
On les crut on les croit
Moi j'ai cru qu'elles étaient cuites
Cuites mangez-en de suite
Je n'aime pas les souris
Moi j'en mange le jeudi
Le lundi et le mardi
Où donc ?
Au paradis !

C'était... C'était... C'était...

Paroles de Charles Trenet *Musique de Charles Trenet et Albert Lasry*

C'était... c'était... c'était...
Du côté de la rivière
C'était du côté du ruisseau des lavandières
C'était c'était c'était
Après le pont dans les herbes
C'était c'était du côté
Du côté de l'été
On y voyait l'azur superbe
Derrière l'usine à soufre
Les grillons qui couraient dans l'herbe
Tombaient dans le gouffre de l'écluse
C'était c'était c'était
L'amour des premiers âges
Volage
Un baiser trop vite accepté
C'était la volupté

C'était la chanson de l'été
C'était ma vie...

C'était c'était c'était
L'orage dans les wagons-foudres
C'était la maison du bossu
Réduite en poudre...
C'était c'était c'était
Les gens sur la passerelle
C'étaient les voyous du quartier
Pour moi c'était l'amitié
Parmi les buissons des garrigues
Courant vers les jeunettes
M'arrêtant pour manger des figues
Chantant ma chansonnette
Hiver été
C'était c'était c'était
L'amour des premiers âges
Volage un baiser
Trop vite accepté
C'était la volupté...

C'était c'était c'était
La route de la poussière
C'étaient les trains qui roulaient
Dans la nuit familière
C'était c'était c'était
Le bruit sourd d'une porte
C'était peut-être une morte ?
Grand-mère qui revenait
Platanes au vent de septembre
Amis chers musiciens
Bercez ce soir dans ma chambre
Mes souvenirs anciens
Vieille mode
C'était c'était c'était
Le temps heureux que j'envie
C'était la chanson de l'été !
C'était ma vie...

La chanson de l'ours

Paroles de Charles Trenet *Musique : folklore*

1

Dans notre village autrefois
Un ours énorme dévastait le bois
Il faisait peur au bûcheron
Et du berger mangeait tous les moutons

Le Maire et Monsieur le Curé
Dirent en colère : Cela ne peut durer
Cet ours nous enlève tout repos
Avant huit jours il faut avoir sa peau

2

On partit donc de bon matin
Dans la forêt qui sentait le bon pin
Avec des piques des flambeaux
Car ce jour-là il ne faisait pas beau

Nous avons marché tout le jour
Et malgré ça nous n'avons pas vu d'ours
Pourtant à la tombée de la nuit
Dans un sentier on voit un œil qui luit

3

Et pan ! Voilà monsieur le Curé
Qui met en joue et s'en est bien tiré
Mais l'ours qui n'était que blessé
Tout étourdi roula dans un fossé

On l'emporta à la maison
Et dans la cave on le met en prison
Depuis ce jour, apprivoisé
L'ours pas méchant joyeux et bien rasé

4

Se charge d'un tas de travaux
A la fontaine il va quérir de l'eau

Il sait conduire le tracteur
Au nouvel an il aide le facteur

Pour la distribution des prix
C'est son discours qui fut le mieux compris
Depuis qu'il siège au tribunal
On s'aperçoit que ça ne va pas plus mal

Coda

Tout marche mieux à la mairie
Ah, s'ils avaient le même ours à Paris...

Au clair de la lune

Paroles de Charles Trenet *Musique de Lulli*

Au clair de la lune
Mon ami Pierrot
Enjambe la fenêtre de Marie là-haut
Elle attend la folle
Et les bras ouverts
Dans la carmagnole
Dans les nuits d'hiver

Au clair de la lune
Pierrot d'Amérique
En lunettes d'écaille
Ah ! mon Dieu quel chic
Chante sa romance
Amour du printemps
Quand il recommence
Il s'y prend à temps

Au clair de la lune
La petite Anna
Va cueillir des prunes
Avec son papa

Son papa lui donne
Un morceau de chocolat
Ah ! qu'elle est mignonne
La petite Anna

Au clair de la lune
Mes amis m'ont dit
Place de Pampelune
Vous étiez jeudi
Et l'impératrice
Vous a embrassé
Non c'est une actrice du Théâtre-Français
Ce fut une histoire
Unique à Paris
J'y gagnais la gioire
J'y perdis l'esprit

Ce fut une histoire
Unique à Paris
J'y gagnais la gloire
J'y perdis l'esprit
Car l'impératrice
M'eût aimé d'amour
Tandis que l'actrice ne m'aima qu'un jour

Au clair de la lune
Théâtre Guignol
Juché sur la dune
Dans un si bémol
Tu chantes poète
Au gré des saisons
Et tu perds la tête
Qui donc a raison

Au clair de la lune
Les oiseaux du ciel
N'ont pas de fortune
Ni ruche ni miel
Ils déploient leurs ailes
Ivres dans l'azur

Ah ! mon Dieu quelles ailes
Par-dessus le mur

Au clair de la lune
Ainsi va le temps
Quand la lune est brune
Nous n'avons vingt ans
Quand la lune est blonde
Nous n'avons pas tant
Ainsi va le monde
Depuis bien longtemps

En attendant ma belle

Paroles et musique de Charles Trenet

Refrain

En attendant ma belle
En attendant m'amour
Je veux chanter pour elle
La nuit, le jour
Je veux chanter pour elle
Mon plus joli refrain
Ma chanson a des ailes
J'attends sa main
Demain sa tête blonde
Fleurira dans les bois
Quell' joie pour tout le monde
Et quel bonheur pour moi
De dire à cette belle
De dire à mes amours
Mon cœur te s'ra fidèle
J't'aim'rai toujours.

C'est long, c'est long les voyages
A travers les campagnes ou la mer

A travers les plaines sauvages,
Sans amour le cœur est un désert. *(Au refrain)*

Coda

J't'aim'rai toujours ma mie.

1947

Votre visage

Paroles de Charles Trenet *Musique de Charles Trenet et Louis Unia*

Votre visage
Changeant et pur comme la mer
Votre visage
Est un paysage si clair
Votre sourire
Qui s'illumine rien que pour moi
Semble me dire
Je suis ta joie
Et je suis aussi la jeunesse
Cheveux d'or en boucle d'amour
A toi ma vie, ma tendresse
A toi mon cœur pour toujours
Votre visage
Changeant et pur comme la mer
Votre visage
Est un paysage
Si clair
Si clair.

Cœur de palmier

Paroles de Charles Trenet *Musique de Charles Trenet et Albert Lasry*

1
Jadis sous l'soleil des tropiques
Un jeun' Français sous-officier
Rencontra par une nuit magique
Une belle enfant : « Cœur de palmier ».

Il lui dit : « Je t'adore
Mon amour, mon trésor. »
Mais la belle fut rebelle à ses vœux
Et perfide, elle fuit
Un beau jour pour Paris,
C'est d'puis lors qu'il redit chaque nuit :

1er refrain

Cœur de palmier
Du Sahara,
Pigeon ramier
Tu reviendras.
Ton amoureux
T'attend là-bas,
Bien malheureux
Dans la Casbah.
Le soleil augmente sa fièvre,
Sa soif ardente est de tes lèvres,
Prends en pitié
Son cœur très las.
Cœur de palmier
Du Sahara,
Pigeon ramier
Tu reviendras.
Cœur de palmier
Un jour, c'est lui qui t'aura.

2
Mais un soir la bataille fait rage,
C'est le baroud dans la Casbah.
Guito n'écoute que son courage,
Car le chagrin l'a mis très bas.
On d'mande un volontaire
Il part vif comm' l'éclair.
Il arrive au bastion d'la Légion.
L'colonel ébloui
Le décor' la même nuit,
C'est alors qu'il chante pour ses amis :

2ᵉ refrain

Cœur de palmier
Du Sahara,
Pigeon ramier
Oui c'est pour toi,
Pour te prouver
Tout mon amour,
Que j'ai risqué
Ma vie ce jour.
Mais que m'importent blessures et fièvre
Ce que je veux, ce sont tes lèvres.
J'ai tant d'espoir
De désir fou,
Que pour te voir
Je donn'rai tout,
Car je suis tien,
Mon cœur est lié A toi pour toujours mon bien,
Cœur de palmier.

3
Mais au cœur de Paris volage,
Cœur de palmier a vite perdu,
Après trois mois d'apprentissage,
Sa jolie mine et sa vertu.
De Pigalle à Clichy,
Dans tout' les boît's de nuit,
Elle rit, puis un soir, à Saint-Louis
On l'emporte, c'est la fin.
Quel tragique destin.
Le docteur dit en prenant sa main :

3ᵉ refrain

Cœur de palmier
Du Sahara
Pigeon ramier
Qu'as-tu fait là ?
Ton amoureux
Se meurt là-bas,
Bien malheureux

Dans la Casbah
Il n'a pas pour calmer sa fièvre
L'dernier baiser d'amour d'tes lèvres...
Et séparés
Loin de vos bras
Désespérés
Chacun ira,
Pigeons ramiers
Du Sahara,
Cœurs de palmier,
Vers la mort qui vous prendra.

Retour à Paris

Paroles de Charles Trenet *Musique de Charles Trenet et Albert Lasry*

Revoir Paris
Un petit séjour d'un mois
Revoir Paris
Et me retrouver chez moi
Seul sous la pluie
Parmi la foule des grands boulevards
Quelle joie inouïe
D'aller ainsi au hasard
Prendre un taxi
Qui va le long de la Seine
Et me revoici
Au fond du bois de Vincennes
Roulant joyeux
Vers ma maison de banlieue
Où ma mère m'attend
Les larmes aux yeux
Le cœur content
Mon Dieu que tout le monde est gentil
Mon Dieu quel sourire à la vie
Mon Dieu merci
Mon Dieu merci d'être ici

Ce n'est pas un rêve
C'est l'île d'amour que je vois
Le jour se lève
Et sèche les pleurs des bois
Dans la petite gare
Un sémaphore appelle ces gens
Tous ces braves gens
De la Varenne et de Nogent
Bonjour la vie
Bonjour mon vieux soleil
Bonjour ma mie
Bonjour l'automne vermeil
Je suis un enfant
Rien qu'un enfant tu sais
Je suis un petit Français
Rien qu'un enfant
Tout simplement

N'y pensez pas trop

Paroles de Charles Trenet *Musique de Charles Trenet et Albert Lasry*

1
Si les mystères de la vie
Vous mènent à zéro
N'y pensez pas, n'y pensez pas, n'y pensez pas trop
Pourquoi lorsque tomb' la pluie
Nous vient-elle d'en haut
N'y pensez pas, n'y pensez pas, n'y pensez pas trop
Pourquoi la lune a-t-elle une influence
Sur les marées des océans immenses
Pourquoi l'paon dit-il « Léon »
Le coq « Cocorico »
N'y pensez pas, n'y pensez pas, n'y pensez pas trop

2
Si vous avez soif la nuit
Et qu'il n'y ait pas d'eau

N'y pensez pas, n'y pensez pas, n'y pensez pas trop
Si pour traverser Paris
Vous prenez le métro
N'y pensez pas, n'y pensez pas, n'y pensez pas trop
Un peu d'oubli ne fait pas d'mal en toutes choses
Et trop d'génie vous rend parfois morose
Si vous jouez d'la guitare
Et pas du banjo
N'y pensez pas, n'y pensez pas, n'y pensez pas trop

3

Pourquoi dit-on mon beau-frère
A un type pas beau
N'y pensez pas, n'y pensez pas, n'y pensez pas trop
Et pourquoi : ver « solitaire »
Avec tant d'anneaux
N'y pensez pas, n'y pensez pas, n'y pensez pas trop
Pourquoi dit-on qu'elle est grand' cette petite
Pourquoi l'saumon
A-t-il le goût d'la truite
Pourquoi cett' bonne est mauvaise
Et ces bas sont hauts
N'y pensez pas, n'y pensez pas, n'y pensez pas trop

4

Si vous ignorez l'algèbre
Les points cardinaux
N'y pensez pas, n'y pensez pas, n'y pensez pas trop
Si vous confondez le zèbre
Avec le taureau
N'y pensez pas, n'y pensez pas, n'y pensez pas trop
Soyez heureux
Avec le peu de science
Qui rend joyeux
Les braves gens sans méfiance
Pourquoi les vaches ont des puces
Et les puces pas de veaux
N'y pensez pas, n'y pensez pas, n'y pensez pas trop
Laissez faire le monde qui tourne

C'est la loi d'En-Haut
N'y pensez pas, n'y pensez pas, n'y pensez pas trop

La Minou, la Cançon, la Baya

Paroles de Charles Trenet *Musique de Charles Trenet et Albert Lasry*

1

Elles étaient toutes les trois bien jolies
La Minou, la Cançon, la Baya,
Que pour elles, on faisait des folies
La Minou, la Cançon, la Baya.
Travaillaient dans la même maison d'danse
Les clients les d'mandaient toutes les trois
Elles mettaient d'la gaieté, de l'ambiance
La Minou, la Cançon, la Baya.

Refrain

Un verre d'eau ou d'eau de noix
Patron v'là tout ce que je bois
Car moi j'suis un ancien forçat
Faut pas m'forcer pour me r'mettre ça.

2

Partirent un jour, pour Buenos Aires
La Minou, la Cançon, la Baya
Car les mœurs leur faisaient des misères
A Minou, à Cançon, à Baya.
Chacune d'elles fut demandée en mariage
Le même jour on célébra les trois
Toutes en blanc comme au temps de leur jeune âge
La Minou, la Cançon, la Baya. *(Au refrain)*

3

Par bonheur leurs maris se suicidèrent
A Minou, à Cançon, à Baya

Et de toute leur fortune héritèrent
La Minou, la Cançon, la Baya.
Elles mangèrent et devinrent un peu grosses
Elles prirent du ventre et de l'estomac
Tous les soirs buvant et faisant la noce
La Minou, la Cançon, la Baya. *(Au refrain)*

4

Elles rentrèrent à Paris vieilles dames
La Minou, la Cançon, la Baya
De chez nous elles avaient le vague à l'âme
La Minou, la Cançon, la Baya.
Elles devinrent pieuses, allèrent à confesse
Oubliant leurs débuts un peu là
Où pour trois sous vendaient leurs caresses
La Minou, la Cançon, la Baya. *(Au refrain)*

Madame la Pluie

Paroles de Charles Trenet *Musique de Charles Trenet et Albert Lasry*

1

Madame la Pluie, grande Dame qui s'ennuie,
Dans son château là-haut, derrière ses rideaux gris,
Madame la Pluie se souvient de la vie,
Qui fut si belle pour elle, au temps jadis.
Son amant s'app'lait Monsieur Soleil
Il venait la voir à son réveil
Séchait ses larmes
Et dans les cieux
Devant son charme brillait joyeux.
Madame la Pluie
Grande Dame qui s'ennuie
Dans son château là-haut
Se souvient de la vie

2
Les jours d'antan furent jours de folie,
Le bonheur, à vingt ans, est fragile comme les jours,
Les jours d'avril où les serments nous lient
Sont légers comme le temps, le temps d'amour,
Il s'enfuit, et c'est l'été qui vient,
Puis l'automne lui chante un air ancien,
Et le temps passe...
Et tout s'efface...
Monsieur Soleil fait la grimace.
Madame la Pluie
Grande Dame qu'on oublie
Dans son château là-haut
Pleure l'amour de sa vie.

Marie-Marie

Paroles de Charles Trenet *Musique de Léo Chauliac*

Je n'ai pas oublié mes vieilles vacances
Et mes jeunes amours d'antan
Petite fille aux yeux clairs une danse
Avait fait de moi votre amant
Mais un amant sage trop sage
Et je le regrette à présent
Votre corsage votre corsage
Petite amie de mes quinze ans
Mon amour c'était vous Marie-Marie
Mon bonheur c'était vous Marie-Marie
Souvenir de mon cœur
Vous étiez la douceur
Des premiers aveux
Couchés dans la prairie Marie-Marie
Vous étiez si jolie Marie-Marie
Que le ciel ébloui
Se mirait dans vos yeux
Si bleus
Sur le chemin du retour

Main dans la main
Les soirs de brume
En septembre au faubourg
Joie dans la nuit un feu s'allume
Un air qui rôde encore Marie-Marie
La chanson du décor Paris-Paris
Mais c'est loin le faubourg
La prairie et l'amour Marie.

Formidable !

Paroles de Charles Trenet *Musique de Charles Trenet et Albert Lasry*

Formidable ! j'entends le vent sur la mer
Formidable ! je vois la pluie les éclairs
Formidable ! je sens bientôt qu'il va faire
Qu'il va faire un orage formidable
Formidable ! j'ai vu s'enfuir les oiseaux
Formidable ! et sur la crête des eaux
Formidable ! j'ai vu danser les bateaux
Coques de noix folles dans la rade
Camarades fermez vos hublots !
Et puis et puis dans mon cœur
La pluie a joué de bonne heure
Dans ma petite enfance
Avec amour
J'écoutais son tambour
Quelle chance et quelle chanson
La pluie qui tombe sans raison
N'ennuie que l'horizon
Car pour moi elle est un frisson
Formidable ! un arbre déraciné
Formidable ! on se croirait au ciné...
Matographe où l'on voit tant de belles choses
Tant de trucs de métamorphoses
Quand une rose est assassinée
Formidable ! le jour déchire la nuit
Formidable ! le grand soleil m'éblouit

Formidable ! je sens qu'il fait aujourd'hui
Qu'il va faire une journée formidable
Formidable ! le port de San Francisco
Formidable ! bourdonne de cris et d'échos
Formidable ! j'entends un cocorico
C'est mon cœur qui chante aimable
La chanson de l'air et de l'eau
Et puis et puis sur les quais
La pluie n'a pas compliqué
La vie qui rigole
Et qui se mire dans les mares des rigoles
Quel temps pour les petits poissons
Quel temps pour les grands garçons
Quel temps pour les tendrons
Mesdemoiselles nous vous attendrons
Formidable ! pour faire un tour sur la mer
Formidable ! après la pluie les éclairs
Formidable ! après la nuit de l'hiver
C'est l'amour la joie de vivre
Qui m'enivrent sous le soleil clair
Et je répète sous le soleil clair :
Formidable ! Formidable ! Formidable !

Gala poté

Paroles de Charles Trenet *Musique de Charles Trenet et Albert Lasry*

1
Gala poté touli Mané-Ho !
Gala poté touli du lait chaud
Mossé mala doli fallé pa boi de lo
Non bouillie
Gala poté touli du lait chaud

Refrain

Hé ! Ho ! Hé ! Ho !
Gala poté du lait chaud. Ho !

2
Doteu veni dans sa belle auto
Doteu veni Mon Dé qu'il a chaud
Mossé mala doli Mon Dé la belle auto
Bell' voiture
Doteu a pi la tempéatu
Hé ! Ho ! Hé ! Ho !
Doteu veni dans sa belle auto.

3
Mossé m'appel a ni Mané-Ho
Mossé m'appel a ni qu'il a chaud
Gala fait courant d'air, a cent mét le tonnerre
Tout là-haut
Gondé fait feu qui tombé dans l'eau
Hé ! Ho ! Hé ! Ho !
Mossé m'appel a ni Mané-Ho

4
Gala pleuré tout' seul Mané-Ho
Gala pleuré derrier' les carreaux
C'est la saison des pluies, fallé pa boi de lo
Non bouillie
Pou ça Mossé petit va mouri
Hé ! Ho ! Hé ! Ho !
Pour ça Mossé petit va mouri.

5
Dans son déli Mossé palé haut
Dans son déli voyait des bateaux
Voyait les jolies fleurs du jadin Monseigneu
Gouverneur
Mais voyait pas Gala Mané-Ho
Hé ! Ho ! Hé ! Ho !
Mais voyait pas Gala Mané-Ho.

6
Poutant Mossé gueï Mané-Ho
Poutant Mossé gueï qui fait beau

Finie saison des pluies Gala vous dit merci
Vieg Marie
Meci Mon Dé pour l'an bon santé
Hé ! Ho ! Hé ! Ho !
Meci Mon Dé pou l'an bon santé.

7
Gala content dansé Mané-Ho
Gala conten' Biguine à Bango
Dansé pou toun la têt
Et bois un vé de um en cachette
Et la bouteille aussi Mané-Ho
Hé ! Ho ! Hé ! Ho !
Et la bouteille aussi Mané-Ho.

Le retour des saisons

Paroles de Charles Trenet *Musique de Charles Trenet et Albert Lasry*

1
C'est le retour des saisons
La joie dans la maison
C'est la vie qui recommence
Le printemps et l'été
L'automne ou bien l'hiver
Ne reviennent que pour prouver
Comment tourne la terre
C'est le retour de la pluie
Du feu de bois dans la nuit
C'est l'automne qui frissonne
Un bon livre du vin chaud et la tiédeur du lit
C'est l'automne chérie
La saison de la vie

2
C'est le retour de l'hiver
Tiens le ciel s'est couvert
Et la neige qui recommence

Chante Noël dans mon cœur
Chante le divin enfant
Noël des jours meilleurs
Enfant de ma petite enfance
C'est le retour des cadeaux
Les vitrines s'allument tôt
Et pour ceux qui ont de la chance
Y a les soirées en frac
Moi je patine sur le lac
C'est l'hiver chérie
La saison de la vie

3
C'est le retour du printemps
C'est le temps épatant
De ces folles hirondelles
Qui rappliquent du Brésil
Après six mois d'exil
C'est la fleur qui s'entrouve
Et l'amour qui pénètre
C'est en ouvrant ma fenêtre
L'horizon plus champêtre
Que les jardins du Louvre
Bonjour mam'zelle
La plante bonjour ! je suis content'
C'est le printemps chérie
La saison de la vie

4
C'est le retour de l'été
C'est la route enchantée
Vers la plage qui fourmille
De corps bruns et blonds
Excitantes nudités
De bains froids pris d'un bond
Dans l'eau bleue qui pétille
C'est le bal du casino
Le mauvais goût des tangos
Et la valse des familles
C'est l'orage dans les bois

Tu as peur ? viens contre moi
C'est l'été chérie
La saison de la vie
C'est le retour des chansons
Pour chacune une saison
Et dans le monde recommence
La ronde des humains
Qui s'aiment quoi qu'on en pense
Et se tiennent par la main
Pour la plus belle des danses
C'est le retour du bonheur
Et c'est là dans mon cœur
Une joie immense
Car ce soir mes amis
C'est vous tous toi Paris
Mon pays joli
La saison de ma vie.

Rêve d'Ajaccio
(Rêve espagnol)

Paroles de Charles Trenet *Musique de Charles Trenet et André Popp*

1
Je revois encor la maison au soleil,
Près du petit port le matin au réveil.
Je revois les fleurs,
J'entends les oiseaux
Et j'entends mon cœur
Qui chante, qui chante son rêve au fil de l'eau,
Ah ! que ne suis-je encore à l'ombre de ce paradis
[d'amour.
Ah ! Ah ! Ah ! Ah !

2
Je revois les cieux dans la nuit de clarté,
Le silence est bleu, pure est la Voie lactée,
La lune qui sourit

Éclaire mon amour,
Éclaire mon amie
D'un rêve, d'un rêve que j'aime depuis toujours
Ah ! que ne suis-je encore l'enfant qui rêve dans ce lointain
[séjour.

Ah ! Ah ! Ah ! Ah !

Le violon du diable

Paroles de Charles Trenet *Musique de Charles Trenet et Albert Lasry*

1
C'est un violon qui joue dans la nuit
C'est le violon du diable
Qui vient bercer nos rêv's, nos ennuis
C'est le violon du diabl' qui rit.

Refrain

Sa chanson je ne la crains pas
Dans la nuit le diabl' joue pour moi.

2
Venez ma mie en robe de bal
Partons pour la kermesse
Le diable y joue un air triomphal
Venez ma mie en robe de bal

Pour y aller marchons sur les eaux
Il n'est pas de prodige plus beau

3
D'or et d'azur, palais merveilleux
Flambant de ses richesses
Bal de l'orgueil, étrange milieu
Jouez tziganes aux doigts de feu

Tourne la valse emporte mon amour
Joue tzigane à me rendre sourd

4
Le diable a plus d'un tour dans son sac
Il nous a pris au piège
Nous n'pourrons plus marcher sur le lac
Pour nous enfuir au ciel de Pâques

Sonnez cloches au matin d'avril
Et plaignez ceux qui meurent d'exil

5
Ma mie, ma mie nous sommes au jardin
Le rossignol qui chante
Nous berce bien mieux qu'l'infernal crincrin
C'est le miracle du destin

Chante, chant' rossignol d'été
Chante Merlin nous sommes enchantés.

Le dernier troubadour

Paroles de Charles Trenet *Musique de Charles Trenet et Albert Lasry*

C'est le dernier troubadour,
C'est le dernier cœur bohème,
Celui qui chante le jour
Et puis dont on rêve souvent la nuit
Quand il vient et vous dit : « Je t'aime,
Embrasse-moi, chérie. »
Comment ne pas être troublée
Par ce chant si doux, bien-aimée ?
C'est le dernier troubadour,
Et je crois à son histoire,

Comment mesdames ne pas y croire,
Comment mesdames ne pas y croire,
Quand il vous dit des mots d'amour ?
C'est le dernier troubadour.

1948

Quand descend le soir

Paroles de Charles Trenet *Musique de Charles Trenet et Albert Lasry*

Quand descend le soir
Je vais seul m'asseoir
Sur le banc de bois
Mais tu n'es pas là...
J'entends les pigeons
Qui roucoul'nt en rond,
J'entends les enfants
Qui s'amusent à la guerre aux éléphants, gaiement
Je vois tour à tour
Les amants d'amour
Échanger entre eux
Des baisers voluptueux
J'entends la chanson d'l'automne
Dans les arbres qui frissonnent
Quand descend le soir,
Que je vais m'asseoir
Sur le banc de bois
Mais tu n'es pas là...

Je vois un' statue
Cet homm' de vertu
N'a pas évité
La postérité,
Ses cheveux trop longs
Tombent sur son veston,
Son sourire figé
Convient mal à son air un peu trop négligé
Destin des statues
D'être là, têtues
Au fond des allées

Tristement pour nous rapp'ler
L'inventeur d'la pomm' de terre
Ou celui du paratonnerre
Quand descend le soir,
Que je vais m'asseoir
Sur le banc de bois
Mais tu n'es pas là...

Le soleil s'éteint
Jusqu'à d'main matin
Ses reflets, dans l'eau
Sont ceux des vélos
Les cinés s'allument
Et déjà la brume
Enveloppe les toits
Enveloppe les bois et tout' la ville se noie,
Dans un flot d'passants
Au rythme incessant
C'est l'instant joyeux
C'est l'instant d'un mond' merveilleux,
C'est la foire des Invalides
Aux p'tit's autos je m'décide
Quand descend le soir,
Que je vais m'asseoir
Sur le banc de bois
Mais tu n'es pas là...

Autour du monde

Paroles de Charles Trenet *Musique de Charles Trenet et Albert Lasry*

1
Autour du monde,
Autour du monde,
Il y a des brunes, il y a des blondes
Il y a des grands, il y a des p'tits
Y'a des méchants, y'a des gentils,
Il y a des villes

Et des campagnes
Et il y a des îles
Et des montagnes
Il y'a le jour, il y'a la nuit
Il y'a l'amour
La vie

2
Autour du monde
Autour du monde
Il y'a des terres, des mers profondes
Des p'tits enfants qui font pipi
Sur les bords du Mississippi
Il y a des roses
Toujours nouvelles,
Et des tas de choses
Dans les cervelles,
Mais quel bonheur de constater
Que l'monde est en beauté

3
Il y a l'Espagne
Chaude et fleurie,
Et sans un pagne
En Italie
Toutes les statues d'l'Antiquité
Font voir leur nu, hiver, été
Il y a la Chine
Très chimérique,
Et les machines
De l'Amérique,
Et d'Afrique en Scandinavie
Tout l'monde adore la vie

4
Il y a des routes
Qui se prolongent,
Depuis Beyrouth
Jusqu'en Saintonge,
Les paysages n'ont pas changé

Bonjour village
Bonjour clocher,
Il y a le Rhône
Il y a la Saône,
Fleuves qui ronronnent
Et qui frissonnent
Il y a Bordeaux et Lyon, quelle chance
On est en France

5
Il y a Narbonne
Charmante et bonne
Il y a Marseille
Et son soleil
Il y a Toulouse, le Capitole
Et ses ténors en si bémol
Il y a la Seine
« Amis j'arrive »,
Belle mise en scène
Sur les deux rives,
Il y a Paris
« Bonjour ma blonde !
Reine du monde »

Berceuse

Paroles de Charles Trenet *Musique de Charles Trenet et Albert Lasry*

Dors mon p'tit frère,
Maman n'est pas là.
Elle est en Belgique,
Elle est aux Pays-Bas,
Elle est aux Amériques,
Un jour elle reviendra.

Dors mon p'tit frère,
Quand tu dormiras
Moi j'irai voir Lucile,

Elle m'attend en bas.
Moi j'irai voir Lucile,
Je lui prendrai le bras,
Car j'aime bien les filles,
J'ai quinze ans, moi.

Dors mon p'tit frère,
Quand tu seras grand,
Tu verras la Belgique,
Tu verras les Pays-Bas,
Tu iras aux Amériques,
Et là-bas, là-bas
Tu retrouveras Maman,
En marchant, en marchant,
Tu retrouveras Maman,
En marchant longtemps.

Coquelicot

Paroles de Charles Trenet *Musique de Charles Trenet et Albert Lasry*

1
Coqu'licot, coqu'licot,
Fleur des champs, cœur sauvage
Cœur en fleur du bel âge,
Cœur des champs, pas méchant.
Coqu'licot dans les blés,
Au soleil de la vie,
Rougissante et ravie,
Ta p'tite âme me plaît.
Parfois, tout comm' moi,
Tu suis les rails d'un train,
D'un train qui n'pass' plus
Merveilleux ch'min plein d'entrain
Le chemin des beaux jours,
Du ciel bleu, des vacances,
Des poèmes, des romances.
Coqu'licot d'amour.

2

Je m'souviens de Margot,
Je m'souviens de Jeannette,
Coqu'licots ou bleuettes
Je m'souviens mêm'très bien
De Suzon, de Mado.
Blondinettes ou brunettes,
Et j'entends dans ma tête
L'écho d'nos bécots.
Chacune fut exquise,
(J'leur ai conté fleurette)
Chacune fut éprise
De ma petite chansonnette.
Coqu'licots des faubourgs,
Des banlieues ou des villes,
Qui choisir entr' cent mille
Coqu'licots d'amour.

3

Coqu'licot, coqu'licot.
Fleur des champs, cœur sauvage,
Cœur en fleur du bel âge,
Cœur des champs, pas méchant,
Troubadour des talus,
Vagabond des prairies,
Liberté de la vie,
Coqu'licot élu.
Bien mieux qu'un' fleur snob,
Qu'une orchidée, « ma chère ! »
Chérie ! sur ta robe
N'est-c' pas, c'est lui qu'tu préfères ?
Coqu'licot des beaux jours,
Du soleil, des vacances,
Cœur ardent de la France,
Coqu'licot d'amour.

Ève

Paroles de Charles Trenet *Musique de Charles Trenet et Albert Lasry*

Au plus lointain des âges
Un homme a chanté,
Au plus lointain des âges
Un homme a aimé,
Et sa chanson,
Depuis toujours,
Nous la disons
A notre tour.

Refrain

Ève,
Je te revois dans un rêve
A l'heure où le jour s'achève
Je ne pense qu'à toi.
Et le soleil me réveille
Ma joue contre ton oreille,
Et soudain je m'émerveille
De ta voix.
Et je me lève
Mal dégourdi de mon rêve
En murmurant ton nom :
Ève
Au plus profond de moi,
Ève,
Dès que le jour s'achève
Je ne connais qu'un rêve,
Mon rêve,
C'est toi.

De la fenêtre d'en haut

Paroles de Charles Trenet *Musique de Charles Trenet et Albert Lasry*

1
Sur la lande chemine
Une gamine
C'est la fille du facteur
Elle a mon cœur
On voit courir près d'elle
Son chien fidèle
Qu'il est beau qu'il est bon !
Il fait des bonds
Et tout ça je le vois
De la fenêtre d'en haut
De la fenêtre du grenier
Où je vais étudier
Pour observer la vie
Et ses folies
C'est très intéressant
De voir les passants

2
On voit la salle des fêtes
La sous-préfète
Y donne un bal paré
Paré masqué
Oui mais à la sortie
Tombe la pluie
On voit courir les masques
Dans la bourrasque
Et tout ça je le vois
De la fenêtre d'en haut
De la fenêtre du grenier
Où je vais étudier
Le soleil qui s'attarde
Dans la mansarde
Allume ce vieux bandit
Des incendies

3

C'est l'heure du potage
Les enfants sages
En mangent à satiété
Des assiettées
C'est l'heure des familles
Et des charmilles
C'est l'heure du fricot
Et du tricot
Et tout ça je le sais
Dure depuis longtemps
Depuis tant tant d'étés
Depuis tant de printemps
Que jamais rien n'y change
Bonsoir bel ange
Bonsoir fille du facteur
Bonsoir mon cœur

4

Un jour si l'on se marie
Pour toute la vie
Afin de vivre bien
Nous n'chang'rons rien
Le maire et la mairie
Cérémonie
L'église plein' de monde
Ma femme ma blonde
Et tout ça je le vois
D'la fenêtre d'en haut
D'la fenêtre du grenier
Où je vais étudier
La vie simple et tranquille
Loin de la ville
Nos enfants grandiront
Nous vieillirons

5

Voilà tout ce que je désire
Meilleur ou pire
Mon Dieu vous me le donnerez

Si vous voulez
Je ne demande pas grand-chose
C'est pourquoi j'ose
Vous dire que tout sera bien
Même si je n'ai rien
Et tout ça vous le voyez
De la fenêtre d'en haut
De la fenêtre du ciel bleu
Où tout le monde est heureux
Où l'on entend étrange
La voix des anges
Quand on a mérité
L'éternité
Et tout ça je le vois
D'la fenêtre d'en bas

Grand'maman c'est New York

Paroles de Charles Trenet *Musique de Charles Trenet et Albert Lasry*

1
C'était un enfant de quarant'cinq ans
Qui voyageait seul avec sa grand'mère
C'était un enfant de quarant'cinq ans
Qui voyageait seul avec sa maman
Sa grand'barbe noire aux longs poils frisants
F'sait l'admiration d'la famille entière,
Sa grand'barbe noire aux longs poils frisants
F'sait l'admiration de tous ses parents.
Sur un bateau il s'embarqua
Croyant partir pour l'Kamtchatka :
Mais au bout d'huit jours quel drame !
Il s'écria Mesdames :

Refrain

Grand'maman c'est New York !
C'est New York

Je vois les bateaux-remorques,
Grand' maman c'est New York
Je vois les bateaux dans le port de New York.
Les mouettes me font bonjour
Dans le ciel je vois les jolies mouettes
Les mouettes me font bonjour
Et je sens en moi de longs frissons d'amour
Sa grand'mère le calma
Avec un bout de chocolat
Mais l'enfant le cœur en fête
Criait à tue-tête :
Grand'maman c'est New York,
C'est New York je vois les bateaux-remorques
Grand'maman c'est New York !
Je vois les bateaux dans le port de New York.

2

Comme il était dans la diplomatie,
Il faisait parfois de charmants voyages,
Comme il était dans la diplomatie,
Il visitait tout, l'Europe et l'Asie.
Il vécut ainsi
Quatre-vingt-douze ans,
Toujours escorté de sa vieill' grand'mère,
Il vécut ainsi quatre-vingt-douze ans,
Toujours escorté de sa vieill' maman.
Le jour d'sa mort, elle était là
Qui lui donnait du chocolat,
Mais perdu dans son délire
Il ne savait que dire :

Refrain

Grand'maman c'est New York !
C'est New York
Je vois les bateaux-remorques,
Grand'maman c'est New York
Je vois les bateaux dans le port de New York.
Les mouettes me font bonjour
Dans le ciel je vois les jolies mouettes,

Les mouettes me font bonjour
Et je sens en moi de longs frissons d'amour
Quand au ciel il arriva
L'Empire State il retrouva
Les anges lisaient le Daily News
En disant : Sacré Bon Dious,
Mon p'tit gars c'est New York,
C'est New York, tu vois les bateaux-remorques
Mon p'tit gars c'est New York !
Tu vois les bateaux dans le port de New York,
Tu vois les bateaux dans le port de New York.

Les gendarmes s'endorment sous la pluie

Paroles de Charles Trenet *Musique de Charles Trenet et Albert Lasry*

Les gendarmes s'endorment sous la pluie
Dans un paysage de campagne
Les gendarmes s'endorment dans la nuit
Dans un paysage de montagne
Ils rêvent qu'ils deviennent brigadiers
Et que partout dans les villages
Toutes les filles émerveillées
Saluent leur brillant équipage

Pendant c' temps l'enquête se poursuit...
Quel est l'assasin de la bergère ?
Les feuilles mortes dansent légères
C'est l'automne et tout le monde s'ennuie
Les gendarmes s'endorment sous la pluie

L'assassin je l' connais... c'est moi
C'est moi l'assassin de la bergère
Elle était trop jolie ma foi
Avec ses larmes mensongères
Elle était trop belle pour moi
Moi je suis Jean le valet de ferme

J'ai bien le temps avant qu'on m'enferme
De chanter la chanson des bois

Pendant ce temps l'enquête se poursuit
Pendant ce temps il y a l'enquête
On me questionne mais je suis si bête
Je ne dis rien et tout le monde s'ennuie
Les gendarmes s'endorment sous la pluie

Le vicaire arrive du hameau
A cheval sur sa bicyclette
Le vicaire arrive du hameau
A cheval sur son vieux vélo
Il dira la prière des enfants
En oraison pour la bergère
Il fera des sermons pour les grands
J'ai peur de pleurer dans la prière

Pendant ce temps l'enquête se poursuit
Pendant ce temps il y a l'enquête
C'est l'automne et les feuilles volettent
C'est l'hiver la saison de l'oubli
Les gendarmes s'éloignent dans la nuit

France Dimanche

Paroles de Charles Trenet *Musique de Charles Trenet et Albert Lasry*

1
Franc'Dimanche Sous les branches
De l'allée des marronniers,
Franc'Dimanche Tu te penches
Sur la joie du quartier.
Quel est ce charmant cortège
De filles et de garçons ?
Quel est ce joli manège
De regards polissons ?
Quelle est cette ville en fête ?

C'est cell' de mes souvenirs,
De mes jeunes amourettes,
De mes premiers désirs.
Franc'Dimanche Sous les branches
De l'allée des marronniers.
Franc'Dimanche Tu te penches
Sur mon cœur tout entier.

2

La sortie de la grand'messe
Dans la rue de l'Argent'rie,
A tout l'air d'une kermesse
Devant les pâtiss'ries.
Allons cousine germaine
Choisir le gâteau des Rois,
La foule qui nous entraîne
Joyeuse, nous y conduira.
Nous y verrons les deux filles
Du colonel du Barda,
Ell's sont vraiment très gentilles,
Lui est un peu gaga.
Franc'Dimanche de province
En dépit d'mon air moqueur,
Il fallait que tu devinsses
La chanson de mon cœur.

3

A Paris on se promène
Av'nue des Champs-Élysées,
Qu'ils sont loin, cousin' germaine,
Nos petits marronniers...
Pourtant c'est le mêm' dimanche,
Pourtant c'est la même joie,
Pourtant sous les mêmes branches
L'odeur des fleurs d'autrefois
M'invite à la même fête,
Et de Joinville à Nogent
Les valses des guinguettes
Sont musiques d'antan.
Franc'Dimanche Sous les branches

Ta jeunesse refleurit,
Franc'Dimanche Quell' revanche
Au cœur du vieux Paris !

Marie-Thérèse

Paroles de Charles Trenet *Musique de Charles Trenet et Albert Lasry*

1

Le temps n'est plus des premiers rendez-vous,
Vous souvient-il ma mie quand je venais chez vous
Parler d'amour pour vous faire sourire à votre aise,
Marie-Thérèse.
Le temps n'est plus du jardin parfumé,
Mais quand reviendra mai
Nous irons nous aimer
Dans les buissons,
Nous aurons des frissons
Qui nous plaisent,
Marie-Thérèse.
Les soirs d'hiver ne sont pas faits pour nous,
Mais l'hirondelle est notre messagère.
Soleil d'avril, mon copain de toujours
Pour un jour, un seul jour
De printemps et d'amour
Reviens-nous vite au milieu de l'hiver
Trop sévère
Sans arbres verts.

2

Marie-Thérèse, mon premier rendez-vous,
Je m'en souviens ce soir, et cela m'est très doux,
Vous habitiez du côté de la Sèvre nantaise,
Marie-Thérèse.
Dans la maison qui sentait le tilleul
Il y avait votre aïeul,
Mais nous étions bien seuls,
Je me souviens d'un p'tit chat qui dormait

Sur un' chaise,
Marie-Thérèse.
Vous m'avez dit : « Je vous aime d'amour. »
J'ai répondu : « Il le faut bien un jour. »
Pourtant un jour par le train de Paris
Je suis parti la nuit
Dans le bruit de la pluie.
C'était l'automne, et je crois en décembre, le seize,
Marie-Thérèse.

Coda

Le temps n'est plus au jardin parfumé,
Mais quand reviendra mai
Nous irons nous aimer,
Dans les buissons
Nous aurons des frissons qui nous plaisent,
Marie-Thérèse.

Une noix

Paroles de Charles Trenet *Musique de Charles Trenet et Albert Lasry*

Une noix
Qu'y a-t-il à l'intérieur d'une noix ?
Qu'est-ce qu'on y voit ?
Quand elle est fermée
On y voit la nuit en rond
Et les plaines et les monts
Les rivières et les vallons
On y voit
Toute une armée
De soldats bardés de fer
Qui joyeux partent pour la guerre
Et fuyant l'orage des bois
On voit les chevaux du roi
Près de la rivière

Une noix
Qu'y a-t-il à l'intérieur d'une noix ?
Qu'est-ce qu'on y voit ?
Quand elle est fermée
On y voit mille soleils
Tous à tes yeux bleus pareils
On y voit briller la mer
Et dans l'espace d'un éclair
Un voilier noir
Qui chavire
On y voit les écoliers
Qui dévorent leurs tabliers
Des abbés à bicyclette
Le Quatorze Juillet en fête
Et ta robe au vent du soir
On y voit des reposoirs
Qui s'apprêtent

Un noix
Qu'y a-t-il à l'intérieur d'une noix ?
Qu'est-ce qu'on y voit ?
Quand elle est ouverte
On n'a pas le temps d'y voir
On la croque et puis bonsoir
On n'a pas le temps d'y voir
On la croque et puis bonsoir
Les découvertes

1949

Mes jeunes années

Paroles de Charles Trenet *Musique de Charles Trenet et Marc Herrand*

Mes jeunes années
Courent dans la montagne
Courent dans les sentiers
Pleins d'oiseaux et de fleurs
Et les Pyrénées
Chantent au vent d'Espagne
Chantent la mélodie
Qui berça mon cœur
Chantent les souvenirs
De ma tendre enfance
Chantent tous les beaux jours
A jamais enfuis
Et comme les bergers
Des montagnes de France
Chantent la nostalgie
De mon beau pays

Loin d'elle loin des ruisseaux
Loin des sources vagabondes
Loin des fraîches chansons des eaux
Loin des cascades qui grondent
Je songe et c'est là ma chanson
Au temps béni des premières saisons

Mes jeunes années
Courent dans la montagne
Courent dans les sentiers
Pleins d'oiseaux et de fleurs
Et les Pyrénées
Chantent au vent d'Espagne
Chantent la mélodie

Qui berça mon cœur
Chantent les souvenirs
De ma tendre enfance
Chantent tous les beaux jours
A jamais enfuis
Et comme les bergers
Des montagnes de France
Chantent le ciel léger
De mon beau pays

Le roi Dagobert

Paroles de Charles Trenet *Musique de Charles Trenet et André Cadou*

Le bon Roi Dagobert
A mis sa culotte à l'envers
Mais ce qu'on n'sait pas,
C'est que ce Roi-là
Eut d'autres aventures
Plus belles je vous l'jure
Vous pouvez tous m'en croire
C'est comme ça qu'on écrit l'Histoire
Le bon Roi Dagobert
Aimait mieux l'été que l'hiver
Le grand Saint Éloi préférait les bois,
Le Roi Dagobert préférait « La Mer »
Sur un bateau d'pêcheurs
Le Roi n'avait pas mal au cœur

Le bon Roi Dagobert
Aimait bien son père et sa mère
Il aimait autant les petits enfants,
Il aimait l'bon vin et l'civet d'lapin
Mais ce qu'il aimait l'mieux
C'étaient les fillettes aux yeux bleus

Le bon Roi Dabogert
Chantait les chansons à l'envers
Sur les routes de France

Mille et une romances
Jaillissaient de lui,
Fraîches comme la pluie
Les oiseaux étonnés
Le prenaient pour Charles Trenet

Il peignait des tableaux
Qu'il était seul à trouver beaux !
Fixant sur la toile la lueur des étoiles,
De ses paysages
Des chevaux sauvages
Parfois même s'échappaient,
Le Roi savait les rattraper

Un jour dans son palais
Un valet voulait le voler
Au valet voleur
Il dit : « Ma valeur
Étant mon seul bien
Je ne risque rien. »
Et l'vieux valet ballot
Avoua qu'il volait des vélos

Quand la guerre survint,
Il la repoussa mais en vain
Tous les chevaliers
Voulant guerroyer
Préféraient l'armure
Aux vertes ramures
On enferma le Roi
Dans une tour au fond d'un bois

Et c'est là qu'il mourut,
Ce roi qu'nous avons bien connu
Sur sa tombe, je crois,
Le grand Saint Éloi
Écrivit ceci
Qui n'est pas précis :
DA DA GO GO BE BERT
A r'mis son âme à l'univers.

1950

Printemps à Rio

Paroles et musique de Charles Trenet

J'écoute la chanson de la vie
Qui monte dans le ciel éclatant
Murmure des jardins vibrante harmonie
Extase du Brésil au printemps
La voix des oiseaux se prolonge
Au gré de la brise sur la mer
Mon Dieu que de bleu !
Mon Dieu que de songes
Rio de Janeiro
Chante l'amour chante dans l'air

Je chante la chanson de la vie
Qui monte dans le ciel éclatant
Murmure des jardins vibrante harmonie
Extase du Brésil au printemps
La voix des oiseaux se prolonge
Au gré de la brise sur la mer
Mon Dieu que de bleu !
Mon Dieu que de songes
Rio de Janeiro
Chante l'amour chante dans l'air

Grand Prix de la chanson française à Deauville.

Ohé Paris !

Paroles et musique de Charles Trenet

Ohé Paris
Merveille de chez nous
Ohé les amis
Comment allez-vous ?
Très bien, parfait, moi pas mal comme vous
Alors la vie est belle
Voici du soleil,
Voici des frissons,
Voici des réveils,
Voici des chansons
Pour les filles et pour les garçons
Qui les chantent à l'unisson,
Pour les jeunes, pour les vieux,
Pour les tristes, les joyeux,
Enfin pour ceux qui chantent,
Pour le jour et la nuit
Un air qui vous poursuit
Et qui vous enchante
Pour la joie de revoir des sourires de printemps,
Et des fleurs dans les bois, et des cœurs palpitants
Pour l'amour le bonheur le plaisir d'être ici
Et de dire « Ohé Paris »
Ohé l'Étoile,
Ohé les Tuil'ries,
Ohé Place Pigalle,
Ohé Place Clichy
Souv'nirs anciens des charmants visages
Des rues des paysages
Ohé midinettes aux grands yeux pleins d'amour
Ohé frimoussettes vous êtes là comme toujours
Mon cœur non plus n'a pas changé
C'est vers vous qu'il s'envole léger
Et je pense, et j'me dis
Que dans l'monde aujourd'hui
La France est adorée
Car depuis deux mille ans
Il y a eu bien des gens

Pour faire sa renommée
De Villon à Ronsard, de Molière à Verlaine
Et tant pis pour César qui nous voulait d'la peine
Et tant mieux pour Pasteur, pour Ravel, Debussy,
Pour ton cœur éternel Paris,
Pour ton cœur éternel Paris.

Dans les rues de Québec

Paroles et musique de Charles Trenet

Depuis l'automne que de villes parcourues
Que de boulevards et de rues
New York ô régularité
Chicago si joli l'été
Mais au cœur du joyeux hiver
C'est les rues de Québec que je préfère

Dans les rues de Québec
Par temps gris par temps sec
J'aime aller nez au vent
Cœur joyeux en rêvant
Bien des gens me sourient
En pensant à Paris
Moi j'ouvre un large bec
Pour sourire à Québec
Au loin le Saint-Laurent roule ses flots d'argent
Et les bateaux vont doucement sur l'onde à la ronde
Les fumées du matin sont fantômes de satin
Dans les rues de Québec.

Dans les rues de Québec
Par temps gris par temps sec
J'aime aller au vent
Cœur joyeux en rêvant
Bien des gens me sourient
En pensant à Paris
Moi j'ouvre un large bec

Pour sourire à Québec
Au loin le Saint-Laurent roule ses flots d'argent
Et les bateaux vont doucement sur l'onde
Soirs exquis de l'hiver
Feux de bois et chaumières
Je vous aime par temps sec
Dans les rues dans les rues
Dans les rues du vieux Québec.

Un jour vous comprendrez

Paroles et musique de Charles Trenet

Un jour vous comprendrez
Et ce jour-là, chérie, vous sourirez
En revoyant
Tous nos enfantillages
Tous nos p'tits jeux innocents du bel âge
Un jour vous reverrez
La plage triste et nue du Cap Ferret
Les hirondelles sur la dune
Les cabrioles de la lune
Vous reverrez,
Vous comprendrez
Et ce jour-là, chérie, vous sourirez.

Un jour vous comprendrez
Et ce jour-là, chérie, vous pleurerez
En retrouvant sur la route poudreuse
Le vieux décor de notre enfance heureuse
Un jour vous reverrez
La passerelle volante sur la voie ferrée
Et comme avant, là, peut-être,
Marie cousant à sa fenêtre
Vous reverrez, vous comprendrez
Et ce jour-là, chérie, vous pleurerez.

Un jour vous comprendrez
Et ce jour-là, chérie, vous chanterez
Mes pein's de cœur deviendront ritournelles
Chansons en fleurs volant à tire-d'aile
Un jour vous entendrez
La valse du faubourg et vous direz
Que notre amour poétique
A fait éclore une musique
Vous entendrez, vous comprendrez,
Et ce jour-là, chérie, vous chanterez,
Et ce jour-là, chérie, je pleurerai.

Tu n'as plus de cœur

Paroles et musique de Charles Trenet

Que s'est-il passé ?
Tu n'as plus de cœur
Je reviens tout étonné d'un long voyage
Tu n'es plus la même
La mêm' petit' fleur
Qui rêvait et vivait son bel âge
Avec tes bijoux ton manteau d'vison
Tu n'as plus du tout bonn' min' ma pauvr' Suzon
Que s'est-il passé ?
Tu n'as plus de cœur
Et tu ris c'est insensé en voyant mes pleurs.

Jadis on se prom'nait
Boul'vard Montparnasse
Bras d'ssus bras d'ssous
Les beaux dimanches d'été
On s'arrêtait parfois pour prendre une glace
A la terrass' d'un p'tit café
On parlait d'av'nir vivre à La Varenne
Ce s'rait si doux tous les deux,
Et devant cette vision sereine
Tu fermais les yeux.

Que s'est-il passé ?
Tu n'as plus de cœur
A présent tu fréquent's les Champs-Élysées
Tu ne circul's plus à vélomoteur
Tu conduis un' Packard
Des amis m'ont dit d'un p'tit air moqueur
Qu'on t'a vue en striptiseus' télévisée
Alors j'ai compris que pour mon malheur
Tu n'as plus ma pauvr' chérie tu n'as plus de cœur.

Je n'étais parti que trois semain's Suzon
C'est bien peu car si l'on songe à tout' la vie
Qu'nous devions passer
Dans la p'tit' maison
Où j'ai mis tout's mes économies.
On peut dir' mignonne
Qu'parfois tout va mal
Et pourtant personn' ne trouv' rien d'anormal
A te voir tout' nue sur téléviseur
Sans songer qu' cette ingénue
Cette grand' vedett' charnue
C'est toi, ma fleur, toi qui n'as plus de cœur !

1951

Voyage au Canada

Paroles et musique de Charles Trenet

1
Une famille des plus charmantes
Trois enfants maman papa
Partit un beau jour de Nantes
Pour visiter le Canada
Fixant leur itinéraire
Après maintes réflexions
Ils choisirent pas ordinaire
Ces moyens d' locomotion
C'est ainsi qu'avant de partir
Ils chantaient pour s' divertir

1er refrain

Nous irons à Toronto
En auto
Nous irons à Montréal à cheval
Nous traverserons Québec à pied sec
Nous irons à Ottawa en oua oua
Nous irons à Valleyfield sur un fil
Nous rions à Trois Rivières en litière
Passant par Chicoutimi
Endormis
Nous irons au lac Saint-Jean en nageant
Voilà ! Voilà !
Un beau voyage un beau voyage
Voilà ! Voilà !
Un beau voyage au Canada !

2

Oui mais parfois c'est étrange
On ne fait pas toujours ce qu'on veut
Bien souvent le hasard change
Nos projets les plus heureux
Nos amis furent c'est pas de chance
Victimes d'une distraction
Du chef du bureau de l'agence
Des moyens d' locomotion
Et à cause de l'employé
Qui s'était trompé de billets

2e refrain

Ils allèrent à Toronto
En nageant
Ils allèrent à Montréal endormis
Ils se rendirent à Québec en litière
Ils allèrent à Ottawa sur un fil
Ils allèrent à Valleyfield à pied sec
Ils allèrent à Trois Rivières en oua oua
Passant par Chicoutimi à cheval
Ils plongèrent dans le lac Saint-Jean en auto
Voilà ! Voilà !
Un beau voyage au Canada !

3

Depuis ce temps-là
Messieurs dames
Les voyageurs ont compris
Pour éviter bien des drames
Il faut à n'importe quel prix
Contrôler dans les agences
Les billets d' locomotion
Si vous partez en vacances
La plus simple des précautions
C'est de chanter mon petit air
Mon petit air itinéraire *(Au 1er refrain)*

La cité de Carcassonne

Paroles et musique de Charles Trenet

1
Il y a des villes tristes
Où les pauvres touristes
Font des nez longs comme ça
D'vant les monuments.
Ils s'ennuient en visite
Et désirent vite vite
Partir pour des lieux plus charmants.
Mais moi qui ne trouve pas les musées amusants
Mais moi qui fus toujours enn'mi des monuments
J'connais une ville charmante, féodale, familière
Qui joint la jeune gaieté au goût des vieilles pierres.

Refrain

Joyeuse cité
Celle de Carcassonne
Hiver comme été
Enfants et grandes personnes
Ils vont danser l'be-bop
Et c'est gentil comme tout
Devant ces vieux murs
Mon cœur en frisonne,
Au lieu des armures
Des airs de jazz résonnent
Ils vont danser l'be-bop et c'est un succès fou.
Dans les donjons, y a des trombones heureux
Qui soufflent des chansons pour les cœurs amoureux
Et jusqu'au fond des vieux mâchicoulis
On entend, jour et nuit,
Des cris, des cris...
Joyeuse cité
Cité de Carcassonne
Hiver comme été,
Enfants et grandes personnes,
Ils vont danser l'be-bop,
Et c'est un succès fou.

2
Parfois une valse tendre
Le soir se fait entendre
On la danse à trois temps pas pour longtemps.
Le style de cette danse
Malgré son élégance
Déplaît à tous les habitants
Mais moi qui suis comme eux, qui n'aime pas les trois
[temps
Qui préfère c'est curieux les airs de notre temps
Je trouve à Carcassonne la joie de tout mon être
Et quand je suis là-bas je sens mon cœur renaître.
(Au refrain)

Coda

Danse, danse, danse en cadence
Carcassonne danse,
Danse, danse,
C'est gentil comme tout.

Ma maison

Paroles et musique de Charles Trenet

Ma maison
Est jolie en hiver sous la neige
Ma maison
Est jolie quand revient le printemps
Les saisons
Ont pour elle un cortège émouvant
De chansons
Qu'elle dit dans le vent
Ma maison
Volets gris jardinet vieilles portes
Ma maison
Je la vois quelquefois rapid'ment
Quand je passe

Dans le train de la vie qui m'emporte
Ma maison
Me regarde tristement

Mais quand tous mes voyages
Un jour seront finis
Je reviendrai bien sage
Retrouver mon amie

Refrain

Ma maison
Sourira en ouvrant ses fenêtres
Ma maison
Me dira tendrement je le savais
On revient
Toujours au lieu qui vous a vu naître
Au pays dont souvent on rêvait
Qu'il est doux
De vieillir au milieu de ces choses
Loin de tout
Et des jours qui nous ont éprouvés
Ma maison
Fleurira et sa dernière rose
Sera celle de mon cœur retrouvé

Mon vieux ciné

Paroles et musique de Charles Trenet

Mon vieux ciné blotti sous les branches
Mon vieux cinéma muet aux drames silencieux
Sais-tu combien j'aimais le dimanche
Retrouver tes fantômes vivants à mes yeux
Films de terreur, d'épisodes et de transes,
Pearl White sautant, la folle, d'un cheval sur un train.
Qu'il faisait bleu à l'ombre des vacances
Qu'il faisait bon rêver dans mon vieux ciné.

A présent d'autres cinés parlent, parlent, parlent,
Émerveillent d'autres enfants tout comme autrefois
Ils émerveillaient, moi... Petit Charles
Au seuil de la vie des premiers émois
Mon vieux ciné
Et là peut-être je vous retrouverai.

Mon vieux ciné c'est un soir d'automne
Que j'ai compris l'amour pour la première fois
En murmurant : Hélène, je te donne
Mon cœur ardent mignonne il n'est que pour toi,
Et ce jour-là Belphégor sans une phrase
Au Louvre dans une statue effrayait bien des gens.
Main dans la main délicieuse extase
Hélène on s'est aimé dans mon vieux ciné.

Mon vieux ciné, bien souvent je pense
Au temps où tu berçais mon cœur amoureux
Où tu peuplais de rêves de silence
De tes acteurs témoins de mes jours heureux
Charlot Soldat faisait rire l'assistance,
Moi, tes malheurs, Charlot m'ont fait souvent pleurer.
Hélène, ma mie, mon amour d'enfance
Ce soir j'vous attendrai, dans mon vieux ciné.

Où irons-nous dimanche prochain...

Paroles et musique de Charles Trenet

Où irons-nous dimanche prochain
Dans quel jardin ma mie ?
Vers quel village sur quel chemin ?
Où irons-nous dimanche prochain ?
Dans quelle maison pour quel destin
Nous accueillera la vie ?
Nous quitt'rons-nous sans trop d' chagrin
Si l'amour meurt dimanche prochain
Si l'amour vit de quelles joies

Seront faites nos extases
De quels aveux de quels émois
De quels soupirs quelles phrases
J'ai toujours peur le lendemain
Quand on s'éveille d'un rêve
J'ai peur du jour quand il se lève
Et qu'il s'appelle dimanche prochain

Que deviendront dimanche prochain
Les serments qui nous lient ?
Retrouverons-nous le même chemin
La même fleur au même jardin
La même larme au coin des yeux
La douceur de nos lèvres
La même ardeur la même fièvre
La même étoile tremblante aux cieux ?
Jours à venir soyez cléments
Épargnez-nous tous vos drames
Ne changez pas de sentiments
Gardez pareilles nos deux âmes
Tout est écrit c' n'est pas certain
Il tient à nous ma mie
De mériter pour toute la vie
Un éternel dimanche prochain

Le serpent python

Paroles et musique de Charles Trenet

1
C'est un serpent python
C'est un python serpent
Qui se promène dans la forêt
Pour chercher à dévorer
Un beau petit lapin
Ou bien un nègre fin.
Car le serpent python a faim
Il a une faim sans fin !

Mais bêtes et gens sont partis hier
Loués par la Metro Goldwyn Mayer
Pour figurer dans un film de Tarzan
Qui doit rapporter beaucoup d'argent !
Et le serpent piteux
Est triste et s'mord la queue
Car il comprend, ô désespoir
Qu'il ne mang'ra pas ce soir.

2

Soudain le bois s'éveille
Arrivent des appareils
De prises de vues de prise de son
C'est la scène du grand frisson
On lâche des animaux
Des lions et des rhino-
Céros qu'ont l'air féroce comm' tout
Mais sont doux comme des toutous
Notre serpent du haut d'une branche en l'air
Voit m'sieur Johnny Weissmüller
Qui fait joujou avec un éléphant
Quel joli tableau pour les enfants.
Mais tant de cinéma
N'remplit pas l'estomac
Du pauvre serpent qui n'aura pas
Qui n'aura pas de repas.

3

Quand une idée subtile
Germe au cœur du reptile
Profitant d'une répétition
Voici qu'avec précaution
Dans l'ombre du crépuscule
Il avance il recule
Puis happe un morceau minuscule
Un morceau de pellicule
Qui dépassait d'une boîte en fer
C'était la grande scène du Val d'Enfer
Tournée l'matin dans une cloche à plongeur
Pour mieux voir évoluer le nageur.

Et comme un spaghetti
L'python en appétit
Avale deux cents mètres à présent
Des aventures de Tarzan !

4
Puis il s'en va joyeux
Pensant : « C'est merveilleux
Je vais dormir maint'nant trois s'maines
Digérer ce film sans peine. »
Rampant par-ci par-là
Il s'enroule, oh là là,
Autour d'un cocotier géant
Mais soudain s'écrie : « J'ai en...
J'ai envie d'vomir c'est affreux, tu m'as
Empoisonné, cinéma
Tarzan n'est pas pour les pauvres pythons
J'en ai mal jusqu'au bout des tétons. »
Et la moralité
Du serpent dépité
C'est qu'parfois trop d'ciné parleur
Peut vous donner mal au cœur
Ou que les hommes digèrent, dit-on,
Mieux que les serpents pythons.

Simple et tendre

Paroles et musique de Charles Trenet

Quand la vie ne veut plus sourire
Quand le cœur est lourd de regrets
Alors une chanson vient vous dire
En vous berçant d'anciens secrets :
Simple et tendre
On aime l'entendre
La vieille chanson des cœurs amoureux
Elle chante d'une voix touchante
Le premier frisson, le premier aveu.

Elle murmure :
Ta première aventure
Était pure
Souviens-toi des beaux jours
Simple et tendre
On aime l'entendre
La vieille chanson du premier amour *(bis)*

Raphaël

Paroles de Charles Trenet et Jean Sareil
Musique de Charles Trenet et Georges Liferman

1
Barman mon addition
Barman un rond d'citron
Barman je voudrais faire une commission
Et l'barman Raphaël
Toujours très solennel
Sans s'affoler soigne bien sa clientèle
Correct et bien stylé
Aimable et empressé
Il fait l'admiration des habitués
Il connaît son métier
Il sait se débrouiller
Car avec ses bouteilles il n'est pas embouteillé

Refrain
Raphaël, Raphaël
Connaît bien sa clientèle
Naturel et ponctuel
Il accourt dès qu'on l'appelle
Tout en parlant aux clients
De la pluie et du beau temps
Il leur sert un p'tit verre
Du cocktail qu'il vient de faire
Raphaël, Raphaël
On le cite comme modèle

Spirituel, plein de zèle,
C'est un homme exceptionnel
En cas d'ennui c'est à lui
Qu'on demande cinquante louis
Il sourit et dit oui
Avec lui on est servi.

2
Aux heures d'affluence
Il augmente la cadence,
Ce n'est plus du service c'est de la danse
Il agite un shaker
Ajoute un peu d'liqueur
En surveillant l'travail de ses serveurs.
Il manie ses bouteilles
Il faut l'voir sans pareil
D'tous les bars de Paris c'est la merveille.
Il inspire des passions,
Mais pour l'amour dit « Non »
Car il est décidé à toujours rester garçon.

2e refrain

Raphaël, Raphaël
Connaît bien sa clientèle
Naturel et ponctuel
Il accourt dès qu'on l'appelle.
Mais à minuit c'est fini,
Il va r'joindre sa p'tite amie
Et jusqu'au jour, c'est l'amour
Car enfin c'est bien son tour.
Raphaël, Raphaël,
Dans ses bras soupire-t-elle,
Avec lui tant de zèle
N'est jamais exceptionnel
Mais il se lasse et ça casse
Vite une autre la remplace,
Infidèle aux plus belles
C'est pas un saint Raphaël.

L'âme des poètes
(Longtemps, longtemps, longtemps)

Paroles et musique de Charles Trenet

Longtemps, longtemps, longtemps
Après que les poètes ont disparu
Leurs chansons courent encore dans les rues
La foule les chante un peu distraite
En ignorant le nom de l'auteur
Sans savoir pour qui battait leur cœur
Parfois on change un mot, une phrase,
Et quand on est à court d'idées
On fait la la la la la la
La la la la la la

Longtemps, longtemps, longtemps
Après que les poètes ont disparu
Leurs chansons courent encore dans les rues
Un jour, peut-être, bien après moi
Un jour on chantera
Cet air pour bercer un chagrin
Ou quelqu'heureux destin
Fera-t-il vivre un vieux mendiant
Ou dormir un enfant
Tournera-t-il au bord de l'eau
Au printemps sur un phono

Longtemps, longtemps, longtemps
Après que les poètes ont disparu
Leur âme légère et leurs chansons
Qui rendent gais, qui rendent tristes
Filles et garçons,
Bourgeois, artistes
Ou vagabonds.

1952

L'oiseau de paradis

Paroles et musique de Charles Trenet

Cet oiseau n'est pas d'ici
Regardez son bec, ses plumes
Et ses ailes frangées d'écume
Cet oiseau n'est pas d'ici.
Sa chanson n'est pas d'ici.
Sa chanson m'est inconnue
Et la nuit quand je sommeille
Elle m'éveille
Et m'émerveille
Comme une chanson des rues.
Tout le jour, tout le jour sur le mur du voisin
Mon oiseau pique du raisin
La chatte en a peur à cause de son œil vert
Qui regarde l'univers de travers
Il nous fait peur un peu
A cause de son œil bleu
De son œil qui change de couleur
Simplement pour nous faire peur.

Parlé

Un oiseau de paradis ? Drôle d'oiseau, regardez-le sortir en chapeau haut de forme. Où va-t-il ? Il est énorme, il bouscule les passants, le voici dans l'autobus, il demande la monnaie à une dame, d'un ton sec, la monnaie de cent, PRÉTENTIEUSEMENT DU BOUT DU BEC. Il est partout à présent, au théâtre, sur les Champs-Élysées, dans ma chambre, dans mon lit, est-ce bien la place d'un oiseau ici, fût-il de paradis ?

Cet oiseau n'est pas d'ici
D'où vient-il ? C'est un mystère
Un mystère de la terre...
C'est un oiseau de paradis.

Quelque part... Deux amants...

Paroles et musique de Charles Trenet

Quelque part il y a une belle enfant
Une jolie fille de vingt ans
Dont les rêves la nuit sont toujours les mêmes
Elle rêve d'un garçon de vingt ans.
Quelque part il y a un garçon ardent
Un jeune homme, un gars de vingt ans
Qui la nuit en rêve murmure : « Je vous aime,
Je vous aime belle fille de vingt ans. »

Mais la vie est cruelle
Pour les amoureux
Pour les gars et les belles
Qui se cherchent entre eux.
Quelque part il y a deux désirs charmants
Une fille, un gars de vingt ans.
Qui la nuit en rêve murmurent : « Je vous aime »
Quelque part il y a deux amants.
Mais parfois tout s'arrange
Pour les amoureux
Car sur eux veille un angelot
Un destin bienheureux.
Quelque part il y a le jour et la nuit
Deux amants qui rêvent d'eux-mêmes
Murmurant ces mots de douceur infinie
Éternels mots d'amour : « Je vous aime. »
Quelque part il y a deux amants.

Où vas-tu chaque nuit ?

Paroles et musique de Charles Trenet

Où vas-tu chaque nuit,
Mon amour je te suis,
Dans les rues de pays inconnus
Au hasard des faubourgs,
Des impasses de malheur
Ton voyage mon amour
Ton séjour me font peur
Tu traverses des forêts
Des régions ignorées
Où nul être ne s'est aventuré
Je t'appelle tout là-bas
Mais tu ne m'entends pas
Quand tu dors, mon amour, dans mes bras
Moi, je rêve d'entrer dans ton mensonge
Et d'avoir la clef de tes songes.
Moi, je rêve du monde merveilleux
Où tu marches fermant les yeux
Où vas-tu chaque soir,
Vers quel homme, quel espoir
Vers quel monstre, quel amant
Quel tourment
Je t'appelle ma douceur...
Mais ton cœur reste sourd !
Où vas-tu chaque nuit mon amour...
Je t'appelle tout là-bas
Mais tu ne m'entends pas
Quand tu dors mon amour dans mes bras !

Mon amour est parti pour longtemps

Paroles et musique de Charles Trenet

1er refrain

Mon amour est parti pour longtemps
Quelque part, je ne sais, sur la terre
Son retour n'est pas pour le printemps
Les oiseaux n'auront plus qu'à se taire
Le soleil n'brill'ra plus si souvent
Et les bois auront perdu tout leur mystère
Je serai solitaire
Mais j'attendrai le cœur battant
Mon amour est parti pour longtemps.

Doux visage
Du bel âge
Mon amour tu reviendras
Et je gage
Que ce nuage
Dans mon cœur s'effacera
Trouble-fête
Mauvaise tête
Le destin change parfois
En chemin tu comprendras
Ce jour-là, tu pleureras.
Et la vie nous réunira.

2e refrain

Mon amour est parti pour longtemps
Quelque part, je ne sais, sur la terre
Son retour n'est pas pour le printemps
Les oiseaux n'auront plus qu'à se taire
Le soleil n'brill'ra plus si souvent
Et les bois auront perdu tout leur mystère
Je serai solitaire
Mais avec l'espoir qu'un beau jour
Mon amour reviendra pour toujours.

Je marche au bord de l'eau

Paroles et musique de Charles Trenet

Refrain

Je marche au bord de l'eau
En songeant à mes peines anciennes
Je marche indifférent
Au bord de l'eau.
Le murmure des flots
Vient bercer autant qu'il me souvienne
L'image d'un amour
Perdu sans retour.
Depuis ces jours lointains,
J'ai changé de destin
Mon cœur n'est plus aussi fragile
Et je poursuis ma route
Sans larmes ni regrets
Avec parfois le doute
D'avoir vraiment pleuré.
Heureux et malheureux
Je le fus en ces heures anciennes
De ce mal, de ce bien
Ne reste rien. *(Refrain 2e fois)*

Coda

Il ne reste rien
Plus rien qu'un faible écho
Qui passe au bord de l'eau.

La jolie sardane

Paroles et musique de Charles Trenet

1er refrain

Qu'elle est jolie la sardane
Que l'on danse main dans la main

Au pays des verts platanes
Du pays des tramontanes
Jeunes filles jeunes gens l'aiment bien
Et même les vieux de leur canne
La martèlent sur les pierres du chemin
Ce soir combien d'amourettes
Vont éclore dans les cœurs de vingt ans
Ils la connaissent la sardane
Ils l'ont dansée quand ils étaient gamins
Combien vont perdre la tête
Pour toi sardane du pays catalan.

Amis, c'est la fête à Collioure
On a pavoisé le vieux port
Et devant la mer qui l'entoure
Voici l'éternel clocher d'or
Sur les galets, vertes et roses
Les barques aux tendres couleurs
Commencent la métamorphose
De leurs voiles changées en fleurs
Et sous la lune vagabonde
La sardane forme sa ronde.

2e refrain

Quelle est jolie la sardane
Que l'on danse main dans la main
Du pays des tramontanes
Elle vole jusqu'aux pays voisins
Ce soir combien d'amourettes
Vont éclore dans les cœurs de vingt ans
Combien vont perdre la tête
Pour toi, sardane du pays catalan
Pour toi, sardane du pays catalan.

La pavane des patronages

Paroles et musique de Charles Trenet

Sur les bancs comme des images
Et dans l'œil de Monsieur l'Abbé
On voit au sommeil attablés
On voit au sommeil attablés
Tous les enfants des patronages

Blouses noires et chandails de laine
Abritent un cœur de Jésus
Et les lampes d'acétylène
Et les lampes d'acétylène
Ont des lumières de vertu

Le sacré-cœur les étendards
Les cantiques à Jeanne d'Arc
La nuit qui dort la gueule ouverte
Les arbres frileux et rouillés
Par les ruses du mois d'octobre
Qui secouent des pluies d'étoiles
Comme de grands chiens mouillés
Bercent la classe virginale

Échasses quilles et maillets
Dorment loin des jeux et du bruit
Comme dorment dans leur jeune âge
Comme dorment dans leur jeune âge
Tous les enfants des patronages
Comme dort la Vierge Marie
Comme dort la Vierge Marie
Quand elle a fini son ménage

Au revoir, mes amis

Paroles et musique de Charles Trenet

Au revoir, mes amis
Au revoir, à bientôt, j'espère.
Au revoir, bonne nuit
Que vos rêves soient choses légères
Et demain chantez-les mes chansons
Qu'elles gardent à foison
La joie dans votre maison.

A présent, c'est fini,
Au revoir, à bientôt mes amis !

bis

Dans les pharmacies

Paroles et musique de Charles Trenet

Refrain

Dans les pharmacies
Dans les pharmacies
On vend du nougat et du chocolat
Des bonbons au citron des stylos
Des poupées gentilles
Pour les petites filles
Et pour les garçons
Des lapins qui sont
Sauteurs et polissons
On vend de tout
Des toutous blancs
Qui se tiennent debout
Tout tremblants
Des arlequins des cailles qui rient
Et tout un lot de quincaillerie
Dans les pharmacies
Dans les pharmacies
On entend parfois cet ordre sec

Garçon des petits pois ou un bifteck
Ou des choux farcis
Dans les pharmacies

Couplet

Ces pharmacies-là
Sont celles du Canada
Où l'on prend ses repas parfois par-ci par-là
On y vend aussi des pilules mais sachez
Que la vente des cachets est un peu cachée
Car ici ce n'est pas un crime
De commander un ice-cream
Où l'on ajoute un peu de soda
Mais des remèdes on n'en voit pas

Refrain

Dans les pharmacies
Dans les pharmacies
J'entre par hasard et le plus bizarre
Je n'en sors qu'après deux heures et quart
Les poches gonflées
De pommes soufflées
De rasoirs à main
En duralumin
De mille produits humains
Un phonographe immense et lourd
Y joue des chansons d'amour
Et pour vingt cents on peut entendre
Un baryton à voix tendre

Coda

Les oiseaux sont couchés dans leur nid
Et moi je suis couché dans mon lit
Il fait froid ce soir il fait nuit
Alors tendrement je dis :
Bonne nuit bonne nuit Suzy
Bonne nuit bonne nuit Suzy
Suzy oh oui bien sûr

Certainement oui bonne nuit
Bonne nuit Suzy jolie... euh...
Bonne nuit

(C'est une chanson qui s'appelle
« Bonne nuit Suzy »)

Dans les pharmacies
Dans les pharmacies
Je suis très heureux
Car j'y viens joyeux parler français
Et ce plaisir-là est unique là-bas
Dans les pharmacies
Si, si, *si* bémol...
Du Canada

Le cœur de Paris

Paroles et musique de Charles Trenet

1

Le cœur de Paris, c'est une fleur
Une fleur d'amour si jolie
Que l'on garde dans son cœur
Que l'on aime pour la vie
Le cœur de Paris c'est une romance
Qui parle du soleil ou d'la pluie
On croit qu'elle finit mais elle recommence
Le cœur de Paris c'est la France.

2

Le cœur de Paris, ô midinettes
C'est deux sous d'bonheur, une guinguette
On y danse quand il fait beau
C'est Lison, Manon, Lisette,
Le cœur de Paris c'est les poulbots
Aux figures d'archanges, aux phrases crues

Montmartre qui s'endort dans une toile d'Utrillo
Le cœur de Paris, c'est la rue.

3

Le cœur de Paris, c'est une histoire
Toujours présente à nos mémoires
C'est la barbe du roi Henri
Barbe bleue ou barbe noire
Ainsi se termine ma p'tite chanson
Qui déploie ses ailes à la ronde
Elle s'envole aux cieux pour porter un peu
Du cœur de Paris dans le monde.
Et le monde ravi
Murmure qu'il est gentil
Le cœur de Paris.

Histoire d'un monsieur

Paroles et musique de Charles Trenet

Un berceau se penche
Un enfant s'éveille
Dans la chambre blanche
Un rayon d'soleil
Sur sa joue se pose
Alors il sourit
Tout blond et tout rose
C'est bébé joli.

Il part pour l'école
Il apprend à lire
Le soir il recolle
Une tirelire
Mais une fillette
Le rend triste un jour
Est-ce une amourette ?
Non, premier amour.

Il oublie sa peine
Ou croit l'oublier
Pioupiou on l'entraîne
Dans de gros souliers
Et son capitaine
Pense de lui : C'lui-là
Un brave type quand même
Mais pas bon soldat !

Sa mère est heureuse
Il s'est marié
Une famille nombreuse
Garnit son foyer
Mais hélas la guerre
L'entraîne à nouveau
Dans un monde vulgaire
Et pas toujours beau.

Blessé en campagne
Mais rien de fatal
Il trouve une compagne
Dans un hôpital
Elle est infirmière
Ils s'aiment
Quel malheur !
Adieu la première
Elle est toute en pleurs.

Changement d'histoire
Aux enfants on ment
Pour leur faire croire
A une autre maman
A une autre famille
A d'autres cousins
Quel triste quadrille
Pour ces p'tits poussins.

La guerre est finie
L'infirmière meurt
D'une maladie

Dite de langueur
Sa première femme
Est morte elle aussi
Mais alors ! quel drame !
Les fils se marient.

Un berceau se penche
Un enfant s'éveille
Dans la chambre blanche
Un rayon d'soleil
Et tout seul au monde
Notre vieux papa
Se perd de la ronde
C'est la vie qui va !

En ce temps-là

Paroles et musique de Charles Trenet

En ce temps-là, nous vivions ensemble
En ce temps-là l'amour nous aimait
Heureux destin quand la vie rassemble
Ceux qui se ressemblent
Et qui se cherchaient.
En ce temps-là c'étaient des voyages
En ce temps-là nous changions toujours
Nos horizons, campagnes et villages
Grandes villes ou plages,
Sans changer d'amour.
A présent tout seul je voyage aussi
Je revois campagnes et villages
Et parfois devant mon piano assis
Je fredonne cet air du bel âge.

En ce temps-là, ce furent des problèmes
Vite résolus, sans trop de soucis
Nul ne peut rien contre ceux qui s'aiment
Et qui trouvent quand même

Les méchants gentils
En ce temps-là, mais quand donc était-ce ?
Oh pas très loin
Qu'importe à vrai dire
Car désormais ces beaux jours sincères
Vivront leur jeunesse
Dans mon souvenir.
Et mon cœur toujours tendrement dira
Qu'il fut doux chérie ce temps-là.

En Seine-et-Oise

Paroles et musique de Charles Trenet

1
Je reviendrai en Seine-et-Oise
Vivre chez vous comme un gamin
Et je mangerai des framboises
Dans le creux des nids de vos mains
Je retrouverai la petite chambre
Au papier peint bleu rose et vert
Et je réchaufferai mes membres
Durcis par le froid de l'hiver

2
J'irai visiter les hectares
De votre immense propriété
Et je jouerai de la cithare
Pour calmer vos anxiétés
J'irai me rouler dans la grange
Qui sent la pomme et le tracteur
Et j'écrirai des vers étranges
Qui seront dits par des acteurs

3
Tremblant de peur mais toujours brave
Je me perdrai comme un boy-scout
Dans le dédale de vos caves

Où bout la chaudière à mazout
Parlant de moi dira la bonne
« Je trouve ce garçon charmant »
Nous sommes tous comme ça à Narbonne
Je suis comme m'a fait ma maman

Je reviendrai en Seine-et-Oise
Vivre chez vous comme un gamin
Et je mangerai des framboises
Dans le creux des nids de vos mains
Ainsi s'écoulera la vie
Légère comme un écureuil
Et je ferai des économies
Passant chez vous trois semaines à l'œil
En Seine en Seine en Seine-et-Oise

1953

Quand un bateau blanc

Paroles et musique de Charles Trenet

Quand un bateau blanc vogue sur la mer
Ou qu'il fait semblant de voler en l'air
Quand un oiseau bleu au ciel se confond
Quand au fond des cieux chante un ange blond
Alors je souris de tant de merveilles
Qui charment l'esprit, les yeux, les oreilles,
Et je remercie la belle saison
D'être poésie, lumière et chansons.

Rêver il y a tant de façons de rêver
On peut rêver
Rêver que l'on rêve
Rêver que l'on dort sans trève
Ou bien rêver tout éveillé.

J'aime monter à bord du bateau
Qui vogue ou fait semblant de voler sur la mer
Je fais un signe à l'oiseau pour lui dire de m'attendre
En haut du bleu de l'air
Et tout là-haut dans le ciel
Nous chantons la chanson.
L'ange est heureux de l'entendre
Et sourit sans façon.
Je ne dors pas et pourtant la vie
Me paraît étrange et merveilleuse

Par quel miracle charmant
Suis-je aussi loin du monde et des choses sérieuses
Par quel enchantement

La belle saison luit au firmament
Sur l'aile d'une chanson.

Les olivettes

Paroles et musique de Charles Trenet

1
Laissez-les passer les olivettes
Laissez-les passer elles vont dîner
Deux, trois, passera, la dernière, la dernière,
Deux, trois, passera, la dernière restera.

2
Laissez-les passer les beaux voyages
Laissez-les passer les trains entiers
Deux, trois, passera, le Brésil et l'Amérique
Deux, trois, passera, mais la France restera.

3
Laissez-les passer les amourettes
Laissez-les passer cœurs délaissés
Deux, trois, passera, Primerose et Pâquerette,
Deux, trois, passera, mais Jeannette restera.

4
Laissez-les passer les chansonnettes,
Laissez-les passer, mais chantez-les
Deux, trois, passera, villanelle et ritournelle
Deux, trois, passera, ma chanson s'envolera.

5
Laissez-les passer les jours de fête,
Laissez-les passer, regrettez-les
Deux, trois passera, la bohème et le poète,
Deux, trois, passera, puis un jour seul pleurera.

Mon vieil Atlantique

Paroles de Charles Trenet *Musique de Charles Trenet et Albert Lasry*

1

Qu'est-ce qu'il y a qui ne va pas mon vieil Atlantique ?
Je vois ta crinière de cheval derrière mon hublot
— Je n'ai rien d'anormal mais le goût antique
De faire danser les bateaux en faisant le gros dos
J'ai perdu mon cheval blanc
Mes moutons se sont enfuis
Je les cherche par gros temps
Le jour et la nuit
Qu'est-ce qu'il y a qui ne va pas toi dans ta cabine ?
— Ici tout le monde va très bien
A part mon petit chien

2

Que faut-il pour calmer mon vieil Atlantique
Cette fureur déchaînée
Depuis tant d'années ?
— Il me faut du printemps des journées bibliques
Et de l'amour en un mot
Pour calmer mes maux
Pour l'instant c'est l'hiver
Et le vent va de travers
La lune ajoute un zéro
A tous les hublots
— Qu'est-ce qu'il y a qui ne va pas vieux transat qui [roule ?
— Il y a la houle qui me saôule
Entre les repas

3

Qu'est-ce qu'il y a qui va mieux
Mon vieil Atlantique ?
— Il y a la couleur des cieux
Ouvre un peu les yeux
Le voyage est fini vois ! je suis statique
Regarde les bateaux-remorques
Dans le port de New York

Mais pourtant ne crois pas
Que sitôt tu m'oublieras
Je resterai dans ton cœur
Encor quelques heures
Tu verras dans la nuit
Tourner mille boutiques
Ça te prouvera que l'Atlantique
Est encor chez lui
Ça te prouvera que l'Atlantique
Est encor chez lui

Chanson pour Noël

Paroles et musique de Charles Trenet

Ils sautent et dansent
Les joyeux bergers
Sous le ciel immense
Il peut neiger
Vers l'étoile s'avancent
Des rois étrangers
Ils sautent et dansent
Les p'tits bergers
Les vieux se souviennent
Des anges musiciens
Ah ! vite que reviennent
Les Noëls anciens
Mais les jeunes s'élancent
Ivres de courir
Vers la plaine immense
Dans l'avenir.

La cloche a sonné
L'enfant Jésus est né
La vache et le veau
Lui disent bonjour, Bravo !...
Un coq a chanté
L'enfant Jésus est né

L'oiseau l'a répété
Depuis longtemps je l'attendais.

Ils sautent et dansent
Dans la nuit d'Noël
Sur les routes de France
Les anges du ciel
Et chacun s'enchante
De les voir ainsi
Le poète les chante
Les enfants aussi
C'est une jolie ronde
De joie et d'amour
La ronde du monde
Dans son plus beau jour
Sous le ciel immense
Il est revenu
Noël recommence
Bonjour p'tit Jésus.

Font-Romeu

Paroles et musique de Charles Trenet

Quand je revois mes souvenirs
Je pense encore à l'ermitage
Où j'aimerais tant revenir
Pour admirer le paysage.

Refrain

Font-Romeu,
Font-Romeu, la forêt,
Font-Romeu, mes amours,
Font-Romeu, mes promenades.
Font-Romeu, quelques bons camarades
Et toi ma blonde amie

Plus belle que ces beaux jours.
Font-Romeu,
Quand le soir descendait
Les nuages de la vallée
N'atteignaient pas les cimes
Et comme elles
Nos deux cœurs étaient purs
Ignorant dans l'azur
Le brouillard des abîmes
Et comme elles
Mes souv'nirs sont restés pareils
Aux beaux jours du soleil
Et du ciel bleu
Font-Romeu.

En avril à Paris

Paroles de Charles Trenet *Musique de Charles Trenet et Walter Eiger*

Refrain

Quand Paris s'éveille au mois d'avril
Quand le soleil revient d'exil
Quand l'air plus doux berce une jeune romance
Quand le printemps vraiment commence
Alors voici qu'aux portes de Paris
Accourt tout le pays
Par l'amour ébloui
Et du Nord jusqu'au Midi
La France chante et rit
En avril à Paris.

Couplet

A Saint-Michel la Seine
Oublie ses peines anciennes
Au cœur du Luxembourg
Les oiseaux chantent l'amour
Sur un banc Jeanne et Pierre sont de retour

Il fait si bon ma mie
De céder à l'envie
D'un baiser que l'on prend
Que l'on donne en même temps
Au milieu de la fête du printemps. *(Au refrain)*

1954

Coin de rue

Paroles et musique de Charles Trenet

1

Je me souviens d'un coin de rue
Aujourd'hui disparu
Mon enfance jouait par là
Je me souviens de cela
Il y avait un' palissade
Un taillis d'embuscades
Les voyous de mon quartier
Venaient s'y batailler

A présent il y a un café
Un comptoir tout neuf qui fait de l'effet
Une fleuriste qui vend ses fleurs aux amants
Et même aux enterrements

2

Je revois mon coin de rue
Aujourd'hui disparu
Je me souviens d'un triste soir
Où le cœur sans espoir
Je pleurais en attendant
Un amour de quinze ans
Un amour qui fut perdu
Juste à ce coin de rue

Et depuis j'ai beaucoup voyagé
Trop souvent en pays étrangers
Mondes neufs constructions et démolitions
Vous me donnez des visions

3

Je crois voir mon coin de rue
Et soudain apparus
Je revois ma palissade
Mes copains mes glissades
Mes deux sous de muguet de printemps
Mes quinze ans... mes vingt ans
Tout ce qui fut et qui n'est plus
Tout mon vieux coin de rue.

Paule, sur mes épaules

Paroles et musique de Charles Trenet

Paule
Dis-moi tu veux grimper
Sur mes épaules
Bien agrippée
Tu verras la vue
Qu'on a de là-haut
Le soleil d'la rue
Les fleurs du coteau
Ah ! dis-moi Paule
Je n'connais rien de mieux
Sur mes épaules
Fardeau joyeux
Que ton corps souple et fort
Que je porte sans effort
Tandis qu'toi Paule
Tu regardes le décor.

Paule
Tu vois ce cerisier
Comme il est drôle
Route de Béziers
Qu'est c'qu'il fait ici
Perdu dans les vignes

Vois les branches roussies
Qui nous font des signes
Allons-y Paule
Cueillir ses fruits vermeils
A tour de rôle
Rien de pareil
N'est plus doux
Et je sais
C'que j'prendrai du cerisier
De mes épaules
Ce sera un baiser.

Paule
Dis-moi tu veux sauter
De mes épaules
Tout à côté
Il y a là un pré
Qu'on peut voir de près
Si nos cœurs sont prêts
Nous verrons après
Ah ! dis-moi Paule
Blottis-toi contre moi
Et ce vieux saule
Nous abrit'ra
C'est mieux d'être venu
Ici sans bicyclette
Ah ! ma p'tite Paule
Je crois que j'perds la tête.

Rêve
Rêve d'un grand garçon
Rempli de sève
Rêve polisson
Il s'appelle Fernand
Il a un drôle d'air
Un air de seize ans
Et de cours secondaire
Tandis que Paule
Rêve de son côté

Que des épaules
Vont la porter...
Mais timides, bégayants
Ils s'diront en se voyant
Ce soir tout bas :
« Bonjour, comment ça va... »

Adieu mes beaux rivages

Paroles et musique de Charles Trenet

Adieu mes beaux rivages
Souvenir de l'été
Qui se meurt
Mes soleils envolés
Et mes plages sauvages
Adieu pays de mon cœur

Adieu rives lointaines
Où le soir descendait triste et beau,
Adieu vertes vallées
Et vous claires fontaines
Adieu
Pays des oiseaux !

Un train noir m'emporte dans la nuit
Un train m'emporte sous la pluie
Et devant cette fleur fanée
Je revois mes belles journées

Adieu mes amourettes
Vos baisers vont poursuivre mon cœur,
Au pays de la pluie
Vous seriez bien seulette,
Adieu mes beaux yeux rieurs

Adieu mes beaux rivages
Souvenirs de l'été qui se meurt,

Mes soleils envolés
Et mes plages sauvages
Adieu pays de mon cœur
Adieu pays de mon cœur !

1955

Ma philosophie

Paroles et musique de Charles Trenet

1
Chante
La vie n'est pas méchante
Et quand ell' nous enchante
Il n'est rien de meilleur
Songe
Qu'il n'y a pas qu'des mensonges
Un peu d'courage et plonge
Dans le fond de ton cœur
Aime
En donnant tout d'toi-même
C'est là le vrai poème
C'est là le vrai bonheur
Et tout l'reste c'est moi qui t'le dis
N'est qu'chiqué fabriqué comédie,
Et tout l'reste c'est moi qui t'le dis
N'est qu'chiqué fabriqué comédie.

2
Rêve
Et si tes nuits sont brèves
Quand le p'tit jour se lève
Rêve encore si tu veux
Garde
Pour ceux qui te regardent
Au lieu d'une mine blafarde
Un teint rose c'est mieux
Porte
Ta joie de porte en porte
Et si tes amours mortes

Parfois t'font du chagrin
T'en fais pas, car tu sais qu'demain
Tu trouv'ras d'autres amours sur ton chemin.

3
Brave
La force qui rend esclave
La calomnie, la bave
Et la haine des crapauds
Danse
Dès que leur chant commence
Ne perds pas ta cadence
Ils crèv'ront dans leur peau
Ivre
D'la liberté de vivre
Continue de poursuivre
Tout c'qui te semble beau
Et surtout, surtout n'fais pas fi
N'fais pas fi, fi d'ma philosophie.

N'fais pas fi d'ma phi...
N'fais pas fi d'ma phi...
N'fais pas fi d'ma philosophie.

Liberté de Paris

Paroles et musique de Charles Trenet

Liberté d'Paris quand vient le soir
Et que dans l'faubourg brusquement scintille
Comme un feu d'amour
Comme un grand espoir
Comme un cœur joyeux de vivre sa vie
C'est mon monde à moi celui d'la nuit
Du mystère des rues des ombres qui s'effacent
Est-ce l'amour qui vient est-ce l'amour qui passe
Plaisir ou bonheur ce soir qui me suit.

Bel étranger que me veux-tu toi qui me frôles
Rien qu'un désir sans lendemain je sais... j'ai peur
Rien qu'un désir, je n'trouve pas ça vraiment très drôle
Car ce que j'aime c'est de me perdre avec douceur
Dans les rues d'Paris si j'ai l'cafard
Quand je sors la nuit tout' seul' sans personne
Que m'importe à moi pourvu qu'je frisonne
D'vivre enfin ma vie quand vient le soir.

La java du Diable

Paroles et musique de Charles Trenet

1

Un jour le Diable fit une java
Qu'avait tout l'air d'une mazurka
Valse à trois temps, il n'savait pas
Ce qu'il venait d'composer là
Aussitôt la terre entière
Par cet air fut enchantée
Des dancings aux cimetières
Tout l'monde la chantait
On la dansait à petit pas
Et bien souvent aux heures des r'pas
Le Diable venait sur sa java
Frapper du pied dans les estomacs.

2

Des p'tits malheurs vite commencèrent
Car ce refrain de Lucifer
Planait partout, tout d'suite appris
Circonvenant bien les esprits
Vers la fin du mois d'décembre
Un député pris de court
A la tribune de la Chambre
Dit dans son discours :
« Un, deux, trois, quatre,
Un, deux trois, quatre,

C'est mon programme est-ce qu'il vous plaît ? »
A coups d'fusil on dut l'abattre
Il expira au deuxième couplet.

3

La salle Pleyel n'écoutait plus
Des grands concerts un seul lui plut
Celui où l'chef d'orchestre mêla
Sébastien Bach et la java
Ronde folle, ronde folle,
Brusquement un grand acteur
Au beau milieu de son rôle
Trahit son auteur...
« Un, deux, trois, quatre,
Un, deux, trois, quatre »,
Ah quelle pagaille dans le théâtre
Les spectateurs montèrent sur scène
L'œil en fureur et le geste obscène.

4

Au-d'là des mers ce fut bien pire
Le mal gagna c'est trop affreux
Il lui fallait pour son empire
Jusqu'au pôle Nord et la Terre de Feu
Mais le plus terrible ravage
Fut dans l'monde des banquiers
Où la grande java sauvage
Fit des victimes par milliers.
« Un, deux, trois, quatre,
Un, deux, trois, quatre »,
Hurlaient New York et Chicago.
L'or se vendit au prix du plâtre
Et le cigare au prix du mégot.
Puis un jour tout d'vint tranquille
On n'entendit plus d'java
Dans les champs et dans les villes
Savez-vous pourquoi ?

Coda

Parce que le Diable s'aperçut
Qu'il n'touchait pas de droits d'auteur
Tout ça c'était d'l'argent d'foutu
Puisqu'il n'était même pas éditeur
Tout ça c'était d'l'argent d'foutu
Puisqu'il n'était même pas éditeur.

Parlé

Allez, remportons notre musique
Et retournons en enfer.

Rome

Paroles et musique de Charles Trenet

1
Toi qui reviens d'une course lointaine
Le cœur léger
Regarde bien ici l'eau des fontaines
N'a pas changé
Repose-toi de poursuivre ta gloire
Quelques instants
Penche ton front et là tu pourras boire
Tout comme avant.

2
Nous monterons tous deux sur la terrasse
Au mur de lierre
Si près du ciel qu'un seul regard embrasse
La ville entière
Et tu verras que rien ne nous échappe
De ces palais
De ces jardins, de ce dôme où le pape
Prie pour la paix.

3

Dans les sentiers où l'ombre s'évertue
A ne salir
Aucun détail délicat des statues
Qu'on voit pâlir
Nous parlerons de nos anciens automnes
Quel joli temps
En souriant au bonheur que nous donne
Ce vieux printemps.

Quand vous entendrez, mam'zelle

Paroles et musique de Charles Trenet

1

Quand vous entendrez
Mam'zelle
Cette chanson
Dites-vous ma belle
Qu'elle vient du cœur d'un garçon
Qui n'vivait que pour vous-même
La nuit, le jour
Pour qui les mots « je t'aime »
Étaient vraiment des mots d'amour
Mais vous à quoi pensiez-vous pendant c'temps-là ?
Un peu distraite un peu coquette
Et puis voilà...
Quand vous entendrez Mam'zelle
Mon p'tit refrain
Il sera trop tard ma belle
Je serai loin.
Si loin de la terre et des cieux,
Perdu, solitaire, amoureux,
Dans un rêve si joli que j'faisais autrefois
Et qui r'vient aujourd'hui comme un vieux film de cinéma
La belle histoire que j'aimais,
Hélas ! nous n'la vivrons jamais...

2
Quand vous entendrez
Mam'zelle
Cette chanson
Dites-vous ma belle
Qu'ell' vient du cœur d'un garçon
Qui n'vivait que pour vous-même
La nuit, le jour
Pour qui les mots « Je t'aime »
Étaient vraiment des mots d'amour.

Coda

Qui sait peut-être un jour au hasard de la vie
Si vous trouvez dans votre cœur cette mélodie
Je veux qu'elle vous dise Mam'zelle
Vous m'avez plu
Mais depuis longtemps ma belle
J'n'y pensais plus
Depuis longtemps
J'n'ai plus d'tourments
Chant'ra mon air,
Mon air qui ment.

Où sont-ils donc ?

Paroles et musique de Charles Trenet

Couplet

Toute la s'maine je vis au fond de mon quartier
Je n'y vois qu'un mur j'n'en vois même qu'la moitié
Et dans l'fond là-bas sur une corde à linge
Des cal'çons, des ch'mises qui font les singes.
J'voudrais un jour quitter tout ça
Voguer vers c'que je n'connais pas.

Refrain 1

Où sont-ils donc tous ces pays
Dont on nous parle dans les chansons
Ils sont ailleurs bien loin d'ici
Nuits tropicales, clairs horizons.
Soleil de feu sur la mer rouge
Palmiers géants de l'Hindoustan.
Technicolor mon cœur qui bouge
Voudrait connaître tous les printemps.

Couplet 2

Afin d'mieux courir vers ces lointaines patries
J'ai dû voir mourir toutes mes économies
Mais au bout des trains, au bout des grands paqu'bots
Y'a pas c'est certain, qu'des vieux très beaux
Y'a des cafés pas drôles du tout
Qui chantent parfois pour faire deux sous.

Refrain 2

Où sont-ils donc tous ces pays
C'est mon refrain, c'est mon roman
La pauvre histoire de toute ma vie
Je la fredonne à mes clients
Leur pauvre cœur, un soir de rêve
Et ma chanson les mène là-bas
Aux îles perdues le long des grèves
Où le malheur n'existe pas
Où sont-ils donc ces pays-là?
Ils sont là-bas, là-bas, là-bas
Mais moi je sais
Je sais qu'ils sont
De faux pays
Dans les chansons.

Moi j'aime le music-hall

Paroles et musique de Charles Trenet

Moi j'aime le music-hall
Ses jongleurs, ses danseuses légères
Et l'public qui rigole
Quand il voit des p'tits chiens blancs portant faux col
Moi, j'aime tous les sam'dis
Quand Paris allume ses lumières
Prendre vers huit heures et d'mie
Un billet pour être assis
Au troisième rang pas trop loin
Et déjà v'là l'rideau rouge
Qui bouge, qui bouge, bouge
L'orchestre attaque un air ancien du temps d'Mayol
Bravo c'est drôle, c'est très drôle
Ça c'est du bon souv'nir
Du muguet qui n'meurt pas, cousine
Ah ! comme elles poussaient des soupirs
Les jeunes fillettes d'antan
Du monde ou d'l'usine
Qui sont d'venues à présent
De vieilles grand'mamans
Ce fut vraiment Félix Mayol
L'bourreau des cœurs d'leur music-hall

Mais depuis mille neuf cent
Si les jongleurs n'ont pas changé,
Si les p'tits toutous frémissants
Sont restés bien sages sans bouger
Debout dans une pose peu commode
Les chansons ont connu d'autres modes.
Et s'il y a toujours Maurice Chevalier,
Édith Piaf, Tino Rossi et Charles Trenet
Il y a aussi et Dieu merci
Patachou, Brassens, Léo Ferré.

Moi j'aime le music-hall

C'est l'refuge des chanteurs poètes
Ceux qui s'montent pas du col
Et qui restent pour ça de grandes gentilles vedettes
Moi j'aime Juliette Gréco
Mouloudji, Ulmer, les Frères Jacques
J'aime à tous les échos
Charles Aznavour, Gilbert Bécaud
J'aime les boul'vards de Paris
Quand Yves Montand qui sourit
Les chante et ça m'enchante
J'adore aussi ces grands garçons
De la chanson,
Les Compagnons
Ding, ding, dong
Ça c'est du music-hall
On dira tout c'qu'on peut en dire
Mais ça restera toujours toujours l'école
Où l'on apprend à mieux voir,
Entendre, applaudir, à s'émouvoir
En s'fendant de larmes ou de rire.
Voilà pourquoi, la, do, mi, sol,

J'aim'rai toujours le music-hall
J'aim'rai toujours, toujours, toujours,
Toujours, toujours, le music-hall.

J'ai mordu dans le fruit

Paroles et musique de Charles Trenet

Refrain

J'ai mordu dans le fruit de la vie
Et depuis j'suis mordu pour ça
Car l'amour m'a rendu l'âme ravie
Et je crois en lui au plus profond de moi
J'ai mordu dans le fruit j'en frissonne
Comme tout l'monde j'aime chanter mon bonheur

Mon bonheur qui n'fait d'mal à personne
Et qui m'donne ce grand soleil au cœur.

Pour vivre heureux, vivons cachés si tu veux
Mais pour goûter les minutes qui s'écoulent
A Paris, au milieu de la foule
On est bien aussi tous les deux.
J'ai mordu dans le fruit de la vie
Et depuis j'suis mordu pour ça
Car l'amour m'a rendu l'âme ravie
Et je crois en lui au plus profond de moi.
Dans l'métro de minuit
Quand près de toi je me blottis
Si fort qu'on oublie la station
Mais quel bonheur de rentrer à pied à la maison
D'Vincennes à la Nation
Là, notre chambre nous attend
Avec son p'tit rideau d'dentelle
Pauvre chambrette de nos vingt ans
Tu s'ras toujours pour moi la plus belle. *(Au refrain)*
Et j'suis prêt à faire des folies oh ! ma chérie, pour toi.

Route nationale 7

Paroles et musique de Charles Trenet

De toutes les routes de France d'Europe
Celle que j'préfère est celle qui conduit
En auto ou en auto-stop
Vers les rivages du Midi

Nationale 7
Il faut la prendre qu'on aille à Rome à Sète
Que l'on soit deux trois quatre cinq six ou sept
C'est une route qui fait recette
Route des vacances
Qui traverse la Bourgogne et la Provence

Qui fait d' Paris un p'tit faubourg d' Valence
Et la banlieue d'Saint-Paul-de-Vence
Le ciel d'été
Remplit nos cœurs d'sa lucidité
Chasse les aigreurs et les acidités
Qui font l'malheur des grand's cités
Toutes excitées.
On chante, on fête
Les oliviers sont bleus ma p'tit' Lisette
L'amour joyeux est là qui fait risette
On est heureux Nationale 7.

Rien qu'une chanson

Paroles et musique de Charles Trenet

Rien qu'une chanson qui s'envole et s'en va dans le vent
Rien qu'une musique, des paroles qu'on fredonne en
[rêvant
Mais son histoire est la même que la nôtre et nos cœurs
Ont besoin pour y croire de la vivre en chantant son
[bonheur.
Elle parle, parle, parle
De projet de tendre avenir
Elle grise la nuit grise
Elle promet la joie le plaisir
Rien qu'une chanson de vingt ans qui s'envole, vole vers
[toi
Rien qu'une romance de printemps
Qui m'affole sous mon toit
Rien que trois notes qui reviennent me bercer chaque
[jour
Rien qu'un air qui pianote dans mon cœur
Et qui chante notre amour.

Mais au deuxième refrain tout change,
Et c'est étrange comme ma chanson

Devient triste et tourne morose
Il ne reste du temps des roses
Plus rien que l'arrière-saison.

Rien qu'une chanson qui s'envole et s'en va dans le vent
Rien qu'une musique des paroles qu'on fredonne en
[rêvant
Rien qu'une histoire comme la nôtre et qui tourne dans
[mon cœur
Valse noire, valse des autres qui gémit et qui parle de
[malheur.

Elle pleure, pleure, pleure
Elle répète ce que tu disais
Et dans l'ombre elle dénombre
Tour à tour nos anciens baisers
Et bien des gens qui la dansent ne savent pas dans les
[bals
Que sur son rythme, sa cadence
Y a mon cœur qui a mal
Mais que leur importe si cet air qu'ils fredonnent si
[souvent
Chante ma joie ma joie morte
Qui s'envole et s'en va dans le vent.

Source bleue

Paroles et musique de Charles Trenet

Source bleue où vas-tu dans ta course
Source bleue
Au Bois des Amoureux
« Je m'en vais
Tu verrais si tu me suivais
Tout au bout de ce vert coteau
Rencontrer un roseau

Un détour
En rivière je me change
Un amour
J'épouse les contours
D'un grand fleuve
Et la mer me propose étrange
Un voyage au ciel
De midi
Pour retomber en pluie »
C'est la ronde
De l'amour par le monde
Tourne tourne goutte d'eau...
Tourne éternel rondeau...

J'ai perdu ma veste

Paroles et musique de Charles Trenet

1
Que s'est-il donc passé depuis l'an dernier
Vous m'aviez vu bien habillé
Et d'puis c'temps-là, si je n'suis plus aussi chic
C'est qu'voyez-vous il y a un hic...

Refrain

J'ai perdu ma veste.
J'ai perdu mes gants,
Et tout c'qui me reste
Ce n'est qu'un vieux pantalon blanc
J'n'ai plus de cravates
J'n'ai plus de chapeaux
J'vous le dis en hâte
Je n'ai vraiment plus ce qu'il m'faut
J'avais laissé le tout dans une vieille armoire
Où j'avais mis mon cœur, ma vie, mon histoire
Et ma gabardine
Et mes p'tits cal'çons

Ma ch'mise en mouss'line
Je n'sais vraiment plus où c'qu'ils sont.

2
Une bonne nouvelle : hier soir un grand éditeur
M'a dit : « J'achète ce p'tit refrain. »
Il m'a donné mille francs d'avance, quel bonheur
J'vais pouvoir me payer enfin...

Refrain

Des tas de belles vestes
Des tas de beaux gants
Et même s'il en reste
De magnifiques pantalons blancs
Des milliers d'cravates
Des milliers d'chapeaux
Je vous l'dis en hâte
J'aurai vraiment tout ce qu'il m'faut
Je remettrai le tout dans cette vieille armoire
Où j'avais mis mon cœur, ma vie, mon histoire
Et des gabardines
Et des p'tits cal'çons
Des ch'mises en mouss'line
Tout ça grâce à ma p'tite chanson.

Les coupeurs de bois

Paroles et musique de Charles Trenet

1
Trois hommes du Nord
Très grands et forts
Viennent d'arriver
Quartier Saint-Gervais
Ils viennent pour couper du bois couper du bois
Car ce sont des coupeurs de bois
Coupeurs de bois

Ils aiment bien couper du bois
Couper du bois
Ça fait les bras

2
Ils vont partir
Forêt du Sthyr
Où leur patron
Qu'est fort comme un tronc
Les paye pour couper du bois
Couper du bois
De l'oseille pour couper du bois
Couper du bois
Surveille ses coupeurs de bois
Coupeurs de bois
C'est bien son droit

3
V'là qu'ils s'installent
Dans la grande salle
De la taverne
Du Père Saliverne
En s'écriant : « Tonnerre de bois
Cré nom de bois
Servez-nous-en du vin d'arbois
C'est ce qu'on boit
Avec l'argent des coupes de bois
On se paiera
Une gueule de bois »

4
Est-ce la boisson
Ou la passion
Qui changea le ton
De leur conversation
Mais voilà que nos forts coupeurs de bois
Coupeurs de bois
Ne sont pas d'accord
Et pouvez-vous me dire pourquoi

Ils se battent à mort
Pour une espèce de je ne sais quoi
Une fille de joie

5

La fille a peur
Des trois coupeurs
Puis elle s'en va
Avec un autre gars
Un vrai vaurien que celui-là
De coupeur de bois
Qui ne disait rien
Mais n'en pensait pas plus je crois
Et qui le lendemain
Pendant qu'elle dormait dans ses bras
Fou l'étrangla

6

On soupçonna
Nos trois amis
D'assassinat
De crime commis
Un juge novice
Nommé Dubois
Les condamna aux bois de justice
De drôles de bois
Que ces bois-là cruel supplice
Leurs têtes coupées roulèrent dans la
Sciure de bois

Coda

Vous qui écoutez
Cet air chanté
Je vois je vois
Vous n'y croyez pas
Je l'ai pourtant lu dans la revue des coupeurs de bois
C'est une revue très passionnante et bonne ma foi
Dans la forêt chacun l'achète
Vous la trouverez p't'-être chez Hachette

On n'fait pas mieux
Comme nom je crois
Quand il s'agit d'coupeurs de bois.

Du soir au lendemain

Paroles et musique de Charles Trenet et G. Brumières

La marchande de journaux ferme son étalage
L'homme à l'accordéon a plié son bagage
C'est la nuit de Paris qui tombe doucement
Bonnes gens soyez sages.

Des couples d'amoureux s'en vont main dans la main
Échangeant des baisers sans songer à demain
Sur les bords de la Seine des clochards rentrent tard
Et le cœur lourd de peine.

Mais dans un sourire
Un rêve les prend
Et fait qu'ils soupirent
Tendrement.

Le prom'neur solitaire qui ne va pas chez lui
Rêve de joies éphémères et de bonheur détruit
Il chemine d'un pas lent qui résonne dans la nuit
Qui résonne tristement.

Mais le soleil
Qui ne sait pas tout ça
Sonne le réveil
Et la nuit finit là.

La marchande de journaux rouvre son étalage
L'homme à l'accordéon installe son bagage
Il chante des chansons qui vont au firmament

Réveiller les amants
Qui s'éveillent gentiment
Car c'est un jour charmant.

L'âne et le gendarme

Paroles et musique de Charles Trenet

Sur les bords de l'étang bleu
Il y avait un âne
Sur les bords de l'étang bleu
Il y avait un âne... bleu
Et cet âne-là rêvait
Qu'il était gendarme
Et cet âne-là rêvait
Qu'il était gendarme... à pied

Sur les bords de l'étang bleu
Y avait un gendarme
Sur les bords de l'étang bleu
Y avait un gendarme... bleu
Et ce gendarme rêvait
Qu'il était un âne
Et ce gendarme rêvait
Qu'il était un âne laid

Subtil était l'air si doux
La brise câline
Subtil était l'air si doux
Qu'on pouvait s'attendre à tout
C'est alors que vint à passer
Un peu malicieuse
C'est alors que vint à passer
Une fée un peu pressée

Qui d'un coup de baguette changea
Le gendarme en âne
Qui d'un coup de baguette changea

Le gendarme en âne gras
Et de l'âne tout simplement
Elle fit un gendarme
Si vite que personne vraiment
Ne s'aperçut du changement

Moi-même je n'en euss' rien su
Si la fée joyeuse
Ne vint en riant aux éclats
Me conter cette affaire-là
A présent dans le pays
Quand je vois le gendarme
A présent dans le pays
Je suis bien heureux pour lui

Au lieu de manger du son
Il aide la justice
Au lieu de manger du son
Il pourchasse les larrons
Quant à l'âne dans son pré
Faut qu'j'y réfléchisse
Quant à plaindre l'âne dans son pré
Faudra que j'aille voir ça de plus près

Parlé
(Que subséquemment à présent on m'oblige
à manger de l'herbe... c'est un bien triste
destin pour un ancien gendarme... HI... HAN...)

A la porte du garage

Paroles et musique de Charles Trenet

1
Aux environs des belles années mille neuf cent dix
Lorsque le monde découvrait l'automobile
Une pauvre femme abandonnée avec ses fils
Par son mari qui s'était enfui à la ville

Dans une superbe Panhard et Levassor
Qu'il conduisait en plein essor
Lui écrivait ces mots d'espoir
En pensant que peut-être un soir
Il reviendrait tout comme avant
Au lieu de partir dans le vent

Refrain

Je t'attendrai à la porte du garage
Tu paraîtras dans ta superbe auto
Il fera nuit mais avec l'éclairage
On pourra voir jusqu'au flanc du coteau
Nous partirons sur la route de Narbonne
Toute la nuit le moteur vrombira
Et nous verrons les tours de Carcassonne
Se profiler à l'horizon de Barbeira
Le lendemain toutes ces randonnées
Nous conduiront peut-être à Montauban
Et pour finir cette belle journée
Nous irons nous asseoir sur un banc

2

L'époux volage hélas ne revint pas si tôt
Escamoté par son nuage de poussière
Courant partout : Nice-Paris, Paris-Bordeaux
Sans se soucier de sa famille dans l'ornière
Il courut ainsi pendant plus de quarante ans
Et puis un jour, tout repentant
Il revint voir sa belle d'antan
Qui avait appris à ses enfants
Ce refrain que les larmes aux yeux
Ils répétaient aux deux bons vieux

Refrain

Ah quel bonheur à la porte du garage
Quand tu parus dans ta superbe auto
Il faisait nuit mais avec l'éclairage
On pouvait voir jusqu'au flanc du coteau

Demain, demain sur la route de Narbonne
Tout comme jadis heureux tu conduiras
Et nous verrons les tours de Carcassonne
Se profiler à l'horizon de Barbeira
Pour terminer ce voyage de poète
Et pour fêter ce retour du passé
Nous te suivrons tous deux à bicyclette
En freinant bien pour ne pas te dépasser
En freinant bien pour ne pas te dépasser.

Paye tes dettes

Paroles et musique de Charles Trenet

1
Il était couvert de dettes
De la tête aux pieds
Chez lui venaient faire la quête
Tous ses créanciers.
Et pour fuir ces personnages
Qui le torturaient
Un jour sans faire de tapage
Il partit pour la forêt
Au pied d'un arbre il s'endormit
Et pendant qu'il rêvait
Un oiseau tout en haut de lui
Sur une branche lui chantait :

Refrain

Paye tes dettes, paye tes dettes une, deux
Paye tes dettes, paye tes dettes mon vieux
Paye tes dettes, paye tes dettes
C'est mieux
Ou sans ça
Ça n'ira pas.
Il se dit dans son sommeil
C'est la voix d'ma conscience

Qui m'poursuit, qui me surveille
Je vais à mon réveil
Rembourser tous ces amis
Qui m'ont fait confiance
Non plus jamais je me l'dis
Je n'veux de crédit
Paye tes dettes, paye tes dettes disait
Paye tes dettes, paye tes dettes l'oiseau
Paye tes dettes, paye tes dettes
Allez !
Il y fut, fut tout de go.

2
Quel souv'nir quelle belle journée
Quand il régla tout (tout !)
C'qu'il devait d'puis des années
Jusqu'au dernier sou
Il s'défit même de sa ch'mise
On peut s'passer d'ça !...
Dans les bois soufflait la brise
Tout joyeux il y r'tourna
Sous le même arbre il s'étendit
Alors le même oiseau
Vint s'poser là tout près de lui
En répétant d'un air idiot :

Refrain

Paye tes dettes, paye tes dettes une, deux
Paye tes dettes, paye tes dettes mon vieux
Paye tes dettes, paye tes dettes
C'est mieux
Ou sans ça
Ça n'ira pas.
Dans l'instant même il comprit
Que la voix d'sa conscience
N'était autre qu'un volatile
Absurde et obstiné
Qui répétait le même cri
Depuis sa naissance

Sans savoir ce qu'il disait
Quelle destinée
Paye tes dettes, paye tes dettes disait
Paye tes dettes, paye tes dettes l'oiseau
Paye tes dettes, paye tes dettes
Assez !
Ou je vais te fracasser.

Parlé
Et c'est ce qu'il fit,
A l'oiseau, le cou il tordit
Et le lendemain dans tous les magasins
Et auprès de tous ses copains...
Il fit des dettes, fit des dettes une, deux
Il fit des dettes
Ah !
C'est mieux
Puis un soir devenu vieux
Très vieux
Il mourut
Couvert de dettes.

Les chansons de la nuit

Paroles et musique de Charles Trenet

Les chansons d'la nuit
Ne sont pas les mêmes
Qu'les chansons du jour
Au soleil qui luit
Car le jour on vit
Mais la nuit on aime
On aime écouter
Les chansons d'la nuit,
Elles viennent bercer
Les cœurs qui se pâment
Parfois regretter les bonheurs enfuis.
Tant que je vivrai

J'aurai dans mon âme
Le doux souvenir
Des chansons d'la nuit.

Le jour la vie brutale m'emporte
Mais la nuit soudain surgit
Et dès que j'ai fermé la porte
De mon logis
Une voix tendre s'élève
L'air que jadis tu chantais
Et qui revient dans tous mes rêves
A présent que tu m'as quitté.

Les chansons d'la nuit
Viennent dans les demeures
Pour parler d'amour
A nos cœurs blessés
Les chansons d'la nuit
Ont des voix qui pleurent
Quand elles se souviennent
Des beaux jours passés.
Elles savent chanter
Les lieux nostalgiques
Où nous nous aimions
Loin du monde, du bruit.
Et c'est nos paroles
Qu'elles mettent en musique
En souv'nir de nous
Les chansons d'la nuit.

1956

Le Noël des enfants noirs

Paroles et musique de Charles Trenet

Les petits Noirs d'Afrique
Ont le même Bon Dieu que nous
Ils lui chantent les mêmes cantiques
Tout comme nous à genoux
Et vers la fin décembre
Tout comme nous ils regardent le ciel
Jusqu'à c'qu'ils voient descendre
Dans la nuit le Père Noël.

Ils se souviennent d'Hérode
Ce roi qui fut si méchant
Aussi le soir ils ne rôdent
Plus à travers les bois et les champs
Ils restent comme des images
Éblouis devant la crèche
En attendant les Rois Mages
Devant Jésus sur la paille sèche.

Ils savent mais ils s'en fichent
Que les plus jolis des joujoux
Iront aux enfants des riches
Mais ils sentent là sur leur joue
La caresse d'un ange qui passe
Et qui leur donne un baiser
En leur disant : « Y a d'la place
Au ciel tu pourras t'amuser. »

Mais une chose les tourmente
Ils en parlent souvent à mi-voix
C'est comme un rêve qui les hante

Et leur met le cœur en émoi
C'est un mystère qu'on n'explique jamais
Pensent-ils tout tremblants
Pourquoi sur la terre d'Afrique
Le Bon Dieu est-il blanc ?

En tournée

Paroles et musique de Charles Trenet

En tournée le cœur s'amuse
En tournée toute l'année
En tournée bonjour ma Muse
Bonjour ma mie aimée
En tournée du moyen âge
Au milieu d' cent mille regards
Au milieu d' cent mille tapages
Haut-parleurs supercars
Vagabonds des grandes routes
Ou bandits des grands chemins
Où vas-tu l'âme en déroute
Et le cœur sur la main ?

As-tu vu près de l'estuaire
Le soir qui tombait trop tôt
Les oiseaux du cimetière
Qui volaient trop haut ?
As-tu vu près de la rivière
Les blés mûrs qui s'endormaient
Et la fille de la fermière
Dans sa ferme enfermée ?

Rien ne vaut tous ces voyages
Pour se faire des souvenirs
Et n'avoir dans ses bagages
Que les chansons à finir
En tournée le cœur s'amuse
En tournée toute l'année

En tournée bonjour ma Muse
Bonjour ma mie aimée.

La petite musique

Paroles et musique de Charles Trenet

C'était une petite musique
Qui naquit un jour d'printemps
De murmures nostalgiques
D'un ruisseau d'or et d'argent.
Elle partit dans la nature
Portée sur l'aile des épis
Les oiseaux dans la ramure
L'écoutèrent avec plaisir
Un rossignol dit : « Quelle chance !
Elle est dans ma voix
J'vais porter cette romance
Par-dessus les toits »
Avec elle vite il s'envole
En songeant : « Cet air béni
Mérit'rait bien des paroles
Des paroles de génie.

Je connais un grand poète
Qui vit seul dans la forêt
Il fait même une drôle de tête,
Il est romantique à souhait.
Je vais chanter ma musique
A ce vieil ami
Pour qu'il la rende poétique
Ce soir à minuit
Il trouv'ra une belle histoire
Un amour qui fait rêver
Tout le monde voudra y croire
Comme si c'était arrivé. »

Mais hélas le grand poète
Depuis peu n'vivait plus là
Il était dev'nu vedette
De télé et d'cinéma
Il tournait des pellicules
Au cœur d'Hollywood
Et Boul'vard du Crépuscule
On disait « is good ! »
Quelle ne fut pas la détresse
De notre ami rossignol
Il en conçut tant d'tristesse
Qu'il perdit son si bémol.

La forêt fut si lointaine
Et l'oiseau si fatigué
Qu'il mourut le cœur en peine
Dans un bois du Lauraguais.
C'est alors qu'un chat sauvage
Vint manger son cœur
Toutes les bêtes du voisinage
En frémirent d'horreur...
C'est ainsi qu'finit tragique
L'histoire du bon rossignol
Et de la petite musique
Qui jamais n'eut de paroles.
Pauvre petite musique !

Pauvre Georges André

Paroles et musique de Charles Trenet

1
Quand Georges André revient d' la chasse
Sa sœur aînée fait la grimace
Sa bonne maman quitte son canevas
Dans leur logement plus rien ne va
Les p'tits enfants dans leur litière
Ne savent plus dire leurs prières

Et le Bon Dieu du haut des cieux
Espère qu'un jour ça ira mieux

2
On voit aussi dans la cuisine
Sa mère penchée sur la bassine
Que peut-elle bien encore laver
Qu'elle n'a pas encore achevé
Elle nettoie sa gibecière
Qu'elle transforme en souricière
La maison sera dans de beaux draps
Mais après ça y aura plus de rats

3
Un certain soir pris de panique
Notre ami part pour Salonique
Il est reçu par le sultan
Mais comme il sue
C'est insultant
Un gros balourd d'eunuque l'enferme
A double tour dans une ferme
Où l'on fabrique du reblochon
Avec des tripes de cochon

4
Quand il reviendra de sa croisade
Il retrouvera tout le monde maussade
Sa pipe en terre
Boudant un peu
Toutes ses affaires passées au bleu
Le garde-manger sur les armoires
La bonne changée en bête noire
Le gaz coupé le puits à sec
Occupé par un drôle de mec
Le gaz coupé le puits à sec
Occupé par un drôle de mec

Parlé

Eh bien qu'est-ce que vous faites-là vous dans ce puits ?
Il ne faut pas rester là il faut partir

Ce n'est pas une maison d'habitation
C'est mon puits !
Allez allez partez

Pauvre Georges André
C'est fini

La maison du poète

Paroles et musique de Charles Trenet

1er refrain

C'est un' bien gentill' maison
Sans trop d'rim's ni d'raison
La maison du poète
Ell' murmur' soir et matin
Des musiqu's, des p'tits riens
Qui mett'nt le cœur en fête
Quand il fait beau tous les oiseaux du ciel
Vont se poser sur son toit rouge et calme
Quand vient l'hiver son refrain éternel
Évoque alors les golfes clairs, les palmes
Et chacun trouv' dans son cœur
Un écho d'son bonheur
Qui rend la vie sur terre
Plus charmant' dans ses mystères
Et l'on aim' sans façon
Du poète la maison !...

Où se trouve donc ce logis
Dans quel joli coin de France
Près des portes du grand Paris
En Bretagne ou en Provence
Ou bien lorsque tombe la nuit
Quand l'rideau des song's se lève
Cette maison vient-ell' sans bruit
Du fond du pays des rêves ?...

2ᵉ refrain

C'est un' bien gentill' maison
Sans trop d'rim's ni d'raison
La maison du poète
Ell' m'a dit : Reste avec nous
Mon amour, c'est si doux
D'avoir le cœur en fête
Les soirs d'avril fleuriront dans nos cœurs
Autant de joie que bien des gens envient
Et ce destin de soleil et de fleurs
Se poursuivra jusqu'au bout de ta vie
Et bercé par sa musique
Son charme poétique
Je rêve et je m'enchante
Et je vibr', je vis, je chante
Et j'aim' ce grand garçon
Ce poète et sa maison.

Loreleï

Paroles et musique de Charles Trenet

1ᵉʳ refrain

Loreleï
Fille de légende
Loreleï
J'entends ta voix
Loreleï
Toi qui demandes
Un peu d'amour ne serait-ce qu'une fois
Loreleï
Le fleuve triste
Loreleï
Porte ta chanson
Personne n'y résiste
Et bien qu'elle soit une illusion

Loreleï
Chacun répond.

Chacun te dit dans un murmure
Ô mon bel amour
Je vois l'or de ta chevelure
Attends-moi j'accours
Mais ce n'était qu'un beau mirage
Du soleil ardent
Loreleï dans un nuage
S'efface et pourtant

2e refrain

Loreleï
Fill' de légende
Loreleï
Tu reviendras
Cette nuit
Nue sur la lande
Danser encore et t'enfuir dans les bois
Loreleï
La lune blême
Sourira
De tes amants
Quand ils diront : Je t'aime,
En te cherchant éperdument
Loreleï
Au firmament

Coda

Loreleï
Loreleï
Loreleï
Loreleï
Loreleï
Au firmament.

1957

Le jardin extraordinaire

Paroles et musique de Charles Trenet

Refrain

C'est un jardin extraordinaire
Il y a des canards qui parlent anglais
Je leur donne du pain ils remuent leur derrière
En m'disant : « Thank you very much monsieur Trenet »
On y voit aussi des statues
Qui se tiennent tranquilles tout le jour dit-on
Mais moi je sais que dès la nuit venue
Elles s'en vont danser sur le gazon
Papa, c'est un jardin extraordinaire
Il y a des oiseaux qui tiennent un buffet
Ils vendent du grain des petits morceaux de gruyère
Comme clients ils ont Monsieur le Maire et l'Sous-Préfet.

Couplet

Il fallait bien trouver dans cette grande ville maussade
Où les touristes s'ennuient au fond de leurs autocars
Il fallait bien trouver un lieu pour la promenade
J'avoue que ce samedi-là je suis entré par hasard
Dans dans dans

Refrain

Un jardin extraordinaire
Loin des noirs buildings des passages cloutés
Y avait un bal qu'donnaient des primevères
Dans un coin d'verdure deux petites grenouilles
[chantaient
Une chanson pour saluer la lune

Dès qu'cell'-ci parut toute rose d'émotion
Elles entonnèrent je crois la valse brune
Une vieille chouette me dit : « Quelle distinction ! »
Maman dans ce jardin extraordinaire
Je vis soudain passer la plus belle des filles
Elle vint près de moi et là me dit sans manières
Vous me plaisez beaucoup j'aime les hommes dont les
[yeux brillent

Couplet

Il fallait bien trouver dans cette grande ville perverse
Une gentille amourette un petit flirt de vingt ans
Qui me fasse oublier que l'amour est un commerce
Dans les bars de la cité :
Oui mais oui mais pas dans...
Dans dans dans

Refrain

Mon jardin extraordinaire
Un ange du Bizarre un agent nous dit
Étendez-vous sur la verte bruyère
Je vous jouerai du luth pendant que vous serez réunis
Cet agent était un grand poète
Mais nous préférions Artémise et moi
La douceur d'une couchette secrète
Qu'elle me fit découvrir au fond du bois
Pour ceux qui veulent savoir où ce jardin se trouve
Il est vous le voyez au cœur de ma chanson
J'y vol' parfois quand un chagrin m'éprouve
Il suffit pour ça d'un peu d'imagination
Il suffit pour ça d'un peu d'imagination
Il suffit pour ça d'un peu d'imagination.

Gangsters et documentaires

Paroles et musique de Charles Trenet

En cinématographe, M'sieur et Madam' Durand
Avaient tous deux des goûts très différents
Madam' foll' de terreur préférait les gangsters
Et lui des films documentaires
Aussi tous les jeudis
Lorsque tombait la nuit
Ils partaient enchantés
Vers leur spécialité.

Parlé

(Le film de Madame Durand, un film de gangsters.)

T'as eu tort Johnny pour fifty box's seul'ment
T'as eu tort de buter ta grand'maman
Planqu' ton gun, Johnny, v'là l'sheriff qui vient
C'est trop tard Johnny, t'es fait comm' un chien
Et pendant qu'Madam' Durand frémissant' voyait tout ça
Son époux écoutait dans un autre cinéma :

Parlé

(Le film de Monsieur Durand, un film documentaire.)

Parlé

La tilderette est un oiseau futile et volage. Dès les premiers beaux jours, elle ne se soucie plus de loger dans la petite hutte de paillettes qu'elle a tristement brodée tout l'hiver. Bien au contraire, elle pond, à présent, ses œufs à l'extérieur. Remarquez combien les œufs de la tilderette ressemblent à nos crottes de mouche...

Chanté

T'as eu tort, Johnny pour fifty box's seul'ment
Reprenait l'ciné d'mam' Durand !

Un soir Monsieur Durand vint chercher son épous'
Son film ayant fini vers onze heur's douz'.
Puis pour rentrer chez eux, ils vont je n'sais pourquoi
Par un' rue mal famée et hop-là !
Quatr' monte-en-l'air surgirent
« Ton fric aboule ou j'tire ! »
Soudain un coup partit,
Et l'pauvre homm' entendit !
T'as eu tort, Bébert, pour cinquant' ball's seul'ment
T'as eu tort d'buter Madam' Durand
Planqu' ton Colt, Bébert
V'là la rouss' qui vient
C'est trop tard, Bébert, t'es fait comm'un chien
Et pendant qu'Monsieur Durand perdu voyait tout ça,
Il entendait encore le speaker du cinéma
Oui, le speaker de son film documentaire
Qui se gargarisait...

Parlé

Les charmantes ouvrières des usines Patroubec (Haute-Vendée) font d'abord tremper les graines de cachemin dans une solution de citrouille et de bicarbonate. Puis on plie ce qu'on appelle vulgairement la barbe, dans des petites boîtes en carton qui ressemblent étrangement à nos boîtes à gâteaux. Ensuite, ce sera le triage sévère, puis l'échelonnage et enfin l'échantillonnage...

Chanté

T'as eu tort Bébert pour cinquant' ball's seul'ment
Reprenaient en chœur les agents !

A ciel ouvert

Paroles et musique de Charles Trenet

La jeunesse actuelle est cell' cell' de tous les temps
Pas d'problèm' : les cœurs ont des ailes

Pour qui les comprend.
Pour qui l'veut bien c'est facil' pourtant
D'être de son époque
Et d'la voir fêter son printemps
Ça n'a rien qui choque
La jeunesse actuelle est celle
Qui vit en chantant

A ciel ouvert, à ch'veux défaits, à bouches gourmandes
Voici venir le temps joli du soleil !

Le temps d'aimer la vie en fleur qui vous l'demande
Le temps de battre avec son cœur le réveil
Et surtout mes enfants n'croyez pas ceux qui disent
Que l'amour l'grand amour est un péché
Car souvent en morale leur envie se déguise
Et ces jaloux voudraient vous empêcher
De vivre.

A ciel ouvert, à bleu d'azur, à cloch's qui dansent
A rêv' la nuit, à saut' le jour au soleil

A ciel ouvert, à ch'veux défaits, à joies immenses
A loin des pions, à liberté, goût du jour

A plonge dans l'eau, ah ! quel pays, viv' la Provence
A crises de rire, à mille folies, belles amours

Et surtout mes enfants n'pensez pas à l'automne
Il viendra bien à temps tout comm' l'hiver
Profitez au contraire du bonheur que vous donnent
Les vrais beaux jours sous les grands arbres verts entrez
[en transe !
A teint de feu, à chant' loisir, à grand's vacances.
Vivez vos jeux, à craqu' désir, à ciel ouvert,
A craqu' désir, à CIEL OUVERT !

1958

Le piano de la plage

Paroles et musique de Charles Trenet

1

Le vieux piano d' la plage ne joue qu'en fa qu'en fatigué
Le vieux piano d' la plage possède un la qui n'est pas gai
Un si cassé qui se désole
Un mi fané qui le console
Un do brûlé par le grand soleil du mois de juillet
Mais quand il joue pour moi les airs anciens que je préfère
Un frisson d'autrefois
M'emporte alors dans l'atmosphère
D'un grand bonheur dans une petite chambre
Mon joli cœur du mois de septembre
Je pense encore encore à toi
Do mi si la

2

Le vieux piano d' la plage ne joue qu'en sol en solitude
Le vieux piano d' la plage a des clients dont l'habitude
Est de danser sam'di dimanche
Les autres jours seul sur les planches
Devant la mer qui se souvient il rêve sans fin...
C'est alors que je sors tout courbatu
De ma cachette
Et que soudain dehors tremblant, ému,
D'vant lui j' m'arrête
Et c'est inouï tout c' que j' retrouve
Comme cette musique jolie m'éprouve
Me fait du mal me fait du bien
Je n'en sais trop rien

3

Adieu, adieu piano tu sais combien peuvent être cruelles
Ces notes que tu joues faux mais dans mon cœur ouvrant
[ses ailes
S'éveille alors la douce rengaine
D' mon heureux sort ou de mes peines
Lorsque tu tapes, tapes, toute la s'maine mais le samedi
Quand les jeunesses débarquent
Tu sais alors brigand d' la plage
Que ton souv'nir les marque
Et qu'un beau soir passé l' bel âge
Un autre que moi devant la piste s'arrêt'ra là et sera triste
En écoutant le cœur battant
L'air de ses vingt ans

1959

Les relations mondaines

Paroles et musique de Charles Trenet

1
J'ai des relations mondaines,
J'ai des relations.
J'connais la baronne du Maine,
Son fils Absalon.
J'vais les voir chez eux un'fois par s'maine
Dans leur vieux salon
Où tout un gratin s'démène, s'promène
En large et en long.

2
J'y côtoie des gens illustres,
Membres de l'Institut,
Rassemblés autour d'un lustre
Ils me disent « Tu » !
Par un jeu savant d'miroirs et d'glaces,
Dans leurs beaux atours,
On les voit d'profil, de dos et d'face,
Croquant des p'tits fours.

3
Vous connaissez tous Pilâtre,
L'acteur du Français,
Il m'a dit hier soir :
« L'théâtre,
Moi j'en ai assez.
Une affaire de poupées en plastique
M'appelle à Pamiers
A savoir cette nouvelle fantastique
Vous êtes le premier ! »

4
Grâce aux relations mondaines,
Grâce aux relations,
J'donne des lettres par centaines
D'recommandation ;
Ainsi ma filleule du Finistère
La petite Fanny
Travaille à présent au Ministère
Des Travaux Finis.

5
J'ai fait mon cousin Rodolphe
Placier d'cinéma
Et mon oncle, Paul-Adolphe
Huissier au Sénat,
Quant à moi j'vis bien et m'en contente
Tel est mon destin,
Dans ma chambrette, sous la soupente
11 rue Caumartin...

6
Là les relations mondaines
Ne m'empêchent pas
De r'trouver huit fois par s'maine
La petite Ida
Qui n'demande rien à l'existence
Rien qu'un peu d'bonheur.
Ça suffit pour qu'nos deux cœurs je pense
Ne forment qu'un cœur.

7
Loin des relations mondaines,
Loin des relations,
Nous allons au bord d'la Seine
A la belle saison.
Quand arrive l'hiver et sa froidure
Au lit nous restons,
Et c'est bien c'qu'il y a d'meilleur j'vous l'jure
Dans mes relations...

Giovanni

Paroles et musique de Charles Trenet

Refrain

Giovanni, qu'as-tu vu aujourd'hui ?
Giovanni, qu'as-tu vu, mon petit ?
« J'ai vu près des rochers une dame si jolie
Que tout d'abord j'ai cru rêver »
Giovanni, était-elle dévêtue ?
« En manteau de dentelle, presque nue
Ses yeux étaient plus doux que le ciel d'Italie
Elle m'a fait signe de m'approcher. »
Que s'est-il passé entre vous ?
Que s'est-il passé, dis-le-nous
Giovanni ne mens pas dis-nous la vérité.
« Nous avons bavardé puis nous avons chanté »
Giovanni l'as-tu prise dans tes bras ?
S'est-elle sentie conquise, mon p'tit gars ?
« Oui nos deux cœurs battaient battaient à la folie
Jamais je n'avais aimé comme ça ! »

Couplet

Ne croyez pas à cette histoire
Giovanni est un inventif
Qui s'amuse comme ça à faire croire
Des rêves insensés à des marins naïfs
Le soir venu quand tout repose,
Il a son cercle d'auditeurs
Giovanni dit d'étranges choses
A ses copains marins, pêcheurs.

Refrain

Le temps qui passe pourtant l'a changé.
Giovanni a vingt ans, l'cœur léger.
Un jour qu'il flâne un peu au fil du bleu rivage
Il voit soudain dans la clarté
Une femme aux yeux de ciel éblouis,
Une femme si nue, si belle, tout près d'lui,

Qui lui murmure tout bas :
« J'attendais ton bel âge
Pour d'venir ta réalité... »
Que s'est-il passé ce jour-là ?
Que s'est-il passé je n'sais pas,
Mais il est bon tout d'même
De dire enfin je t'aime,
Sans mentir désormais aux autres et à soi-même.
Giovanni, qu'as-tu vu tout à l'heure,
D'mandaient le soir marins et pêcheurs
Mais lui ne songeant plus à la belle du rivage
Répond : « Amis, ce jour fut perdu,
Aucun visage d'amour n'est venu,
La plage était déserte, j'n'ai rien vu,
Rien vu... »
Giovanni... Giovanni...

Cloches sonnez

Paroles et musique de Charles Trenet

Cloches, sonnez, le bonheur est là sur la terre
Cloches, sonnez, pour un grand amour
Mon cœur est épris mon âme n'est plus solitaire
Je vais enfin vivre à mon tour

Ciel de toujours qu'une joie nouvelle, pure, inonde
Ciel de toujours faites que ces beaux jours
Demeurent à jamais et jusqu'à la fin du monde
Cloches, sonnez pour mes amours !

Cloches, sonnez, le printemps est là qui s'avance
Cloches, sonnez, pour le mois d'avril
Sonnez pour la joie, sonnez pour la vie qui recommence
Sonnez, cloches, cloches des villes

Et sur les champs apportez aussi en cadence
La voix du ciel qui vient sans détour

Et dans la clarté de sa voûte bleue immense
Cloches, sonnez pour mes amours !

Cloches, sonnez, pour tous ceux qui savent que leurs
[peines
Vont s'effacer, vont bientôt guérir
Sonnez pour ceux qui n'ont jamais eu beaucoup de veine
Et qui demain vont réussir

Main dans la main au son de ces cloches c'est la ronde
De ceux qui chantent et c'est bien leur tour
D'avoir du bonheur et jusqu'à la fin du monde
Cloches, sonnez leurs amours !

La vie est une aventure

Paroles et musique de Charles Trenet

La vie est une aventure jolie
Heureux qui sait la chanter
Heureux qui sait bien en profiter
Le temps d'un été
Vite s'efface.

L'amour nous enchante la nuit, le jour
Heureux qui sait le garder.
Heureux qui sait lui prendre un baiser
Pour l'apprivoiser
Quand il passe
Quand il passe.

Il va, il se promène
Il chante, il est charmant
Il traîne des cœurs à la douzaine
Mad'moiselle pour vous quel beau roman.

La vie est une aventure jolie
Heureux qui sait la chanter

Heureux qui sait bien en profiter
Le temps d'un été
Vite s'efface
Mais il revient toujours
Le beau temps des amours
Et l'on dit : « Dame Nature »
La vie, quelle belle aventure.

Nuit d'hiver

Paroles et musique de Charles Trenet

Nuit d'hiver douce nuit sans fin
Le vent gémit nos cœurs chavirent
La rue c'est la mer notre chambre un navire
Qui s'en va vers un port
Où n'est pas la mort
Mais la vie qui fleurit demain
La nuit, la longue nuit qui marche
Comme la Seine se promène sous les arches
Suivant le même chemin

Rêve sans crainte amour de mon cœur
Que seule ta plainte soit de bonheur
Rêve sans nuage amour de ma vie
Les rêves sont les héritages de la nuit

Nuit d'hiver douce nuit sans fin
Le vent gémit et nos deux cœurs chavirent
La rue c'est la mer notre chambre un navire
Qui vogue vers son destin.

1960

Les soldats

Paroles et musique de Charles Trenet

1

Ils sont venus à pas de loup
Ils sont venus je ne sais d'où
Ils avaient fait un long voyage
On leur donna des viandes, du vin
Puis ils chantèrent de gais refrains
Parlant de gloire et de carnage
Puis à la fin de ce beau jour
Ils chantèrent des chansons d'amour
Et toutes les filles même les plus sages
Rêvèrent de leurs danses, de leurs chants
Et les vieillards comme les enfants
En les voyant n'avaient plus d'âge...

Parlé

C'étaient les soldats !...

2

Ils demeurèrent ici longtemps
Combien de mois, combien d'printemps
Je n'saurai dire car ma mémoire
N'a gardé d'eux qu'un vieux souvenir
En fait d'amertume, d'étrange plaisir
Mais pour le printemps c'est autre histoire
Pourtant je l'avoue ils ont volé
Sans trop l'savoir tout c'que j'voulais
Seul est resté le paysage
La plaine déserte où je viens ce soir

En frissonnant parce qu'il fait noir
Et que j'n'ai plus aucun courage

3
Ils sont repartis à pas de loup
Ils sont repartis je ne sais où
Sans doute pour faire un beau voyage
D'autres leur donneront des viandes, du vin
Ils leur chanteront de gais refrains
Parlant de gloire et de carnage
Puis à la fin de quelque beau jour
Ils chanteront des chansons d'amour
Et toutes les filles même les plus sages
Rêveront de leurs danses et de leurs chants
Et les vieillards comme les enfants
En les voyant n'auront plus d'âge.

Sacré farceur

Paroles et musique de Charles Trenet

1
J'habite un violoncelle
Un triangle isocèle
Je demeure dans une maison
Entourée de gazon
Les filles les moins sages
Viennent du voisinage
Sautant par-dessus le mur
Elles trouvent un homme mûr
Je vis dans une volière
Dévoré par le lierre
D'où l'on voit des oiseaux
Qui planent sur les eaux
Je hante un couvent morne
Avez-vous vu mes cornes
Mon nez couvert de suie
Car le Diable je suis

Refrain

Non non
Non non vous voulez nous faire peur
On ne vous croit pas sacré farceur

2

La petite fée qui loge
A deux pas de ma loge
Vient d'être assassinée
Elle n'a plus de nez
Au fond d'un couloir vide
Je la retrouve vide
En robe d'opéra
Dévorée par les rats
Elle fut toute ma vie
Longtemps je l'ai suivie
Nous visitons tous deux
Des pays merveilleux
Sans son profil de rose
Je perds le goût des choses
Et je vous dis adieu
Jusqu'à ce que je me sente mieux

Refrain

Non non vous voulez nous faire peur
On ne vous croit pas sacré farceur

Bien des histoires d'enfance
Se terminent en cadence
Une ronde une chanson
Pour nous donner le frisson
Quand on évoque les plages
Où la mer faisait rage
Quand on pêchait l' hareng
Avec ses grands-parents
Et quand parfois lucide
On se sentait l' cœur vide
Sur les bords du plaisir
A deux pas du désir

On n' savait pas qu' ce charme
Vous f'rait verser des larmes
Et que l'on devrait un jour
Appeler ça l'amour

Bravo vous avez bien du cœur
Vous êtes tout de même
Un p'tit farceur.

Qu'est devenue la Madelon ?

Paroles et musique de Charles Trenet

Qu'est devenue depuis
La Madelon jolie
Des années seize
A-t-elle toujours les yeux
Étonnés d'être si bleus
La taille à l'aise
A-t-elle toujours ce geste
De la main un peu leste
Pour dire sois sage
A ses amis d'un jour
Amoureux des contours
De son corsage.

Dans quel village est-elle
Loin de sa clientèle
Dans quelle contrée ?
Sous le ciel de quelle ville
Vit-elle encore agile
Ou retirée ?
Est-elle passée près d'moi
Dans la rue quelquefois
Mon cœur en tremble
A-t-elle dans sa famille
Qui sait ? une jolie fille
Qui lui ressemble ?

En voyant hier soir au ciné
Une histoire de ce temps suranné
Je m'disais qu'à notre âge atomique
Il est triste qu'cette époque d'vienne comique
Et j'allais au hasard dans les rues
Retrouvant des images disparues
D'mon enfance d'la jeunesse de mon père
De ma mère et aussi de la guerre.

Ils sont restés fidèles
Comme au temps auprès d'elle
Ils venaient boire
A la santé d'la France
A l'oubli d'la souffrance
A la victoire
Vision de ces images
Qui furent celles d'un bel âge
Et qui s'effacent
Le feu sur un toit d'chaume
Et l'Empereur Guillaume
Comme le temps passe.

Rien ne peut changer ma joie

Paroles et musique de Charles Trenet

Refrain

Rien ne peut changer ma joie
Depuis qu'ton cœur m'a dit chéri je t'aime
Rien ne peut changer ma joie
Depuis qu'ton cœur est tout à moi
Les jours de pluie, les soirs d'hiver
Il n'y a pas d'ennuis je suis couvert
Par ton amour qui me tient chaud
Mieux qu'un manteau
Et quand, hélas, des gens aigris
M'font la grimace des p'tits yeux gris

En m'demandant d'leur expliquer
Pourquoi j'suis gai
J'leur dis que
Rien ne peut changer ma joie
Depuis qu'ton cœur m'a dit chéri je t'aime
Rien ne peut changer ma joie
Depuis qu'ton cœur est tout à moi.

Le fait que la vie me plaît
M'inspire encore un couplet
Que je donne à qui veut le prendre
On le chante quand il fait gris
En province ou à Paris
Aussitôt le soleil vient l'entendre
Car...

Rien ne peut changer ma joie
Depuis qu'ton cœur m'a dit chéri je t'aime
Rien ne peut changer ma joie
Depuis qu'ton cœur est tout à moi
Tous les espoirs me sont permis
Parc' qu'un beau soir on s'est promis
D'être l'un pour l'autre, l'un pour l'autre
Et pour la vie
Quant aux malheurs, aux coups du sort
Ils se transforment en lingots d'or
Lorsque la nuit tout contre moi
Chérie tu dors
Car rien ne peut changer ma joie
Depuis qu'ton cœur m'a dit chéri je t'aime
Rien ne peut changer ma joie
Depuis qu'ton cœur est tout à moi.

Le jongleur

Paroles et musique de Charles Trenet

Refrain

Un jongleur qui jonglait
Avec fleurs et maillets
Un jongleur qui jonglait avec des cœurs
Ne savait qu'il y avait
Une belle fille qui l'aimait
Ne vivant jour et nuit
Que pour lui
Tous les soirs au premier rang
Dans l'petit café chantant
Elle venait le cœur battant attendant
Que paraisse dans son décor
Dans son costume bordé d'or
Celui dont elle aimait l'âme et le corps
Le jongleur s'aperçut
De la chose et reçut
La belle fille en folie
Dans son lit

Couplet

Aujourd'hui au fond d'une prison
La belle fille Jeannette ou Suzon
Se souvient de son tendre ami
Et du crime qu'elle a commis
Chaque soir
Sur le mur noir
Elle croit voir
Le cœur percé d'un poignard

Refrain

Le jongleur qui sourit
Et qui jongle toute la nuit
Le jongleur qui jonglait avec son cœur

Il avait pourtant dit
Qu'il aimait pour la vie
Mais ces mots qu'il disait
Il jonglait
Il disait : « Nous s'rons heureux
Nous vivrons seuls tous les deux
Il n'y aura pas d'plus gentils amoureux »
Mais hélas toutes ces histoires
F'saient partie d'son répertoire
Et Suzon avait eu bien tort d'y croire
Une belle fille qui pleurait
Qui perdait la raison
Un jongleur qui jonglait en prison
C'est ainsi que finit
La chanson
Du jongleur qui jonglait
Avec ses cœurs

Obéis au Bey

Paroles et musique de Charles Trenet

1
C'est une histoire d'un Bey de Tunis
Qui avait engagé à son service
Un p'tit groom, mais l'enfant
Demeurait tout tremblant
D'vant la mère du palais
Une bonne vieille qui voulait
Que tout marche et disait mon garçon
Écoute bien cette leçon

Refrain

Obéis au Bey,
Obé, obéis au Bey
Il n'faut pas devant le Bey rester comme ça bouche bée

Il faut écouter mon p'tit
C'que le Bey dit
C'que le Bey dit
Oui obéis au Bey
Obéis au Bey
Obé, obéis au Bey
Au Bey obéis,
Au Bey obéis.
Et fais bien tout c'qu'il te dit
Il n'faut pas devant le Bey
Saluer les abbés
Car si j'en crois c'qu'on m'a dit d'lui
Il est athée l'Bey
Eh bé !

2

Ceci dit
Le gentil p'tit sidi
Fit au mieux son service midi minuit
Il grandit au palais
Et devint pas trop laid
Puis il s'amouracha
De la fille d'un pacha
Il s'maria tout ça grâce aux conseils
De la charmante bonne vieille
(Qui disait dans le temps)

Refrain

Obéis au Bey,
Obéis au Bey,
Obé, obéis au Bey
Au Bey obéis,
Au Bey obéis,
Obé, obéis au Bey
Il n'faut pas devant le Bey
Ouvrir en grand la baie
Il n'faut pas j'espère qu'tu m'crois
Qu'le Bey ait froid

Qu'le Bey ait froid
Obéis au Bey,
Obéis au Bey,
Au Bey obéis,
Au Bey obéis,
Et fais bien tout c'qu'il te dit

A présent il n'y a plus d'Bey
Mais deux gros bébés
Qu'en bon papa il fait sauter
Sur ses deux g'noux
Mous.
Obéis au Bey,
Obéis au Bey,
Au Bey obéis
Ah ! Ah !

Par la porte entr'ouverte

Paroles et musique de Charles Trenet

1
Par la porte entr'ouverte
Il revoyait ses souvenirs
Un fantôme, une rue déserte
Un adieu qui va finir
Par la porte entr'ouverte
Le vent du soir tristement
Lui parlait d'une rose offerte
Un jour qu'il avait vingt ans
Et ce jour-là son cœur était ivre de joie
Car il portait en lui des illusions jolies
Par la porte entr'ouverte
Il revoyait toute sa vie
Et tout seul il rêvait d'un amour
L'impossible retour.

2

Au milieu du silence
Il entendit une chanson
Qui parlait de la France
D'son enfance et d'sa maison
Au milieu du silence
Il entendit un air si doux
Que les larmes de la romance
Roulaient de ses yeux sur ses joues.
Et ce jour-là son cœur était triste et bien las
Car il portait en lui des illusions fanées
Et la porte fermée
Soudain dans le vent de la nuit
Le laissa sans amis pour la vie
Seul dans sa poésie.

Barcelone

Paroles et musique de Charles Trenet

1

J'ai revu la Rambla et les fleurs de soleil
Et le port tout là-bas Barcelone
J'ai revu dans les rues, sur les places, les boul'vards
De belles filles aux yeux noirs
Tout en haut de la ville
J'ai r'trouvé la colline
Qui le soir s'illumine Ti-Dabo
Gentille fête à Neu-Neu
Où la joie d'être deux
Conduit les amoureux.
Ils dansent et l'on pense
Que le monde tourne bien
Une cloche met d'la note
Toute la nuit nous appartient
Mais la nuit se poursuit et l'soleil qui s'réveille
Généreux, fait au mieux sa besogne
Et les pigeons déjà

Font leur premier repas
Place de Catalogne.

2
C'est ici que l'dimanche au sortir de l'église
Un ballet sous les branches s'organise
C'est un cercle de joie
Qui rassemble à claire voie ouvrières et bourgeois
Bien des mains vont se lier
D'un geste familier
La musique emportée par la brise
S'envole sur les jardins
Dans un écho sans fin
Toute la ville le sait bien
La sardane catalane
C'est le rythme à l'unisson
Qui me donne Barcelone
Les premiers airs d'une chanson
Une chanson que j'fredonne au retour de ces lieux
Où mon cœur fut joyeux Barcelone
Au retour à Paris
Que je r'trouve lui aussi chaque fois plus joli.

Parlé
Oh ! Paris !...

Dis-moi, quel est ton nom ?

Paroles et musique de Charles Trenet

1
Dis-moi, quel est ton nom
Et d'où viens-tu, de quel pays, quel paysage ?
Dis-moi, dis-moi, réponds
De qui tiens-tu ces yeux d'azur et ces ch'veux blonds ?
Pourquoi, dès qu'tu parais
Y a-t-il des fleurs autour de toi sur ton passage
Pourquoi ? pourtant tu l'sais

Tu l'sais depuis longtemps
Je suis l'printemps !

2
Dis-moi, quel est ton nom ?
Pourquoi rends-tu les cœurs fous de joie ou pleins de
[larmes ?
Dis-moi, dis-moi, réponds
De qui tiens-tu fripon ce goût pour les jupons ?
Pourquoi fais-tu miauler
Les chats d'gouttière la nuit et les chanteurs de charme ?
Pourquoi me faire parler
Tu le sais depuis toujours
Je suis l'amour !

3
Dis-moi quel est ton nom ?
Par quel miracle le temps passe-t-il parfois si vite ?
Pourquoi bien des saisons
Vont-elles parfois avec lenteur plus que de raison ?
Pourquoi, malgré les coups
Que tu nous donnes sur la grande route qu'l'on a choisie
Pourquoi t'aime-t-on beaucoup ?
— Mais tu le sais bien ami
Parce que je suis
Je suis la vie
Et que je ne puis changer
Ni chance ni danger !

Les petits regrets

Paroles et musique de Charles Trenet

On a parfois des p'tits regrets
Qui viennent vous pincer le cœur
Des vieux souv'nirs, d'anciens projets
Des tas de p'tits bonheurs
Et des serments d'espoir

Qui n'ont duré qu'un soir
Quand on disait déçu
J'aurais mieux fait si j'avais su.

On se souvient d'un rendez-vous
Dans un ciné sous la pluie
Et d'un baiser, je vous l'avoue
Refusé dans la nuit
Honteux d'avoir pleuré
On prend un air moqueur
Mais y'a parfois des p'tits regrets
Qui viennent vous pincer le cœur. *(bis)*

La bonne planète

Paroles et musique de Charles Trenet

La lune se cache
Derrière une moustache
Elle prend un p'tit air des plus bourgeois
L'Étoile polaire
S'dévoile, s'éclaire
On voit la Grande Ourse en haut du toit
Nocturne
Saturne
Blémit au cœur de son anneau
Et rouge
Mars bouge
Un œil à la fenêtre d'en haut.

Des hommes
Qu'on nomme
Savants astronomes
Observent et surveillent toutes ces merveilles
Mais la bonne planète
C'est celle de l'amour
Qui fait tourner les têtes
Comme elles tournent toujours.

Ô lune sereine
D'un ciel tu es la reine
Mais pour les poètes
Tu es la bonne planète.

1961

Au fil du temps perdu

Paroles et musique de Charles Trenet

Au fil du temps perdu
Tous deux on s'est connu
Flânant sans trop savoir
Ce que cherchaient nos cœurs, un soir...
Dans l'ombre bleue des rues
L'amour soudain parut
A nos visages surpris
Surpris d'être aussitôt épris
Adieu, adieu les inquiétudes
Adieu, adieu les jours maudits
Les noirs destins, la solitude
Un peu d'bonheur nous fait crédit...
Amour, tu sais comment
Se trouvent tous les amants
Béni, béni sois-tu
Au fil du temps jamais perdu...
Adieu, adieu les inquiétudes
Adieu, adieu les jours maudits
Les noirs destins, la solitude
Un peu d'bonheur nous fait crédit
Amour, tu sais comment
Se trouvent tous les amants
Béni, béni sois-tu
Au fil du temps jamais perdu...

La plus belle nuit

Paroles et musique de Charles Trenet

C'est la plus belle nuit
Depuis la nuit des temps
C'est la nuit de Noël
La nuit d'un pauvre enfant
De Jésus, fils de Dieu
Descendu sur la terre
Pour que les cœurs anxieux
Ne soient plus solitaires
Pour que la paix du monde
Arrive et qu'ici-bas
L'espoir, la charité
Viennent guider nos pas
Ô joie de Bethléem
Merci pour ta lumière
Qui change en seul jour
La face de la terre.

Refrain

Noël ! Noël !
Jésus est né !
C'est la plus belle nuit de l'année
Noël ! Noël ! Noël ! Noël !
Jésus est éternel !

Ouvrier du Seigneur
Parmi les ouvriers
Ne quittant ton travail
Que pour aller prier
Mon Dieu de Nazareth
A l'enfance tranquille
Jésus tu vas grandir
Humble, doux et docile.
La maison de ton Père
Est le temple de Dieu
C'est là que tu promets
Le Royaume des Cieux

A ceux qui te suivront
Et qu'enfin tu pardonnes
En mourant sur la Croix
Tous les péchés des hommes. *(Refrain)*

Orphée

Paroles et musique de Charles Trenet

Orphée, je sais quel est ton mal
J'ai connu ton chagrin, je connais ton mystère
Orphée, le monde n'est qu'un bal
Où ta voix désormais demeure solitaire
Pourtant tu ne chant's que l'amour
Un amour qui sourit et t'éclaire
Hélas, tes rêv's, tes beaux discours
Ne sont pas pour l'enfer où nous vivons nos jours
Orphée, je sais quel est ton mal
J'ai connu ton destin, tes joies et tes poèmes
Orphée, le monde est un rival
Qui méprise aujourd'hui le meilleur de toi-même
Oublie les charmes d'autrefois

Oublie tes dangereux « je t'aime »
Leur temps n'est plus car d'autres lois
S'imposent à nos cœurs sans amour et sans foi
Orphée, il faut cacher tes larmes
Savoir où sont tes armes
En ce monde banal
Ta chance, c'est d'entrer dans la danse
Et d'être admis, je pense
Parmi les gens du bal
Orphée, si tu souris, guéri
C'est qu'il ne reste rien
D'un rêv' qui fut le mien.

Les voix du ciel

Paroles et musique de Charles Trenet

1er refrain

Les voix du ciel pour nous se font entendre
Au cœur des nuits, de belles nuits d'été
Dans la campagne quand il fait bon s'étendre
Et que la lune sourit dans sa clarté,
Lorsque l'Amour nous murmure à l'oreille
De jolis mots, des serments éternels,
Oui, c'est alors que le cœur s'émerveille
Et qu'il entend chanter les voix du ciel

Couplet

Elles viennent du bout des temps
De ces lointains printemps
Fleuris d'étoiles,
Elles viennent de l'inconnu,
Du plus profond des nues
Et nous dévoilent
Soudain le sens de la vie
Qui n'est qu'amour infini.

2e refrain

Les voix du ciel pour nous seront fidèles
Aussi longtemps qu'il y aura des lilas
Et tout comme eux au temps des hirondelles
Quelque bonheur toujours refleurira.
Tant qu'il y aura sur cette vieille terre
Des cœurs épris, jouvenceaux, jouvencelles
Ils s'uniront, jamais plus solitaires
En écoutant chanter les voix du ciel
En écoutant chanter les voix du ciel.

La p'tite Didi

Paroles et musique de Charles Trenet

Refrain

J'ai r'vu la p'tite Didi
C'est fou c'qu'elle a grandi
Elle a toujours son p'tit
Son p'tit sourire de gamine
Elle a, elle a pourtant
Déjà dix-huit printemps
Et dans les cœurs des gars
Commence à faire des dégâts
Son corsage est à l'âge
Est à l'âge des étalages
Quel dommage qu'ces appas
N'se voient pas sans maman ni papa papa papa
Et je m'demande alors
Gard'ra-t-elle sans effort
Combien de temps encor
Son p'tit cœur sans diable au corps.

Couplet

Cett' chanson qu'chantait mon grand-père
Je m'la chant' parfois moi aussi
Car Didi c'était ma grand-mère
Et sans ell' je n's'rais pas ici
Où s'rais-je donc si par un dimanche
Mon grand-père tremblant d'amour fou
N'avait dit à Didi sous les branches
J'ai un p'tit morceau d'musique pour vous

Parlé

Un p'tit morceau d'musique ?
Comment ça fait ? Ça fait...

Refrain

J'ai r'vu la p'tite Didi
C'est fou c'qu'elle a grandi

Elle a toujours son p'tit
Son p'tit sourire de gamine
Elle a, elle a pourtant
Déjà dix-huit printemps
Et dans les cœurs des gars
Commence à faire des dégâts
Son corsage est à l'âge
Est à l'âge des étalages
Et bien sages ces appas
Sont ici sans maman ni papa papa papa
Ah quel émoi Didi
Répondez-moi Didi
C'est mon cœur qui vous l'dit
Me voulez-vous pour la vie ?
Et Didi a dit « Oui »
Mais il faut d'abord que j'en parle
A mon père, à l'oncle Charles
A maman et à Tante Agatha Ta ta ta ta ta
Mais les parents, surgis
Derrière un taillis,
S'écrièrent tout réjouis
Nous aussi nous disons oui !
Prenez Didi, prenez Didi
Prenez Didi pour la vie.

Le pauvre Antoine

Paroles et musique de Charles Trenet

D'un sac d'avoine
Le pauvre Antoine
Ens'mence un champ
Et c'est touchant
D'le voir ainsi
Travailler ferme
Autour d'sa ferme
Sous l'grand soleil ou sous la pluie
Par-là, par-ci

Il sarcle, il bêche
Il se dépêche
Le temps des s'mis
Bientôt pour lui sera fini
Faut pas qu'on loupe
Les premières coupes
De bonne luzerne ou de sainfoin
Dans tous les coins
Malgré l'averse
Il passe la herse
Malgré qu'il tombe de l'eau
Il faut passer l'rouleau
Madame la pluie
Vous êtes bénie
Vos larmes du ciel sont sans chagrin
Bonn's pour le grain
Demain viendra l'homme du canal
Il faut qu'l'on paye
Le puits qu'l'on creusa, c'est normal
Derrière la plus vieille des trois treilles

Ma pauvre femme
C'n'est pas un blâme
Mais tu pourrais mettre d'autres souliers
Au poulailler
Économise
Ta belle chemise
Faut pas qu'elle soit tachée d'crottin
L'dimanche matin
As-tu ma bonne
Gentille Léone
Donné à boire aux ch'vaux
A la vache au p'tit veau
Bouche les gouttières
Sous les litières
As-tu pensé à quelques achats
D'mou pour les chats
Le soir Antoine
Ne mange qu'une couenne
Et puis s'endort

Pas toujours gai
Mais fatigué
Monsieur l'Ministre
D'Quimper à Istres
Donnez une aide dès à présent
Aux paysans.

Narbonne, mon amie

Paroles et musique de Charles Trenet

Narbonne mon amie
Douceurs des premiers jours
Ce soir fait l'endormie
A l'ombre de ses tours
Et sous la lune pâle
Je marche allégrement
Dans la nuit provinciale
De ce décor charmant
Personne ne me remarque
(Je passe entre deux villes)
Et soudain je débarque
Sur les barques tranquilles
La rue du Pont m'accueille
Et gentiment me dit :
« Tu vois les jours s'effeuillent
Bonsoir mon vieux petit. »
Bonsoir la rue Droite
Où si l'on tourne à droite
On retrouve toujours
L'école Beauséjour
Bonsoir quai d'Alsace
Où tout est à sa place
Comme à la belle saison
Où vivait ma maison.

Narbonne mon amie
Demain il fera jour

Demain chant'ra la vie
Et fleurira l'amour
Et moi pour les voyages
Encor' je partirai
Avec dans mes bagages
Mon cœur et ses regrets
Au r'voir pays des songes
Du temps de mon enfance
Où le fiacre de Monge
M'emportait en vacances
Au r'voir la ville entière
La visite est finie
Au r'voir le cimetière
Où dort tante Émilie.

Variante
Un geste à la portière
Au r'voir Narbonne amie.

Kangourou

Paroles et musique de Charles Trenet

1
Kangourou, Kangourou
Mon gentil Kangourou
Aux yeux verts au poil roux
On t'aimait ici beaucoup
On t'avait rapporté
Du pays des grands étés
D'Australie
Dans un lit
Un petit lit de paille bien joli

2
Kangourou, Kangourou
Les premiers jours furent si doux
Tu sautais comme un fou

Gambadant un peu partout
Sous les arbres dans les fleurs
Tu faisais le joli cœur
Les voisins sans courroux
Disaient qu'il est gentil ce Kangourou

3
Tu grandis, tu grandis
Le jardin devint trop p'tit
A la fin rassasié
De jouer à saute-rosier
Saute-lilas saute-gazon
Un beau jour tu fis un bond
Et franchis, c'est malin
Le mur de la maison de Saint-Paulin

4
Un gendarme qui passait
S'écria mais qu'est-c' que c'est
Que ce gros lapin d'choux
Qui saut' le mur de chez vous
Je lui dis ce lapin
M'sieur l'gendarm' c'est un copain
Sans m'entendre il t'emmène
Pour t'enfermer au Zoo de Vincennes

5
Nous venions le jeudi
T'apporter des fruits confits
Tristement tu r'gardais
Les badauds qui te badaient
Et ton œil semblait dire
Est-ce bien vrai ou est-ce pour rire
Ou pour faire un' chanson
Que tu m'as fait jeter dans cett' prison

6
Vint l'automne le temps froid
Et je compris ce jour ma foi
En venant un jeudi

Que tu allais mourir d'ennui
J'eus alors du chagrin
De t'avoir ram'né de si loin
Sans savoir que ton bonheur
C'était de vivr' au pays de ton cœur

7
Kangourou, Kangourou
Tu partis gentil comm' tout
Pour des lieux merveilleux
Où l'on voit passer l'Bon Dieu
Mais parfois quand l'soleil
Brise de ses rayons vermeils
La pluie fine du mois d'août
Je crois te voir là-haut mon Kangourou

8
Librement, librement
Tu gambades au firmament
Sur de beaux nuag's perché
Tu t'amuses à saute-clocher
Saut' le toit d'la maison
Saut' les vers de ma chanson
Loin des cages des verrous
Et sans rancune pour moi mon Kangourou.

Toi qui passais

Paroles de Charles Trenet *Musique de Johnny Hess*

Refrain

Toi qui passais
Savais-tu que j'avais
Au fond du cœur
Tant d'amour ce soir-là...
Tant de désir
Que j'aurais pu mourir

Pour le plaisir
De t'avoir dans mes bras
Mais que t'importe à présent de te dir' que je t'aime
Inconnu de la nuit
L'instant suprême
Est fini...
Toi qui passais

Je sais pourtant, je sais
Que pour la vie
Mon cœur t'aurait suivi.
De ce bonheur perdu j'ai toujours le regret
Il est là qui m'accable en secret
Bon gré, mal gré
Toi qui passais *(Au refrain)*

Coda
... Je sais pourtant, je sais
Que pour la vie
Mon cœur t'aurait suivi.

1962

Zéphyr

Paroles et musique de Charles Trenet

Zéphyr, petit dieu malin
Qui vient et qui passe
Laissant en tout un chacun
Un peu de sa grâce
Dans nos cœurs
Il entre moqueur
Et prend souvent toute la place
Car Zéphyr, avec ses désirs,
Nous donne parfois bien du plaisir

Est-ce un ange un démon
Ça dépend des sermons
Qu'il fait quand il s'explique
Est-il sage, est-il fou
J'n'en sais rien, oui mais tout
Avec lui se complique
Hardi et dégourdi
Mais toujours étourdi
Il court à perdre haleine
Disant, quelle obsession,
Qu'il est chargé d'mission
Pour Hector ou Madeleine

Zéphyr, petit dieu malin
Qui vient et qui passe
Laissant en tout un chacun
Un peu de sa grâce
Mais aussi
Bien de noirs soucis
Les rires se changent en grimaces

Quand Zéphyr, avec ses plaisirs
S'envole pour ne plus revenir.
Alors Zéphyr nous rend tristes à mourir

Si loin de ton amour

Paroles et musique de Charles Trenet

Loin de ton amour
Je vois passer, passer les jours
Les jours de pluie, les jours qui pleurent
Le souv'nir de nos bell's heures
Loin de ce bonheur
Qui fut si doux à nos deux cœurs
Et désormais qui désenchante
Mon âme démente
Là-bas, là-bas quelqu'un est-il tout près de toi
Non, non ce n'est pas vrai
Je sais qu'un jour tu reviendras
Et ce grand jour-là
L'amour pour nous refleurira
L'amour, l'amour tout comme avant
Rapporté par le vent
Rapporté par le vent
Aussi pur, aussi tendre qu'avant.

L'horrible tango

Paroles et musique de Charles Trenet

Ne reviens jamais horrible tango
Qui sens le mégot
Et la pompe funèbre
Tes airs langoureux
Pour faux amoureux
Et ton rythme creux

Me cass'nt les vertèbres
Les yeux dans les yeux, un pas de côté,
Les pleins dans les creux, un pas hésité... raté !...
Remporte avec toi
Tes vieux chapeaux cloches
Et ta gomina
Tango triste et moche
La mod', Messieurs, souvent est éphémère,
Qui le sait mieux que les coquett's mémères
Comm' c'est commod'
Quand un retour heureux
D'une vieille mod' les avantage un peu
Mais l'mauvais goût qui frise l'indécence
Et fait de nous des parapluies qui dansent
Doit limiter ces sinistres dégâts
Et au tango qu'on veut r'lancer, je dis : halte-là !...

Ne reviens jamais horrible tango
Qui sens le mégot
Et la pompe funèbre
Ne reviens jamais
Tango des pâmés
Tango des paumés
Et des pauvres zèbres
Les yeux dans les yeux, un pas de côté,
Les pleins dans les creux, un pas hésité... raté !...
Remporte avec toi
Tango de cim'tière
Tes gigolos froids
Et tes foll's rombières !

Parlé
« Juanito ! c'est d'accord ?
Rendez-vous au Ritz
On dansera le tango »
« Si, Madame, comme mucho gusto... »
Quelle époque !

1963

Landru

Paroles et musique de Charles Trenet

Parlé

Monsieur le Procureur, je regrette de n'avoir à vous offrir
[que ma tête, Oh !
... Silence ou je fais évacuer la salle

Refrain

Landru, Landru, Landru vilain barbu
Tu fais peur aux enfants
Tu séduis les mamans
Landru, Landru ton crâne et ton poil dru
Ont fait tomber bien plus d'un prix d'vertu
C'était, je crois, en mill' neuf cent vingt-trois
Que ton procès eut le succès qu'l'on sait
Landru, Landru dommage qu'elles t'aient cru
Tout's cell's qui sous ton toit
Brûlèr'nt pour toi

Couplet

Tu leur parlais si bien lorsque tu leur disais
Venez ma douce amie, allons vite à Gambais
J'ai une petite villa, rien que monter descendre
Hélas elles montaient et descendaient en cendres

Refrain

Landru, Landru, de quel bois te chauffes-tu
Ton four fait d'la fumée,
Sous la verte ramée
Landru, Landru un ramoneur est v'nu

Il a dans ta ch'minée trouvé un nez
Calciné
Pendant l'verdict, pas un mot pas un tic
Énigmatique, tu restas hiératique
Landru, Landru en jaquette en bottines
Y a un' veuve qui t'a eu,
La Guillotine

Landru, Landru, on prétend qu'on t'a vu
En bon p'tit grand-père
Vivant à Buenos Aires
La barbe rasée et la moustache frisée
Plus rien de l'homme d'alors,
C'est ça la mort
Disons, tout d'suite, qu'en mill' neuf cent vingt-huit
Ce genre d'histoire était facile à croire

Landru, Landru, tout passe avec le temps
A présent, tu n'fais plus peur aux enfants
Mais tu séduis pourtant bien des grand'mamans
Et d'Plougastel à Tarbes
Elles rêvent de ta barbe
Et de son poil dru, vieux Landru

Le grand partage

Paroles et musique de Charles Trenet

Tant de joies pour autant de peines
Tant de rires pour autant de pleurs
Tant d'amour pour autant de haine
Tant d'épines pour autant de fleurs
Car la vie est un grand partage
Tant de jours pour autant de nuits
Le bonheur qui vient à tout âge
Porte en soi ses revers d'ennui...
Et l'on sait qu'il n'y a pas que la chance
Quand elle tourne on dit « C'est fatal »

Mais on garde au cœur l'espérance
Car le bien vient après le mal
Mais l'on sait qu'il n'y a pas que la chance
Quand elle tourne on dit « C'est fatal »
Mais on garde au cœur l'espérance
Car le bien vient après le mal

Jeunesse plumée

Paroles et musique de Charles Trenet

J'n'ai pas connu le temps du French-Cancan
Et je m'en fous
De Valentin le Désossé, de la Goulue
Moi, j'ai connu le temps des camps
Et j'vous l'avoue
Et j'ai connu sans l'avoir voulu
L'temps des frisés polis
R'vêtus de vert-de-gris
Des cigarettes au marché noir
Sur les boul'vards
De ma jeunesse plumée
Envolée en fumée
Quand j'm'en souviens
Ça m'fait tout d'mêm' du bien
Il y avait une bande de vieux jaloux
Qui nous traitait d'zazous
Il y aura toujours des gens qui n'aiment pas la jeunesse
Pour qui d'avoir vingt ans et d'vivre sans un sou
Est un péché dont l'bonheur les rend fous
Pauvres amours d'antan, pauvres petits rendez-vous
Pauvres serments, pauvres baisers, pauvres caresses
Pauvres désirs d'enfants avec le ventre creux
Les soirs d'hiver, malgré tout amoureux.
Chacun son lot, le monde va, j'ai compris le destin
Aussi j'réponds, quand on me parle d'la belle époque
Ou bien du temps présent, dont on n'est pas certain
Qu'il va s'priver d'nous flanquer tous en loques,

Bravo pour l'madison,
Les tangos argentins
Tant mieux pour vous si ça vous donne une âme baroque
Goulue, t'as fait ton temps
Vous c'est l'vôtre à présent
Tant mieux pour vous, moi j'garde mes seize ans.

Parlé

Hé dis donc Jeannette, regarde ce que j'tai rapporté au lieu du bouquet de violettes que tu demandais :
Une livre de beurre !...
Comment j'lai eue ?...
Par des copains...
Des combines, des combines, des combines...
Parce que... je t'aime, tu sais !

Mon village englouti

Paroles et musique de Charles Trenet

Mon village au fond de l'eau
Se souvient des heures si proches
Quand volait dans le jour nouveau
Le son joyeux de ses cloches
Mon village au fond de l'eau
Se souvient du bruit des enclumes
Dont j'entends encore les échos
Vibrant sous un manteau d'écume
Et la voix des peupliers
Jamais, jamais je n'ai pu l'oublier.
Tant de souvenirs engloutis
Dorment là sous l'onde isolée
Depuis qu'un barrage maudit
A noyé ma verte vallée.

Mon village au fond de l'eau
Se souvient de choses jolies

D'un amour qui fut si beau
Soleil de toute ma vie...
A présent qu'a sonné le glas
L'amour est mort, fut-il volage ?
Et mon cœur est triste et bien las.
Mon cœur pareil à ce village
Ce village au fond de l'eau
Dont seul j'entends les soupirs, les sanglots.

Tout doux en péniche

Paroles et musique de Charles Trenet

Tout doux en péniche
Adieu les grands galops
Le temps défile au fil de l'eau
Un chien dans sa niche
C'est bien mais un p'tit ch'val
En amont en aval
Voguant sur un bateau
Ça ne semble pas normal
A-t-il déjà l'âge
De ne plus travailler
Et de rester à sommeiller
Chemins de halage
Ô vous qui savez tout
Dites-moi ce que ce ch'val
Tout doux
Fait ici loin de chez lui
Jour et nuit

Est-il en vacances
Souffre-t-il de la rate
A-t-il des rhumatismes aux pattes
Voyez comme il danse
Malade il ne l'est point
Il mange bien son foin
Il va vers l'aventure

Et ça mène parfois loin
Enfant ou poète
Ou les deux à la fois
Et p'tit ch'val par surcroît, ma foi
Héros d'historiette
Aux sentiments jolis
Je salue à son passage
Poly
Sur la route où le destin le conduit
Sur la route où le destin le conduit

Les vacances de Poly

Paroles et musique de Charles Trenet

Poly, Poly, la route est belle
Il faut partir !
Vois dans les prés des fleurs nouvelles
S'épanouir
Ces beaux chemins dans la campagne
Ont tous promis
De te guider vers la Bretagne
Vers ton ami.

Tu vas trouver dans la nature
Mille raisons
De préférer les aventures
A la maison
Et si parfois la vie est rude
Eh bien tant mieux
Ça change avec la solitude
Les mêmes cieux.

Ça change avec la vie morose
De chaque jour
Les mêmes toits, les mêmes roses
La même cour,

Et près du puits la même treille
Le mêm' chaton,
Courbée en deux la même vieille
Et son bâton.

Poly, Poly, finie l'étable
Adieu ce temps
Tu vas goûter les véritables
Joies du printemps
Et découvrir soudain la rade
Où fait escale
Le plus gentil des camarades
L'ami Pascal

Car pour les bêtes comme pour les hommes
Les sentiments
Sont naturels et font en somme
Joies ou tourments
Qu'importe alors la route à suivre
Le monde entier
Si l'on ne peut hélas pas vivre
Sans amitié.

Poly, Poly, la route est belle
Il faut partir !
Vois dans les prés des fleurs nouvelles
S'épanouir
Ces beaux chemins dans la campagne
Ont tous promis
De te guider vers la Bretagne
Vers ton ami.

Parlé

Allez ! vas-y Poly !

Quand nous irons en vacances

Paroles et musique de Charles Trenet

Quand nous irons en vacances, La-la-la-la
Nous ferons vite connaissance, La-la-la-la
Avec les prés, les bois de la douce Ile-de-France
Où les rives fleuries
Au soleil du Midi

Si nous allons en Bretagne, La-la-la-la
A nous la lande, la campagne, La-la-la-la
Notre amie l'alouette nous dira, mes petits
Ayez tous le cœur en fête, les apprentis

Apprentis ça veut dire tout de même
Qu'on sait des choses
On connaît les outils
On sait rosa la rose
Moi, c'est la mécanique
Moi, l'électricité
Moi, c'est la balistique
Et moi, je n'aime que chanter !

Quand nous irons en vacances, La-la-la-la
Nous aurons pour résidence, La-la-la-la
Une maison de toile,
Douce à la belle étoile
Et pour sauter les feux
Nous serons plus de deux

Oui mais avant qu'on s'prélasse, La-la-la-la
Y'aura bien des heures de classe, La-la-la-la
Tous, le cœur à l'ouvrage, c'est facile et gentil
Ils gagneront leur voyage, les apprentis, les apprentis.

La famille musicienne

Paroles et musique de Charles Trenet

Mon père est musicien
Mon frère est musicien
Ma mère est musicienne
Ell' joue d'la harpe ancienne
Mon père joue du violon
Mon frère du cymbalum
Et moi vous l'savez bien
Je n'joue de rien
Je joue à donner des visages
Aux nuages qui courent dans le p'tit jour
Parfois, perdu dans le bocage
Je joue comme les oiseaux d'amour...
Mon oncle est musicien,
Il joue du cor prussien ;
Ma tante Adélaïde
Connaît l'ophicléide...
Mon jeune cousin Gaston
Tâte du biniou breton
Et même avec la bonne
Un peu d'trombone...
Le sam'di soir, il faut les voir, ah ! quell' merveille,
Se réunir pour le plaisir de leurs oreilles
Au piano droit se tient parfois Monsieur l'Abbé
Qui réussit à jouer aussi du galoubet

Ils attaquent tout de go
« La Fille d'Madame Angot ! »
Après un verr' de bière
Un peu de Meyerbeer.
« Poète et Paysan »
A bien des partisans
Mais qui gagne en tous cas ?
C'est « La Tosca » !
Alors chacun me fait l'reproche
De n'pas comprendre la beauté
Des dièses, des croches, des doubles croches
Des soupirs et des noires pointées.

Mon Dieu quell' défaveur
On me trait' de rêveur
On ajout' qu'à mon âge.
C'est triste et bien dommage
Tu n'es bon mon garçon
Qu'à faire des chansons
C'est vrai c'est c'qui m'plaît :
Refrains, couplets !
Je suis un musicien
Qui ne sait jouer de rien,
Mais quand mon cœur s'exprime
Il trouv' des mots qui riment.
J'n'ai pas en vérité
Un' bonn' voix pour chanter
Oui mais je l'fais vraiment
Naturell'ment
Alors, alors la route est belle
Alors, alors le soleil luit
La vie pour moi se renouvelle
Lorsqu'un air nouveau me conduit
Mon pèr' qui est musicien
Joue mes chansons très bien
Ma mèr' qui est musicienne
Les chante en tyrolienne
Adélaïde, Gaston
Les savent dans tous les tons
Dans ma famille en fête
Je suis prophète !

1964

Ma raison de vivre

Paroles de Charles Trenet *Musique de Charles Trenet et Enrico Macias*

Ma raison de vivre
Mon bonheur c'est toi
Toi qui me délivres des tourments d'ici-bas
J'aime tes yeux, ton rire
Le son de ta voix
Tout en toi me ravit, m'attire
Et me donne l'élan, la foi
Qu'importe qu'importe
Si parfois le destin
Entr'ouvrant ma porte
Me fait voir des cieux incertains.

Ma raison de vivre
Mon bonheur c'est toi
Toi qui me délivres des tourments d'ici-bas
Je n'ai qu'à te suivre
Pour trouver la joie
Mon bonheur ma raison de vivre
Mon soleil d'amour c'est toi
Qu'importe mes rêves
Le réel est meilleur
Si la nuit est brève
Le beau jour est là dans nos cœurs.

Et la vie nous livre
Tour à tour ses joies
Mon bonheur ma raison de vivre
Mon soleil d'amour c'est toi
Mon soleil d'amour c'est toi
Mon soleil d'amour c'est toi.

1965

L'épicière

Paroles et musique de Charles Trenet

1
L'épicière, l'épicière est une sorcière
Je l'ai vue, je l'ai vue quand elle volait
A cheval sur un balai
Filant droit au rendez-vous
Où le Diable je vous l'avoue
L'attendait
Il y avait au fond d'un gouffre
Des morts brûlant dans du soufre
L'épicière, l'épicière est une sorcière
Je l'ai vue, je l'ai vue quand elle sortait
Du tronc d'un cèdre enchanté
Il y avait au creux de l'arbre
Un palais d'or incrusté
Dans du marbre
Lucifer et Belzébuth
Venaient y faire leurs culbutes

Parlé

« Bonsoir petit qu'est-ce que tu veux ? quelques olives ou bien un peu de bon râpé, du saucisson, des pois cassés ou des bonbons ? »

2
L'épicière, l'épicière est une sorcière
Je l'ai vue, je l'ai vue dans un placard
En soutane et fichu noir

Pendue le visage exsangue
Et tirant d'vant un bougeoir
Une grosse langue
Comme j'avais peur qu'elle m'emporte
Vite, j'ai refermé la porte
L'épicière, l'épicière est une sorcière
Je l'ai vue, je l'ai vue par temps de bise
Ricaner au fond d'l'église
Quand ell' grimpe en haut des tours,
Ell' comprend ce que lui disent
Les vautours.
Il paraît qu' monsieur l' curé
En est même très effaré.

Parlé

« Eh bien réponds... Qu'est-ce que tu veux... c'est du jambon ou bien des œufs, des caramels, du pain d'épice ou des martinets en réglisse ? »

3

L'épicière, l'épicière est une sorcière
Je l'ai vue, je l'ai vue quand ell' changeait
En vieux toutou de berger
Le grand-père du sacristain
En disant : « Fais ouah... ouah eh vieux crétin »
Le pauvre homme d'habitude si brave
Avait la gueule pleine de bave...
L'épicière, l'épicière est une sorcière
Quand la pluie tombe la nuit à grands seaux d'eau
Cachée derrière les rideaux
Je ne sais ce qu'elle invente
Pour créer le froid dans l' dos
L'épouvante
Au secours disent les enfants
Faites dodo disent les parents
Mais dodo ils peuvent pas l' faire
Ils ont peur de la sorcière.

Ma pauvre chanson

Paroles et musique de Charles Trenet

Toi ma pauvre chanson
Où vas-tu je ne sais,
Ça dépend des saisons
Ça dépend souvent
D'où vient le vent
D'où vient le cœur des gens
Ça dépend d'la pluie ou du beau temps
En somme toi, tu n'as pas changé
Tu t'envoles sur les toits dans l'air pur et léger
Et parfois si l'orage te surprend
Tu mont's plus haut et là tu attends
Tu as l'temps tu attends
Pas b'soin de tuer l'temps
Tu sais qu'un jour dans un faubourg tu reviendras
Tu as l'temps tu attends
Pas b'soin de tuer l'temps
Tu reviendras au cinéma
Ou sur la scène de l'Opéra
Non ma pauvre chanson
Ça t'va mal les clairons
Les trompettes les pistons
Ce qui t'va
C'est un gentil can'vas

Une histoire de coin de rue faite pour toi
Même si, même si
Même si tu d'viens un' scie
Je dois te dire que malgré tout j' t'aim'rai d' mon mieux
Même si, même si
De rythme on te farcit
Pour fair' danser
C'est insensé,
Les jeunes bébés et les p'tits vieux
Toi ma pauvre chanson
Je te garde dans mon cœur
A l'abri des saisons
A l'abri des choses qu'emporte le vent

Des choses qu'emporte le temps
A l'abri du faux et du clinquant des modes

Toi je te garde nue
Et sincèr' près de moi célèbre ou inconnue
Et tous deux, tous deux main dans la main
Nous irons jusqu'au bout du chemin

Ah quand l'amour

Paroles et musique de Charles Trenet

Ah quand l'amour emplit nos cœurs
De joie de vivre
Et de soleil, un jour tant de bonheur
Vient enfin
Et nous emporte et nous enivre
Et chante soir et matin
On se souvient
D'avoir été triste et morose
Oui mais ces temps anciens
Sont effacés
Et l'on sourit tout en cueillant la rose
Offerte à présent et sans rancune pour le passé
Ô monts et merveilles nature tu n'es plus la même
Je n'ai souvenir d'aucun de ces lieux si doux
L'espace d'un aveu, le temps de se dire « je t'aime »
Et toute la magie du monde est là devant vous.

Si le cœur vous en dit

Paroles et musique de Charles Trenet

Si le cœur vous en dit
Comm' l'oiseau sur la branche
N'ayez pas de lundi, de mardi, de jeudi

Si le cœur vous en dit
Qu'il soit toujours dimanche
Que tout vous soit permis
Si le cœur vous en dit

Au hasard des chemins
Et d'humeur vagabonde
Courez de par le monde
Sans songer à demain
Si l'amour vous sourit
Vous entraîn' dans sa ronde
Gardez-le pour la vie
Si le cœur vous en dit

A quoi bon tant de choses quotidiennes
Qu'on appelle à la longue le destin
Oubliant qu'une vie bohémienne
Est toujours à portée de la main.

Vous qui me quittez

Paroles et musique de Charles Trenet

Vous qui me quittez
Comme à la fin d'un bel été
S'en vont les jours de joie et de sourire
Vous pour qui mon cœur soupire
Vous qui savez bien
Que désormais plus aucun lien
Aucun aveu, serment, folle promesse
Ne rendront mon cœur triste ou joyeux
C'est à vous, à vous jeunesse
Que je dis adieu

Vous qui me quittez
Comme à la fin d'un bel été
S'en vont les jours de joie et de sourire
Vous pour qui mon cœur soupire

Vous qui savez bien
Que désormais plus aucun lien
Aucun aveu, serment, folle promesse
Ne rendront mon cœur triste ou joyeux
C'est à vous, à vous jeunesse
Que je dis adieu

Il reviendra ce grand amour

Paroles et musique de Charles Trenet

Il reviendra ce grand amour
Et ce jour-là, c'est pour toujours
Qu'il restera sans que le temps
Ne change sa douceur
Et son bonheur de chaque instant
Il comprendra qu'il faut souffrir
Pour que la joie de refleurir
Chante à son heure
Dis-toi qu'un de ces jours
Il reviendra ce grand amour

Et si tu pleures tu te souviens
Des belles heures des jours anciens
Ton cœur fidèle s'en est allé
Volant à tire-d'aile
Vers ce pays abandonné
Où tu te penches pour mieux cueillir
Les beaux dimanches du souvenir
Où seul tu rôdes
En espérant qu'un jour
Il reviendra ce grand amour

Il reviendra ce grand soleil
Il reviendra dans le réveil
Du doux printemps et de l'été
A croire comme avant
Qu'il ne t'avait jamais quitté

Ils reviendront ces yeux de feu
Te souriront c'est merveilleux
Ces lèvres rouges d'avril au plus beau jour
Il reviendra ce grand amour
Il reviendra ce grand amour.

Il faut garder la poésie

Paroles et musique de Charles Trenet

Il faut garder la poésie
Savoir la prendre par la main
Il faut garder garder la fantaisie
Quand elle croise nos chemins

Il faut garder garder aux amourettes
Le charme étrange de l'amour
Mais pour garder l'amour il faut, c'est bête
Garder aussi le cœur bien lourd

Il faut garder garder quelques sourires
Pour se moquer des jours sans joie
Il faut garder garder un air de dire
Je suis heureux viens avec moi

Il faut toujours garder dans notre vie
Tous les bonheurs qui nous ont plu
Et puis enfin garder la nostalgie
Du temps qui ne reviendra plus

Il faut toujours garder dans notre vie
Tous les bonheurs qui nous ont plu
Et puis enfin garder la poésie
Quand c'est elle que l'on aime le plus.

A mi-chemin

Paroles et musique de Charles Trenet

A mi-chemin du beau voyage
Arrêtons-nous, voyons un peu
Ce que devient le paysage
Depuis la terre
Jusques aux cieux
Il y a d'abord les jours d'enfance
Et leurs sourires tendres ou moqueurs
En poursuivant la souvenance
On trouve encore des jours meilleurs
Que cet amour au cœur qui n'a pas menti
Et toujours qui reste là
Et cet amour au cœur qui n'est pas fini
Et toujours, toujours, vivra

Le temps est gris couleur des armes
Ouvrons les yeux sur l'inconnu
Gardera-t-il encore des charmes
Ou bien demain
Tout est perdu
A mi-chemin de la vie brève
Ne brusquons pas le fil des jours
Pour vivre encore au fil du rêve
Quelques instants, de cet amour
De cet amour au cœur qui n'a pas menti
Et toujours qui reste là
De cet amour au cœur qui n'est pas fini
Et toujours, toujours, vivra.

Merci Paris

Paroles et musique de Charles Trenet

Merci Paris
Merci de m'avoir tant donné
Du temps de mes jeunes années

Quand un beau jour je débarquai
Tout seul de mon village
J'étais ému de voir la beauté dans tes rues
D'entendre le son de ta voix
Volant par-dessus les toits
Je t'ai souri et tout d'suite on s'est bien compris
On est dev'nu de vrais amis
Pour la vie
Sans un nuage
Alors ce soir
Pour tant de rêves tant d'espoirs
Pour tant de bonheur je te dis
Du fond du cœur
Merci Paris.

Lorsque j'allais
De par le monde, je le devais
A ce vieux Montmartre dont rêvait
La foule étrangère qu'il rendait
Toujours sentimentale
On croyait voir dans mes yeux
Un coin des Boul'vards
Et le seul fait d'être français
Garantissait tous les succès
Mais à présent
Je reste car je sais car je sens
Que le goût le ton et l'accent
De ma grande capitale
Me manqu'raient trop
Bonjour Tour Eiffel et Métro
Bonsoir le sourire et l'esprit
Bonsoir et puis aussi MERCI.

Chante le vent

Paroles et musique de Charles Trenet

On l'appelait
Chante le vent
Il venait nous voir bien souvent
A Saint-Jérôme
On l'aimait bien
Chante le vent
Le musicien
D'où venait-il ?
On n'savait pas
Il nous disait
Je viens d'là-bas
De l'autr' côté
De l'horizon
Là où se changent les saisons
Chante le vent
Chante le vent
Disaient les filles au cœur rêvant

On faisait cercle autour du feu
Pour écouter ses airs joyeux
Et la Julie la belle enfant
Buvait les mots de Chante le vent
Elle fredonnait avec douceur
Pendant que nous chantions en chœur
Et tous ensemble on comprenait
Que la Julie d'amour aimait
Chante le vent
Chante le vent
Il est à toi ma belle enfant

Pourtant un jour dans sa chanson
Chante le vent eut un frisson
Il nous parla d'un autre amour
Qui lui faisait le cœur trop lourd
Quand il partit sur son cheval
Disparut dans l'ombre du val
On regarda la pauvre Julie

Qui avait perdu l'amour d'sa vie
Chante le vent
Chante le vent
Ne reviendra plus comme avant

Dans sa chambrette ensoleillée
Julie ne s'est pas réveillée
Nous l'avons conduite un matin
Au repos des bénédictins
Quelqu'un m'a dit qu'il a cru voir
Sur la colline un cheval noir
Ainsi qu'un homme qui repartit
Sitôt qu'en terre elle descendit
Adieu donc pauvre Julie
Toi qui l'aimais à la folie

Déjà de cette histoire ancienne
Combien d'entre nous se souviennent
Hochant la tête, ils disent c'était
Quand ici la joie existait
A présent, y'a plus d'poésie
Plus d'sentiment et plus d'Julie
Et quant au vent hiver, été,
Y'a plus personne pour le chanter
Pleure le vent
Pleure le vent
A Saint-Jérôme fini l'bon temps.

1966

La tarentelle de Caruso

Paroles et musique de Charles Trenet

1

A Venise, ville exquise,
J'arrivai pour le Carnaval
A l'auberge de la berge
Je laissai dormir mon cheval
Et fantasque comme un masque
Je courus droit au Corso
En chantant dans la bourrasque
Ce refrain de Caruso
Quand j'étais jeune en dettes
En dentelle en bonnet pétard
Je passais voir ma belle
A travers cheminées et placards

2

Dans la rue, la cohue
Une belle signorina
Me fit signe qu'elle est digne
D'entrer dans la danse avec moi
Je l'emporte à demi morte
Elle tombe dans mes bras
Mais sa mère en colère
Nous menace et crie là-bas
Ram'nez-moi donc ma fille
Cavalier chevalier du guet
Je suis vieille et sans famille
Je suis veuve et je suis fatiguée

3

La bonne vieille tout en larmes
Va se plaindre aux carabiniers
Elle explique à des gendarmes
Que sa fille est partie à pied
Mais hélas se sont des masques
En gendarmes déguisés
Sur le char de la tarasque
Ils ne pensent qu'à s'amuser
Ils l'entraînent dans leur ronde
Lui rabattent les jupes sur le nez
Ils lui disent qu'elle n'est pas blonde
Et font mine de l'assassiner

4

Une danse ça commence
On n'sait pas non quand ça finit
Une telle tarentelle
Peut durer la mi de la nuit
Surtout quand une poursuite
Se transforme en farandole
Et qu'il faut quitter de suite
Le Corso pour la gondole
Le Grand Canal en fête
Nous incite à nous esbaudir
A présent baissons la tête
Attention, c'est le Pont des Soupirs

5

La nuit passe on s'embrasse
On est seul sur un banc de parc
Ô merveille sans ta vieille
Je suis plus heureux que Saint Marc
Mais que dis-je quel prodige
Nous voilà vite cernés
Et des Doges nous délogent
En criant : Venez, venez !
Le bonheur est de tout âge
Mes amis nous vous invitons

Venez voir le beau mariage
D'une vieille et d'un Pierrot fripon

6
Prends ma fille elle est gentille
Dit la vieille et regarde-moi
Je suis folle, je convole
Oui, j'épouse un masque de joie
Mais le ciel s'est fait tout rose
Je m'sens décontenancé
Je n'voulais pas tant de choses
Juste un p'tit peu m'amuser
J'embrasse la fille en larmes
Elle me dit je m'appelle Sido
Je serre la main des gendarmes
Bien le bonjour, je m'en vais au dodo

7
De Venise ville exquise
J'ai gardé le doux souvenir
D'une belle ribambelle
D'arlequins et de grands vizirs
D'un baiser de tourterelle
Dans la folie du Corso
Et aussi de la tarentelle
Que chantait le grand Caruso
Énorme et fantastique
Dans les noces et les banquets
Au dessert apoplectique
Et les pieds trempant dans les baquets

Coda

Quand j'étais jeune en dettes
En dentelle en bonnet-pétard
Je passais pour voir ma belle
A travers cheminées et placards.

La Terre est une grosse boule

Paroles et musique de Charles Trenet

1

La Terre est une grosse boule
Qui tourne autour de l'Univers
L'Univers est une grosse boule
Qui tourne autour de la Terre
Et les bateaux qui vont sur les flots
Viennent parfois nous visiter dans nos canaux
Et les maisons qui tournent en rond
Tournent aussi autour du Monde qui est bon
La Terre est une grosse boule
Qui tourne autour de l'Univers
L'Univers est une grosse boule
Qui tourne autour de la Terre.

2

Chez nous l'espace n'est pas large
Aussi pour mieux déménager
Nous avons toujours des monte-charge
Qui rendent les meubles légers
Dans une poulie accrochée au toit
La corde glisse et le piano, le coffre à bois
Par la fenêtre sont apparus
Et se balancent comme des soulards au coin d'la rue
La rue, elle, nous mène à la digue
Et près d'la digue on va danser
Les mains ça n'a pas de fatigue
Pas b'soin de se reposer.

3

La houle qui roule dans nos têtes
S'oublie quand on n'est plus à bord
On la r'trouve les sam'dis soir en fête
Avec les filles du port
Et sur un air d'marine marchande
Voici venir en chaloupant la grosse Fernande
Bonsoir Monsieur, Bonsoir Madame
On est poli dans les bastringues d'Amsterdam

Parfois si la bagarre éclate
Pas plus de cinq minutes ça dure
C'est le temps de se mettre en tomate
Le nez ou toute la figure.

4
Un bon genièvre nous dessoule
On boit cul sec dans un grand verre
La lumière au milieu de la foule
Nous fait marcher bras ouverts
Quand on r'viendra des îles d'la Sonde
On se dira j'ai fait dix fois le tour du Monde
Dix fois le tour du Monde en entier
Et sans détour je me retrouve dans mon quartier
Car la Terre est une grosse boule
Qui tourne autour de l'Univers
L'Univers est une grosse boule
Qui tourne autour de la Terre. *(bis)*

La Dame de Béziers

Paroles et musique de Charles Trenet

La Dame de Béziers
Qui courait en voiture
A perdu ses guipures
Son mannequin d'osier
Elle a perdu son charme
Et de ses yeux si beaux
Coulent parfois des larmes
Mouillant ses oripeaux
La Dame de Béziers
Fut jadis grande dame
Au château Montausier
Elle avait charge d'âme
Mais d'un page rieur
Elle eut une embrassade

Un jour que son seigneur
Partait pour la Croisade

Quand il revint après
Trente-cinq ans de guerre
Il la vit de plus près
Et ne l'aima plus guère
Du page elle avait pris
Les allures martiales
Et le seigneur comprit
Qu'il y avait là du mâle
Elle gagnait tournois
Et jugements de Dieu
Elle avait dans la voix
Quelque chose de vieux
Alors il la quitta
Retournant en croisade
Et depuis ce temps-là
On dit qu'en embuscade

On dit Dame de Béziers
Plus de belles années
A présent il lui sied
D'être presque fanée
A présent il lui sied
De recevoir sans cesse
Visites de l'huissier
Dont les exploits la blessent
La Dame de Béziers
Qui courait en voiture
Se perd dans la nature
S'en va dans les fraisiers
Seule à présent sans garde
Et sans page fripon
Elle vit en clocharde
Et couche sous les ponts.

J'envie ta vie ô vagabond

Paroles et musique de Charles Trenet

J'envie ta vie
Ô vagabond
J'envie ta vie
J'envie ta vie
Ô vagabond
J'envie tes bonds
Car tout comme toi j'aim'rais courir dans les prairies
Au cœur des plaines, sur les coteaux
Dans les vallons
J'envie ta vie
Ô vagabond
J'envie ces heures
De liberté aux quatre vents de ton destin
Le mien est d'rester dans un coin
Et c'est pourquoi parfois je pleure
J'envie ta vie
Elle a du bon
Ô vagabond

J'envie ta vie
Ô vagabond
J'envie ces choses
Que nul au monde
Ne pourra plus jamais changer
L'ombre des bois, l'herbe des champs
L'oiseau, la rose
L'astre des nuits brillant le soir dans l'air léger
Et puis aussi par-ci par-là
Des amourettes
Ça fait plaisir de temps en temps
Moi j'n'en ai pas
Et c'est pour ça que j'baisse la tête
Faut d'l'horizon pour ces choses-là
Faut d'l'horizon
J'envie ta vie
Ô vagabond

Pourtant un jour
Ô vagabond

Dans ma retraite
Lorsque vieilli j'aurai enfin
Mon coin d'jardin
Des p'tits enfants dans un' maison
Simple et douillette
Où s'ras-tu donc toi le géant des grands chemins
Moi plus tranquille je m'en irai en promenade
Ma femme le soir m'dira peut-être
Un peu inquiète
T'es rentré tard es-tu malade ?
Je lui dirai mon amour
Ça va très bien
J'étais sorti faire un p'tit tour. *(bis)*

Rachel, dans ta maison

Paroles et musique de Charles Trenet

Rachel, dans ta maison
Je crois entendre mes chansons
Elles viennent des jours anciens
Chantées par d'autres musiciens
Elles parlent de ce beau temps
Qui fut le temps
Le temps de nos vingt ans
Rachel, tu te souviens
De ces chansons des jours anciens

Y'avait un vagabond
Dont le cœur fou faisait des bonds
Les gendarmes l'arrêtèrent
Mais en prison il se pendait
Alors un vieux grand-père
Qui oubliait
Son cheval dans un vestiaire

Venait nous égayer
En ne cessant de bégayer

Pigeon vole notre jeu
Nous retrouver yeux dans les yeux
Chez un charmant bonhomme
Qui nous disait « j'suis astronome »
Ce soir dans la nuit brune
Je vois la lune
Mais j'crois bien qu'c'est pour des prunes
Qu'elle donne à l'astre du jour
Un rendez-vous au bois d'amour.

Rachel, je pris ta main
Et sans souci du lendemain
Nous sommes tous deux partis
Cueillir la Fleur Bleue sans orties
Un jour, vers quinze heures vingt
L'Musée Grévin,
Nous visitions, mais en vain
Nous n'vîmes qu'une seule merveille
Polka sur l'hymne du Roi-Soleil
Rachel dis-leur, dis-leur
D'aller faire leur musique ailleurs.

Et puis le temps passa
Pendant lequel Bango dansa
La plus douce des Biguines
Tu la connais petit' coquine
Et puis Annie-Anna
Et le rajah mangèrent du rahat-loukoum
Pendant ce bel été
Moi, j'écoutais mon cœur faire Boum !

Sur ma Route Enchantée
Rachel, je t'ai souvent chantée
Aussi tu comprendras
Pourquoi ce soir soudain, j'ai froid
Malgré la belle saison
D'ouïr le son, le son de mes chansons

D'mes airs des jours anciens
Joués par d'autres musiciens
Rachel, dis-leur, dis-leur
D'aller faire leur musique ailleurs.

Demain, c'est la fin du monde

Paroles et musique de Charles Trenet

Demain c'est la fin du monde
Reste encore dans mes bras, mon amour
Demain partout à la ronde
Le bonheur s'en ira pour toujours
Dans l'air, sur la terre, sur l'onde
La vie plus jamais ne sera
Demain c'est la fin du monde
Reste encore mon amour dans mes bras
J'entends sonner les cloches du mauvais destin
J'entends sonner si proche le nouveau tocsin
Les pauvres hommes s'ennuient
Et leurs instants se passent
A faire en somme
Du bruit dans le temps et l'espace

Demain c'est la fin du rêve
Reste encore dans mes bras mon amour
Demain le soleil s'achève
Et la joie s'en ira pour toujours
La nuit règnera profonde
Et puis ce sera l'au-delà
Demain c'est la fin du rêve
Reste encore mon amour dans mes bras
A pouvoir nous aimer
Si nous sommes les derniers
Ce sera toujours ça toujours ça de gagné.

Le Chinois

Paroles et musique de Charles Trenet

Ce marchand de chaussures
N'est pas sûr
Je t'assure
Avec sa jambe de verre
Son œil de bois
Il n'a pas l'teint du Rhône
Il a même le teint jaune
Cet homme-là
Méfie-toi
C'est un Chinois
Tu sais bien c'qu'on raconte
A coup sûr sur son compte
Des histoires de voleurs
De hors-la-loi
Paraît qu'c'est une fine lame
Qu'il aurait tué sa femme
Elle disait en mourant
C'est l'Chinois

S'il se donne l'air baderne
C'est qu'il met en lanterne
Tout son être
Et jusqu'au son de sa voix
Il fait bon qu'on le déteste
Qu'on le fuit comm' la peste
Comme on doit
Fuir je crois
Certains Chinois
Que fume-t-il dans sa pipe
De l'opium en principe
Dont il fait le trafic
Ça va de soi
Quand il dit sa prière
Assis sur son derrière
Il prie qui ? le Bouddha
Un dieu chinois.

Regardez son échoppe
Quel milieu interlope
Des Gitans, des Indiens
De je n'sais quoi
Resté seul il s'empresse
De ne lire qu'une presse
Qu'un journal, le canard
En chinois
Il fait des ressem'lages
En papier d'emballage
Il s'nourrit
De riz frit
Aux petits pois
Il raconte
Même il ose
Dir' qu'il vient de Formose
Pour qu'on croit
Qu'il n'est pas un vrai Chinois.

Quand il met une assiette
Tout en haut d'une baguette
Une assiette ou bien un dessous-de-plat
Elle tourne en roue libre
Maint'nue en équilibre
Il suffit qu'il agite un peu les doigts
Parfois il court la lande
Disposant des guirlandes
Qu'il étale jusqu'au fond
Du p'tit bois
Et près du précipice
Tire un feu d'artifice
En criant : la poudre
Invention chinois'.

Faisons vite en cachette
Une collecte qu'on lui achète
Un billet d'émigrant
Il y a droit
Offrons-lui un passage
Pour Pékin ou plus sage

Pour Pantin
Au fond du quartier chinois
Qu'il s'en aille Rome ou Sparte
L'important c'est qu'il parte
Car s'il reste dans dix ans
Oui ma foi
Il est capable d'atteindre
Son but qui est de déteindre
Sur nous et on sera quoi
Tous des Chinois.

1968

Avec toi, on vivrait...

Paroles et musique de Charles Trenet

Avec toi chéri
Je voudrais vivre au jour le jour notre amour
Je voudrais suivre au fil du temps cœur battant
Ton beau destin de poésie,
Vibrer selon ta fantaisie

Avec toi chéri
L'hiver serait comme un printemps retrouvé
Comme à vingt ans, il ferait bon de rêver
A des bonheurs inachevés.
Le monde qui gronde ne serait qu'un décor
Pour nos deux âmes et nos deux corps.
La foule qui roule son flot tumultueux
Ne serait qu'un grand fleuve
A nos yeux si bleu, si bleu, si bleu.

Avec toi toujours
A l'aventure et dans la joie mon amour
Main dans la main, sur un chemin de clarté
En route pour l'éternité,
On vivrait... On vivrait... *(bis)*

Cette chanson a été écrite pour Georgette Lemaire.

1969

Il y avait des arbres

Paroles et musique de Charles Trenet

Il y avait des arbres
Des coteaux des châteaux
Et dans le ciel des oiseaux rigolos
Il y avait des marbres
Par-dessus les tombeaux
Et parfois même gravés des mots beaux
Il y avait des vaches
Des veaux et des taureaux
Une vache qui mâche c'est beau...
Ah ! la route amis que j'avais faite ce jour-là
Je ne pourrai jamais oublier ça !

Il y avait la pluie
Sur le toit de l'auto
Quand une pluie est gentille c'est beau
Il y avait des gouttes
Qui pleuraient aux carreaux
Sur une route qui doute, c'est beau...
Et soudain des pompes
Qui donnaient de l'Esso
Une pompe qui pompe c'est chaud !
Ah l'amour amis que la vie fit ce jour-là
Fut un amour-poésie avec moi.

Il y avait des phrases
Par-dessus les oiseaux
Quand une phrase est d'extase c'est beau...

Il y avait la lune
Par-dessus les coteaux
Mais une lune pas brune c'est haut
Et dans la campagne
Un vieux train qui passait
A travers la montagne, pressé
Des barrières de douane à jamais abrogées
Et Dieu merci saint Antoine c'est vrai !

J'étais fou peut-être
De comprendre cela
Mais moi je ne suis qu'un être oui-da
Ah venez à moi Apollinaire et Rimbaud
Avec l'ami de ma joie Charles Cros
Arc-en-ciel de rêve
Sur le toit de l'auto
Ces instants qui s'achèvent sont beaux
Mais ce soir en tête
J'ai ce vieux cinéma
Qui vient et qui me projette tout ça.

Il y avait du charme
Des orages trop gros
Parfois aussi des gendarmes héros
Sortant ma voiture
D'importants caniveaux
Une voiture qui dure c'est beau...
Poursuivant ma route
J'aperçois un logis
Où l'on casse la croûte aux bougies
Il y avait des fraises
Des côtelettes d'agneau
Une atmosphère Louis XIII, du vin chaud.

Il y avait Thérèse
Et de la poule au pot
Une Thérèse à l'aise c'est beau
« Où vas-tu petite ton service fini
Moi, je t'invite à venir dans ma nuit
C'est déjà novembre

Apporte encore du bon vin
Tout là-bas dans ma chambre c'est au 20
Ah l'amour amis que je vécus ce jour-là
Je ne pourrai jamais oublier ça !

1970

Ô ma vie

Paroles et musique de Charles Trenet

1

Je ne sais d'où je viens
Mais parfois je me souviens
D'un pays qui fut le mien
Où j'avais un' maison
Des amis et des chansons
Et l'amour en toute saison

Refrain

Ô ma vie
Mes folies
Dites-moi pourquoi le temps qui va
Va si vite
Et nous quitte
Et ne peut revenir sur ses pas

2

Si je pleure mon amour
C'est de joie pour le retour
Du soleil et des beaux jours
Grand merci par ma voix
Pour te dire que chez toi
Je me sens un peu chez moi *(Refrain)*

3

Bien malin qui dirait
De quoi demain sera fait
De malheurs ou de bienfaits
L'important c'est d'avoir

Dans le cœur un peu d'espoir
Pour chanter matin et soir *(Refrain)*

L'oiseau des vacances

Paroles et musique de Charles Trenet

1

Sur une branche de bois mort
Le dernier oiseau de l'été
Se balance
Dernier dimanche en ce décor
Où meurt le sourire enchanté
Des vacances
Dernier soleil qui vous salue
Et qui s'éclipse au fond des nues
Dans sa gloire
Demain sera fini l'amour
Et nous n'aurons plus les beaux jours
Qu'en mémoire

2

A quoi bon dire : « à l'an prochain »
Quand on n'est pas du tout certain
D'être ensemble
La vie se plaît à séparer
Ceux qui dans le bonheur d'aimer
Se ressemblent
Et puis les jours et les saisons
Tout comme l'amour et les chansons
Sont volages
Ce soir ton cœur est là, fidèle
Oui mais demain plus d'hirondelle
Sur la plage

3

Non il n'est jamais revenu
Le temps béni, le temps perdu

Triste chose
Le temps de mes premiers émois
Qui fleurissaient comme les lilas
Et les roses
Pourtant le soleil avait dit :
« Je reviendrai après la pluie
De décembre
L'hiver a quitté son linceul
Et je demeure là toujours seul
Dans ma chambre

4

A mélanger des souvenirs
A ne savoir lequel choisir
Passent les heures
A se dire « il faut être fou
Pour en rire ou bien après tout
Qu'on en pleure
Cela n'est pas très important
J'avais quinze ans, vingt ans, trente ans
Que m'importe »
Disons-nous pour nous consoler
Qu'on a bien fait de s'envoler
De la sorte

5

J'entends alors comme une voix
Qui murmure je ne sais pourquoi
Des rengaines
Toutes me redisent dans leur refrain
Ces mots qui me font à la fin
De la peine
« Que viens-tu chercher en ces lieux
Toi qui cent fois fis tes adieux
A l'enfance
C'est toi la branche de bois mort
C'est toi l'oiseau, la mer, le port
Les vacances... »

Le revenant

Paroles et musique de Charles Trenet

1

Un cri dans la nuit d'hiver
Ma fenêtre est de travers
Je la ferme de mon mieux
Je vois la couleur des cieux
Ils sont noirs il y a du vent
Vent d'autan ou vent d'antan
Le manteau des cheminées
Recommence à frissonner
Sur la route j'aperçois
Un bien étrange bourgeois
Où donc l'ai-je déjà vu
Pieds fourchus et front cornu
C'est le diable ou le docteur
Qui me font mourir de peur
Ou bien mon ange gardien
Je n'sais plus je ne sais rien

2

Ça craque dans le magasin
Où se cache un assassin
Un fantôme familial
Une infirmière d'hôpital
Une grand-mère Blanche de Castille
Qui paraît devant sa fille
Pour lui dire de l'oublier
Quand reviendront les ouvriers
Il y aura du tintalan'
Quand un marteau tombe en panne
Un chanteur de l'Opéra
Le répare à tour de bras
Puis il meurt d'apoplexie
Comme une vraie tomate farcie
La poussière qui le recouvre
Est la même qu'on voit au Louvre

3
Un train passe dans la nuit
Il m'emportait avec lui
Autrefois lorsque j'étais
Ce jeune enfant qui rêvait
Qui rêvait d'un autre ciel
De Paris de la Tour Eiffel
Qui rêvait de tout quitter
Et de ne vivre que pour chanter
Qu'est-il advenu depuis
Depuis tant et tant de nuits
Depuis tant et tant de saisons
Aux placards de la maison
Les souvenirs au rendez-vous
Vont revenir mais je vous l'avoue
Demain je leur ferai faux bond
Car je n'suis qu'un vagabond

Au bal de la nuit

Paroles et musique de Charles Trenet

1
Au bal de la nuit
Tu iras mon petit
Tu seras gentil
Au bal de la nuit
Au bal du néant
Tu iras mon enfant
Tu seras content
D'être de ton temps
Au bal de la rue
Au bal du chahut
Tu seras venu
Tu repartiras nu
Au bal des années
La fête terminée

Tu seras fané
Au bal des années

2
Tes longs cheveux blonds
T'auront fait faux bond
Au bal moribond
Tu seras faux blond
Il sera trop tard
Tu seras bâtard
Fini le pétard
Il sera trop tard
Et tu penseras
Je ne suis qu'un rat
Advienne que pourra
Qui vivra verra-ah
Tu ne verras rien
Ni grand mal ni bien
Tu seras ancien
Plus triste qu'un chien

3
Et pourtant, pourtant
Les chansons d'antan
Celles de tes vingt ans
De ton vieux printemps
Ne sont pas enfuies
Elles dorment dans un puits
Un puits infini
Au bal de la nuit
Enlève ton masque
Malgré la bourrasque
Et tiens bon jusqu'à c'que
Finissant tes frasques
Tu découvriras
Tra deri dera
Que tu n'es pas un rat
Mais un homme mon gars.

1971

L'abbé à l'harmonium

Paroles et musique de Charles Trenet

1

Chantant nos cantiques
Nous étions p'tits bonshommes
Bercés par la musique d'un bon vieil harmonium
Qui n'était pas électrique
Aussi pour le faire fonctionner
Un ecclésiastique, un Abbé pédalait
Qu'il pédalait bien l'Abbé

2

Au mois de Marie
Au joli mois de mai
La Vierge notre amie
Le soir nous endormait
Et nous rêvions c'est étrange
Que notre Abbé reçu à Rome
Par le Pape et les anges
Leur jouait de l'harmonium
Mon Dieu comme il pédalait
Qu'il pédalait bien l'Abbé

3

La vie va trop vite
Parfois même elle s'emballe
Soudain l'Abbé nous quitte
Trouvé mort aux pédales
Et nous pensions en silence
Que ce jour-là s'était enfui
Un peu de notre enfance emporté avec lui

Mon Dieu comme il pédalait
Qu'il pédalait bien l'Abbé.

4

Souvent c'est bizarre
Il m'arrive de rencontrer
Dans les trains ou les gares
Des enfants escortés
Par un ecclésiastique
Alors oui, c'est plus fort que moi
J'entends un vieux cantique
De tristesse et de joie.

La chance aux chansons

Paroles et musique de Charles Trenet

La chance
Aux chansons
La France
A raison
D'aimer ces musiques, ces poèmes
Ils viennent
Dans nos cœurs
Y mènent
En douceur
Une existence un peu bohème
Et tant de souvenirs que l'on croyait incertains
S'éveillent un beau matin
Dans un refrain
Alors nous disons
En toute saison
Il faut donner la chance aux chansons ! *(bis)*

Tu te souviens de celle
Qui répétait toujours
Que la vie était belle
Au temps de tes amours

Elle revient légère
Sur l'aile du printemps
Pour te parler ma chère
De nos vingt ans

La chance
Aux chansons
On danse sans façon
Au rythme des beaux jours qui passent
Mais les jours passés
Revivent on le sait
Dans un pays que rien n'efface
On garde le meilleur
Tout en berçant les regrets
Alors la joie demeure
Dans un couplet
Et redisons
La vie a du bon
Il faut donner la chance aux chansons ! *(bis)*

Fidèle

Paroles et musique de Charles Trenet

1
Fidèle, fidèle je suis resté fidèle
A des choses sans importance pour vous
Un soir d'été, le vol d'une hirondelle
Un sourire d'enfant, un rendez-vous
Fidèle, fidèle, je suis resté fidèle
A des riens qui pour moi font un tout
Un vieux toutou, une boîte d'aquarelle
Le port de La Nouvelle au mois d'août.

2
Fidèle, fidèle je suis resté fidèle
A des lieux et des amis très doux :
Un drôle d'Albert et sa sœur en dentelles

Un castillet tout neuf, un Canigou.
Une rue d'Béziers, une tante Émilie
Une maman partant pour Budapest
Ma vieille maison avec sa tonnellerie
Et près d'la gendarm'rie, les express.

3
Fidèle, fidèle je suis resté fidèle
Au souv'nir d'un soir à Montauban
Candides ardeurs, nos cœurs je me rappelle
S'étaient donnés si jeunes sur un vieux banc
J'étais parti dans la nuit des vacances
Plus léger qu'un elfe au petit jour
Mais à présent à présent quand j'y pense
Je pleure toujours mon premier amour.

4
Fidèle, fidèle pourquoi rester fidèle
Quand tout change et s'en va sans regrets
Quand on est seul debout sur la pass'relle
Devant tel ou tel monde qui disparaît
Quand on regarde tous les bateaux qui sombrent
Emportant les choses qu'on espérait
Quand on sait bien que l'on n'est plus qu'une ombre
Fidèle à d'autres ombres à jamais.

Les chiens-loups

Paroles et musique de Charles Trenet

1
Y'a des chiens-loups dans les coins noirs
Ils sont tous fous quand vient le soir
Leurs yeux scintillent dans la nuit
Quand tous les chats sont gris

Ils sont heureux quand il fait froid
Quand la neige bleue blanchit le toit

Quand le vent qui siffle dehors
Les fait hurler à la mort

Des traquenards sont organisés
Bien des chassés-croisés
Car les chiens cachés dans leurs coins
Font croire après qu'ils sont loin

Ils ont des larmes de crocodile
Et des armes bien plus subtiles
Quand ils rôdent poil à l'envers
Les grands chiens-loups de l'hiver.

2
Je ne sors plus après dix heures
Car c'est l'heure où parfois on meurt
Qu'on s'appelle Firmin, Jacques ou Georges
Ils vous sautent à la gorge

L'an dernier ils ont dévoré
Un meunier du nom de Sarré
Ils ont même mangé son chapeau
Qu'ils prenaient pour de la peau

Il faudra que j'quitte ces lieux
Que je change de milieu
Au Canada là j'irais bien
Chez les oiseaux musiciens

Au Québec on dit que les oiseaux
Ont un bec en place du museau
Alors moi, j'hésite et j'ai peur
Des goélands crève-cœur.

3
Je me dis où faut-il aller
Au pays des chevaux emballés
En Camargue il y a des moustiques
Qui sont antipathiques

A Capri, il y a des serpents
A Paris, il y a des agents
A Moscou on se rompt le cou
La glace glisse beaucoup

Tiens le soleil caresse ma fenêtre
Et l'alentour champêtre
C'est l'printemps, les chiens sont partis
En wagons-loups, wagons-lits

J'n'ai plus peur, y a plus de danger
Les belles heures sous un ciel léger
A loisir déjà font du bien
Adieu souvenir très... en chiens !

Renaud, Renaud

Paroles et musique de Charles Trenet

1
Renaud, Renaud du temps de la guerre
Le roi disait qu'il était ton ami
Mais à présent il ne songe guère
Aux jours de gloire finis
Renaud, Renaud tu bats la campagne
Sans foi, ni loi et tu ronges ton frein
Jadis tu pris la mort pour compagne
Depuis ce temps n'est plus qu'un refrain.

2
L'oiseau des mers le sait et le chante
L'oiseau des champs le redit à son tour
Mais au printemps la vie n'est méchante
Que si l'amour fuit l'amour
Adieu la mort, adieu triste guerre
Dans les jardins tout fleurit jeune et beau
Le monde est pur, les hommes espèrent
Rien n'est perdu, tout devient nouveau.

3
Renaud, Renaud le temps des vendanges
Fera demain la richesse de ton cœur
Tu fus démon tu deviens ange
Oublie le goût des rancœurs.
Oublie, oublie ces jours du bel âge
Oublie ce mal qui fut tien pour un temps
Le grand pardon de la vie sauvage
Renaud, Renaud c'est l'amour qui t'attend.

4
Oublie, oublie ce jour du bel âge
Oublie ce mal qui fut tien pour un temps
Le grand pardon de la vie sauvage } *bis*
Renaud, Renaud c'est l'amour qui t'attend }

Ne cherchez pas dans les pianos

Paroles et musique de Charles Trenet

1
Ne cherchez pas dans les pianos ce qu'il n'y a pas
Soyez heureux d'avoir l'écho du temps d'papa
Valse espagnole
Des années folles
Ou bien sardane que l'on dansait à petits pas
Après l'repas
Ne cherchez pas dans les couloirs de mes châteaux
C'qu'il peut y avoir à l'intérieur de mes pianos
Vous n'y trouv'riez le plus souvent
Que la chanson du vent
Du vent d'automne mon seul ami dorénavant.

2
Ne cherchez pas dans les armoires qui vous font peur
Le profil noir d'un vieux fantôme aux yeux rieurs
L'ombre volage
N'est plus que nuage

Qui se tortille avec douceur
Sur les toits des trains à vapeur
Ne cherchez pas sur le canal de la Robine
Le clair fanal d'une péniche qui se débine
Ne cherchez pas au pont d'Arcole
Les murs d'la vieille école
Elle est dev'nue garage rebut
Pour autobus.

3
Ne cherchez pas sur les rivages de sel amer
Les premiers pas que vous faisiez devant la mer
Contre la drague
Clapotent les vagues
Mais plus jamais ne vous effarent
Quand vous vous prom'nez près du phare
Et puis rev'nez dans le présent pour un séjour
En Ile-de-France où vous avez une île d'amour
Puisqu'on vous aime en ce coin-là
Alors ne cherchez pas
Ne cherchez pas dans les pianos ce qu'il n'y a pas !
Ne cherchez pas dans les pianos ce qu'il n'y a pas.

Un jour j'irai

Paroles et musique de Charles Trenet

Un jour j'irai au pays de ton cœur
Un jour j'irai là-bas
Vivre et mourir chez toi
Au paradis de ta jeunesse
Je reverrai les arbres et les fleurs
Et le rivage d'amour
Où tu m'as dit un jour que tu m'aimais avec tendresse

Loin des brouillards d'ici
Qui font les noirs soucis
Nous voguerons tous deux tranquilles

Sur la rivière vermeille
Miroitant au soleil
Qui ne traverse jamais aucune ville

Un jour j'irai voir s'écouler le temps
L'éternel printemps
Un jour j'irai là-bas
Vivre avec toi
La joie *(bis)*

Implorante la Plante

Paroles et musique de Charles Trenet

M'amzelle la Plante, la Catalane
Vivait jadis au fond du square à Perpignan
Quand elle passait sous les platanes
On lui disait : « Chante la Plante, sois pas gnangnan »
Et la bonne vieille sans se faire prier
Se mettait alors à crier :
Implorante, je suis à tes genoux
Pour te dire que je t'aime
Implorante, je viens au rendez-vous
Des chansons, des poèmes
Implorante, je demande un poutou
Que j'attends dans un moment suprême
Implorante, je suis à tes genoux
Pour te dire, pour te faire de tout

Voyez comme la vie est curieuse
Passant par là, certain jour, deux impresarii
Écoutent la Plante mélodieuse
Et vite l'engagent, d'abord à Bages, puis à Paris
A présent dans les grands music-halls
Elle hurle, c'est la nouvelle école :
Implorante, je suis à tes genoux
Pour te dire que je t'aime
Délirante, je viens au rendez-vous

Des chansons, des poèmes
Exigeante, je demande un poutou
Que j'attends dans un moment suprême
Car la Plante quand elle tombe à genoux
C'est pour dire, c'est pour faire de tout ! *(bis)*

1972

Okahana

Paroles et musique de Charles Trenet

Okahana !
Okahana !
Okahana ! Okahana ! Okahana !
Okahana ! Okahana !
Okahana ! Okahana ! Okahana !

1
Toute ta vie n'est qu'une chambre
Et cette chambre c'est décembre
Qui la peuple jusqu'à la mort
Toute la vie n'est qu'une enfance
Et cette enfance est sans défense
Dès que souffle le vent du nord
Okahana ! Okahana !
Des p'tits bonheurs, des p'tits tracas par-ci par-là

2
Okahana !
Tu ne sais pas
En vérité ce que veut dire Okahana !
C'est Hosanna mais en sanscrit
Quand on veut exprimer sa joie avec des cris
Toute sa joie ou bien ses haines
Les plus lointaines de ses peines
Les premières désillusions
L'existence n'est qu'un manège
Et ce manège depuis le collège
Tourne parfois dans une prison
Okahana ! débrouille-toi
Et bien rira le dernier quand son tour viendra !

3

Ça tourne toujours
On se retrouve avec un grand besoin d'amour
Il est parti le temps d'aimer
J'n'ai pas compris quand la porte allait se fermer
Solitude amie, aimante jamais démente, sans tourmente
Tu me donnes souvent la main
Tu connais au fil des heures,
L'endroit où pleure dans sa demeure
L'ancien bandit des grands chemins
Okahana ! Okahana ! } *bis*
La vie verra ce que la mort emportera

Prenez le temps de chanter

Paroles de Charles Trenet et Guy Lux *Musique de Charles Trenet*

1

Prenez le temps de chanter
De rire, de vous amuser
Tout l'monde sait bien qu'après tout la vie
Est souvent jolie
Quand on la prend du bon côté
Prenez le temps de choisir
Les choses qui vous font plaisir
N'attendez pas que les roses soient fanées
Prenez le temps de chanter

2

Prenez le temps de chanter
Prenez le temps de rêver
Une ritournelle vous donn'ra des ailes
Chaque fois mam'zelle
Quand vous voudrez la fredonner
Prenez le temps, vous, monsieur
D'avoir un coin de ciel bleu
N'attendez pas que les roses soient fanées
Prenez le temps de chanter

3

Prenez le temps de chanter
De vivre joyeux et d'aimer
Tout l'monde sait bien qu'après tout en France
Nous avons la chance
De pouvoir dire en vérité
Qu'il fait bon vivre à Paris
Au nord, au centre, au midi
A l'est, à l'ouest, printemps, hiver, été
Prenez le temps de chanter

4

Prenez le temps de chanter
De rire, de vous amuser
Tout l'monde sait bien qu'après tout la vie
Est souvent jolie
Quand on la prend du bon côté
Prenez le temps de choisir
Les choses qui vous font plaisir
N'attendez pas que les roses soient fanées
Prenez le temps de chanter *(bis)*

L'inquiet

Paroles et musique de Charles Trenet

1

Quand il allait chez des amis
Il lui tardait d'être parti
Quand il allait au restaurant
Il ne mangeait qu'des harengs
Pendant son service militaire
Il passa deux années sous terre
Le jour de sa libération
Il n'eut pas d'situation.

2

Il se prom'na pendant des s'maines
Perdant parfois la forme humaine
Se méfiant des autocars
Des nains cachés dans les tiroirs
Il fallit être employé d'banque
Mais comme il cherchait un' bonne planque
Le pape le nomma cardinal
Il apprit ça dans le journal

3

Quand il fut nommé sous-préfet
Il dansa devant le buffet
Il s'est éteint d'lui-même, un soir
Étant pompier par hasard
Quand il monta devant ses juges
Dieu lui dit : « V'là ton dernier refuge »
Mais le Ciel était trop petit
C'est pour ça qu'il est parti

Coda

Quand il monta devant ses juges
Dieu lui dit : « V'là ton dernier refuge »
Mais le Ciel était trop petit
C'est pour ça qu'il est parti

Michelle, j'aimerais tant...

Paroles et musique de Charles Trenet

Michelle
J'aimerais tant qu'il pleuve ce soir
On resterait tous deux dans le noir
A regarder la télé fertile en aventures
Michelle

On entendrait claquer le feu d'bois
Qui nous dirait qu'la vie c'est la joie
Bûches de Noël, Michelle !

Dehors
Le vent serait d'accord
Avec un flot d'harmonies

Le temps
De rouler un nuage blanc
Et d'en faire une symphonie

Michelle
Nous chanterions tous deux des chansons
Et nous aurions bientôt des frissons
Venus du ciel, Michelle, Michelle
Michelle, Michelle.

Mon opérette

Paroles et musique de Charles Trenet

1
Je vis dans une opérette
J'y suis marquis et de jolies soubrettes
M'époussettent et m'embrassent tous les matins
En me disant : « Bonjour, Monsieur d'Saint-Quentin ! »
Je porte une perruque de neige
Et par la porte qu'un truc change en manège
On ne me voit qu'avec des êtres légers
Quelle chance j'ai !
Demain j'marie ma fille avec un sombre idiot
Qui sait danser l'quadrille mais n'sait pas dire un mot.
La nuit si j'suis attaqué
Par des bandits plus ou moins masqués
J'leur chante alors un air en *do* dièse majeur
Sans avoir peur.

2

La suite se passe en Espagne
A la va-vite on plante un mât d'cocagne
Fête populaire où vient l'évêque de Burgos
Dans un carrosse plein de bosses poussé par des gosses.
Il y a là une drôle de scène
L'épiscopat me prend pour un mécène
Et nos profils étonnés et rubiconds
Plaisent au balcon...
La fin du troisième acte est rapide en coup d'fouet
L'histoire se décontracte et l'rideau tombe à souhait
Mais moi je sais qu'ce rideau
Ne tombe pas et demeure tout là-haut
Et c'est ainsi qu'jamais ne s'arrête
Mon opérette.

3

Je vis dans une lumière
Qui m'éblouit mais qui m'est familière
Le vrai, le faux s'entremêlent à qui mieux mieux
Quand je repeins le ciel c'est pour qu'il soit bleu
J'apprivoise au cours d'ma vie
Pour mon extase l'ordre et la fantaisie
Et de mes larmes je fais d'étranges colliers
Qu'on voit briller.
J'aime tout ; il y a vraiment très peu d'choses qui
[m'dérangent
Suis-je fou d'offrir parfois quelques roses à des anges ?
Pourquoi n'aurais-je pas aussi
Le droit d'avoir un grand bonheur ainsi
Mais avec vous amis, meilleurs interprètes
D'mon opérette !

Joue-moi de l'électrophone

Paroles et musique de Charles Trenet

Joue-moi de l'électrophone
J'ai envie d'entendre des airs joyeux
Ne me joue pas « L'après-midi d'un faune »
Ça me donne des larmes aux yeux
C'est bien trop beau
Joue-moi plutôt
Des airs militaires
Comme au temps d'mon régiment
Des airs comme au temps de la guerre
Comme au temps de mes vingt ans

Rien n'est à moi... tout est à eux, } *bis*
A eux, à eux, à eux, à eux

Joue-moi des airs de manège
Que jou'rait la fanfare des Beaux-Arts
Joue-moi aussi des marches de cortège
Défilant avenue de la Gare
Devant Madame
Farine qui dit :
« Quelle est belle la fête ! »
Car elle voit sa petite fille
Jolie parmi les majorettes
Avec ses yeux qui brillent

Joue-moi des airs de vacances
Qu'on n'peut pas entendre dans les night-clubs
Des airs qui sentent encore si bon l'enfance
Quand grand-père chantait dans son tub
Un peu comme ça :
« Poum, poum, poum, poum
Entrons dans la danse »
Des airs purs, gais et charmants
Des airs qui disent qu'on est en France
A présent comme avant
Et pour longtemps !

Rien n'est en place

Paroles et musique de Charles Trenet

1er refrain

Rien n'est en place
Dans cette maison
L'armoire à glace
Au salon
Sur des échasses
La bonne au plafond
Chasse la crasse
La crasse qui fond.
Les araignées
Dans les lavabos
Vivent baignées
Par les eaux
Eaux de vaisselle
Faisant comme un bruit
De violoncelle
Tombant dans un puits.

2e refrain

C'est lamentable
Depuis quelques soirs
Tournent les tables
Dans le noir
Elles s'envolent
Dans les escaliers
Elles sont folles
Oui folles à lier !
Si je jardine
Les roses pompons
Se changent malignes
En melons ;
Et si je dîne
Tous les aliments
Sont des sardines
Parées de diamants.

3
Quand par malchance
Je vais sur le toit
Tout s'y balance
De guingois
Ô Providence
Sommes-nous en bateau ?
Faudrait je pense
Le dire bientôt.
Du fond d'la cave
Arrive en furie
Un ours qui bave
Et qui crie
Suivent en fête
Divers bohémiens
C'est pas trop bête
Je n'y comprends rien...

4
Dames Mesdames
J'avoue qu'ce jour-là
Ce fut un drame
Malgré moi...
Sachez que ma vue
N'était plus très nette
Puisque perdues
Étaient mes lunettes
Et que j'disais : *(Au 1er refrain)*

Les Incas de banlieue

Paroles et musique de Charles Trenet

1
Ils sont venus par la route des cieux
Ils sont venus les Incas de banlieue
Ils sont venus sur un tapis volant
Et dans les rues ils étaient flamboyants.

Refrain

Ah ! messieurs
Voici les Incas de banlieue
Ah ! mesdames
Ils vous donnent du vague à l'âme.

2
Ils ont franchi l'imposante cordillère
Qui de Bercy va jusqu'au pont d'Asnières
Et pleins de grâce ont atterri sans peine
Sur une terrasse au cœur de La Varenne. *(Refrain)*

3
Ils ont posé leurs défroques vermeilles
Puis ont dansé dans le simple appareil
De jeunes beautés arrachées au sommeil
En les voyant on disait « quelles merveilles » *(Refrain)*

4
Ils sont partis dans la nuit enchantée
Sur leur tapis beau vaisseau de clarté
Dont l'équipage était la seule parure
Et dans un nuage soudain ils disparurent.

Ah, messieurs
C'étaient les Incas de banlieue
Ah, mesdames
Ils vous donnaient du vague à l'âme.

Les bulldozers

Paroles et musique de Charles Trenet

1
J'entends ma mie
Les grands bulldozers
Dans la prairie

Ils donnent un concert
Et leurs chenilles
Qui s'éparpillent
Vont transformer en enfer
Les coins champêtres
Que nous aimons tant,
Le bois de hêtres
La source d'antan
Et la piscine
Qu'on assassine
Nous dit : « Adieu mes enfants »

2
Dans la poussière,
Spectacle navrant,
On voit des pierres
Qu'un monstre savant,
Triste machine
Courbant l'échine.
Choisit et cueille dans le vent
Adieu la vigne
Adieu cerisiers
Qui restez dignes
Comme des fusillés
On vous emporte
La vie est morte
Adieu chemins et sentiers

3
A coups de pelle,
A coups de marteau,
Tombe la chapelle
En haut du coteau...
Et sur la roche
Se meurt la cloche
En disant : « Gratias Deo » ;
Voilà ma mie
Les grands bulldozers
Dans la prairie
Où plus rien n'est vert

Demain sans doute
Quelqu'autoroute
Passera dans ce lieu désert.

Le bateau-lavoir

Paroles et musique de Charles Trenet

1

Venez, venez sur mon bateau
C'est le plus grand, c'est le plus beau
Il fait vraiment plaisir à voir
C'est un charmant bateau-lavoir
C'est moi qui suis le capitaine
Je me déguise en croque-mitaine
Pour faire peur aux lavandières qui vont
Plonger toutes nues dans la rivière
Pour attraper des bouts d'savon.

2

Quand vient le soir, je rêve un peu
Je m'en vais boire au coin du feu
Mais aux vendanges en Arles-sur-Tech
Le bateau se change en discothèque
Toute la jeunesse du pays
Vient et s'y presse toute la nuit
Et au p'tit jour chacun se dit au revoir
Claquant des mains comme des battoirs
A bord de mon bateau-lavoir !

3

Un jour un banquier (homme d'affaires)
Tombe à mes pieds chez un notaire
Il me demande si je veux de l'argent
Pour que je vende mon bâtiment
Je lui répondis en délire :
« La liberté, c'est mon navire
Ça n'a pas de prix et je vous le dis aussitôt

Vous me donnez envie de rire
En voulant m'emmener en bateau ! »

4
Venez, venez, dans la tempête
Les nouvelles vagues ont plus de dix mètres
Quand le temps se gâte c'est épatant
Sur ma frégate on reste content
Et si demain finit le voyage
Si l'on prend le chemin du garage
On pourra dire « Il fallait le voir pour y croire »
« Chacun lui doit un peu d'espoir »
A ce bon vieux bateau-lavoir !

Coda

A ce baba, à ce toto, à ce la-la à ce voi-voir
A ce bon vieux ballot, à ce bon vieux bavoir
A ce bon vieux bateau-lavoir !

Fons Godail

Paroles et musique de Charles Trenet

1
C'est Fons Godail
Qui les a peints
Ce vieux bercail
Ce mas ancien
Ce grand portail
C'est Fons Godail
Et ce ciel de septembre
C'est Fons Godail
Qui les a peints
Tous ces détails
Ce four à pain
Et ces oiseaux venus de loin
Sur le mur de ma chambre

Tous ces sentiers éparpillés
Ces oliviers émerveillés
Les pierres de taille
Du mur romain
C'est Fons Godail
Qui les a peints
Mort en chandail
Mon vieux copain
Mon vieux copain rapin.

2

J'étais enfant
Il était vieux
Mais si charmant
Et si joyeux
Quand nous allions
Souvent tous deux
Au jardin de Saint-Jacques
Nous allions peindre
N'importe quoi
Et voir s'éteindre
En haut des toits
Un gros soleil content, ma foi
D'être en vacances de Pâques
Mais aujourd'hui, le même soleil
Fixé par lui, toujours pareil
Toujours en vie
Comme un vitrail
Qui resplendit
Quel beau travail
Change Paris
Et sa grisaille
En un grand Fons Godail.

Dansa copoeira

Paroles et musique de Charles Trenet

1
Nesta dansa copoeira
Nesti matto tan serrado
E caminho dia interio
De un tropeiro apaichonado
Caminhando lentamente
Por la estrada de sertaõ
O tropeiro como vente
Entoava esta canção

2
Passarinho pequenino
Abras asas pra voar
Vaï diser a minha amada
Que vivo sempre a t'esquitar
Diga diga para ella
Que algũm dia eide voltar
Si Deus empestar a vida
E a morte non tirar.

3
Mas un dia allia nestrada
Uma cruz que se ergeu
De um tropeiro apaichonado
Que de tristessa alli moreu
Mas tamben e cabochinha
Ossus dias terminu
Junta cruz de seu amado
Otra cruz se mevantu *(bis)*

Samedi soir usagé

Paroles et musique de Charles Trenet

1
J'aim'rais bien échanger
Un sam'di soir usagé
Contre un dimanche matin
Plein d'entrain...
J'invit'rais mes amis
A me suivre au paradis
Sur une route chaude et nue à midi
Si nos jambes tombent en panne
Nous mont'rons sur un p'tit âne
Comme au temps de Jésus notre ami...
J'aim'rais bien échanger
Un sam'di soir usagé
Contre un dimanche matin
Plein d'entrain.

2
J'échang'rai mon château
Contre une part de gâteau
Si j'retrouve en même temps
Mes huit ans.
Si j'retrouve mon grand frère
Ça sera une bonne affaire
Avec lui j'ai toujours su quoi faire
Nous jou'rons aux enfants
Éloignés de leurs parents
Et qui montent au dortoir en pleurant
J'échang'rai mon château
Contre une part de gâteau
Si j'retrouve en même temps
Mes huit ans.

3
J'échang'rai mille discours
Contre un rendez-vous d'amour
Où la main dans la main
On n'dit rien...

Que d'échanges, que d'échanges
Je ne voudrais pas, mon ange,
Que tu te changes, ah, mais non
En démon...
Si ça devait arriver
J'aurais bien fini de rêver
Disons vite trois pater deux ave...

Car

J'aim'rais bien échanger
Un sam'di soir usagé
Contre un dimanche matin
Plein d'entrain.

1973

L'héritage et grand-mère

Paroles et musique de Charles Trenet

Me' oa Mathurinan dall
Zouben ar n'andoulienn
Pa hario yan ir gair
Ne' vo gan ar druchen

Que disait grand-mère jadis
Dans son plus bel âge
A quatre-vingts ans et plus
Gloria dominus ouais
Elle disait mes enfants oui
Rentrez le fourrage
On a besoin pour la vie
Des économies oui

L'héritage c'est cela
Ça vient par-ci et par-là
L'héritage c'est là-bas.
C'est ici et aussi là.

Elle s'trompait du tout au tout
Car dans ses affaires
Y'avait encore des binious
Du passé partout you
Y'avait aussi dans un coin
Des plus solitaires
Un joli petit prunier
Qui lui appartenait ouais

L'héritage c'est cela
Des noyaux de pêche melba

Elle vendit vendredi
Un terrain des plus jolis

Elle vendit le four à pain
Pour un prix d'misère
Et la cabane à lapins
Pour un morceau d'pain hein
Elle vendit à des huissiers
Le berceau de grand-père
La pendule et l'balancier
A un pâtissier yé

L'héritage c'est cela
On l'attend et n'la pas
J'étais bien le dernier
Pour hériter d'un prunier

Et depuis je chante encore
La vie éphémère
Ignorant les prix d'alors
Et le prix de l'or or
Et je chante aussi l'passé
De ma vieille grand-mère
Qui vendit son vieux prunier
Pour trente deniers ouais

Je suis jeune, je m'en fous
J'ai pour moi la vie entière
Je suis jeune, je m'en fous
Adieu grand-mère et biniou.

Boulem pam boli

Paroles et musique de Charles Trenet

Bien souvent pour leur quatre heures
Les petits Catalans
Préfèrent aux tartines de beurre

Un mets succulent
Un quignon de pain à l'huile
Bien frotté d'ail, par bonheur
Et d'une façon fort civile
Ils chantent en chœur

Boulem pam boli } *ter*
Pam boli boulem }

Du pain à l'huile
Nous voulons maman
Du pain à l'huile
Nous l'aimons vraiment
Du pain à l'huile
Nous en sommes gourmands
Du pain à l'huile
Du pain à l'huile
Nous voulons maman

Pour la fête des vendanges
Quand ils sont bien plus grands
Quand ils cessent d'être des anges
Pour leurs vieux parents
Les garçons demandent aux filles
« Que pourrais-je te donner ? »
Elles répondent très gentilles
Et pas étonnées

Du pain à l'huile
Donnez-nous galants
Du pain à l'huile
Nous l'aimons vraiment
Du pain à l'huile
Pour nos dix-huit ans
Du pain à l'huile
Du pain à l'huile
Donnez-nous galants

Mais parfois la destinée
Fait aux petits Catalans

Après de longues années
Un cadeau charmant
Au milieu de leurs problèmes
Une chanson vient les bercer
Et cet air toujours le même
Savez-vous ce que c'est

Boulem pam boli
Pam boli boulem
Du pain à l'huile
Nous voulons maman.

Le truc du pognon

Paroles et musique de Charles Trenet

1
Ils ont trouvé le truc pour fair' du pognon
Ils ont trouvé le truc pour fair' de l'oseille
Ils ont trouvé le truc pour fair' des picaillons
Ils ont trouvé le truc, ell's sont pas folles les vieilles

2
Avec les conseils d'administration
Leurs jetons de présence, l'Académie française
Ils ont trouvé le truc pour fair' du pognon
Ils ont trouvé le truc pour fair' de la braise

3
Je ne suis qu'un mendiant à l'angle du vieux pont
Qui voit sortir les gens heureux d' chez la bouchère
J'aimerais bien aussi du veau aux p'tits oignons
Que je mang'rais sans dent, car je suis vieux ma chère

4
Ce matin je suis mort d'une étrange congestion
A présent que délesté des choses de la terre

Vous trouverez chez moi caché sous l' paillasson
Trois millions d' nouveaux francs... J'étais ancien notaire...

Y'a un grillon dans la maison

Paroles et musique de Charles Trenet

1

Y'a un grillon dans la maison
Y'a un grillon qui chante une chanson
Y'a un grillon sous le charbon
Y'a un grillon qui est beau, qui est bon
Y'a un grillon qui dit que l'hiver
C'est un rayon sous un feu de bois vert
Y'a un grillon qui dit que l'amour
Ça vient toujours un jour
Et je suis sorti dans la rue
Et soudain tu m'es apparue
Et depuis, depuis ce beau temps
Nous nous chantons tous deux le cœur content

2

Y'a un grillon dans la maison
Y'a un grillon qui chante une chanson
Y'a un grillon sous l'édredon
Y'a un grillon qui est beau, qui est bon
Y'a un grillon qui dit que l'hiver
C'est un rayon sous un feu de bois vert
Y'a un grillon qui dit que l'amour
Ça vient toujours un jour
Et depuis, le temps passe
Il s'enfuit, s'enfuit dans les glaces
Mais qu'importe la fuite du temps
Autour de nous il y a beaucoup d'enfants

3

Y'a des grillons dans la maison
Y'a des grillons qui chantent des chansons

Y'a des grillons en toute saison
Y'a des grillons qui sont beaux, qui sont bons
Y'a des grillons qui disent que la vie
C'est un fleuron qui toujours refleurit
Y'a des grillons qui disent que l'amour
Ça peut durer toujours
Y'a des grillons dans la maison
Y'a même un négrillon.

Chansons en liberté

Paroles et musique de Charles Trenet

Chansons en liberté d'où venez-vous ?
De loin, d'un monde enchanté
De loin, d'un monde habité
Ou bien tout simplement, de chez nous

L'oiseau qui chante encore dans tous les cœurs
Est-il d'ici ou d'ailleurs
Mais qu'importe après tout
Puisqu'il ne chante que pour vous
Ses chansons, sa vérité
Ses chansons en liberté

Leurs décors sont naturels
Un coin de terre, un coin de ciel
L'étang de Thau, l'étang de Bages
Tournons la page
Le Canal du Midi
Et la province qui dort la nuit
Et bien souvent, mon vieux Paris
Dans mes bagages.

A la gare de Perpignan

Paroles et musique de Charles Trenet

1

A la gare, la gare de Perpignan
Y'a un train qui remonte le temps
Quand il passe du côté des étangs
Du côté des étés d'antan
Je m'retrouve dans le wagon de Paris
Y'a déjà le Louvre, les Tuileries
Y'a aussi ma famille
Sur le quai
Bien gentille
Mais interloquée

2

Mine de rien
A la gare d'Austerlitz
Je l'sais bien
Je n'irai pas au Ritz
Et j'me dis
Ici c'est bien plus grand
Que la gare de Perpignan
Va falloir te débrouiller, mon vieux
Travailler, pour être un jour heureux
Et rev'nir, qui sait, le cœur content
A la gare de Perpignan

3

Tourbillon, la ronde des années
Illusions, mais pas toutes fanées
Car le rêve, le rêve demeure inouï
Oui sans trêve, il s'est épanoui
Trente-deux ans, ce fut bien vite passé
A présent on est quitte et je sais
Que j'préfère au train qui remonte le temps
La douceur de mon vieux printemps

4
Perpignan, Perpignan dans ta gare
Des jeunes gens partent pour la bagarre
Des moins jeunes débarquent là, ravis
Espérant revivre leur vie
Mais la vie
Ça n'se recommence pas
Jour et nuit
Ça marche pas à pas
Vers un train le dernier que l'on prend
A la gare de Perpi Néant.

Les amours qui reviendront

Paroles et musique de Charles Trenet

Les amours qui reviendront demain
Seront sur mon chemin
Comme des roses buissonnières
Les amours jolies, les amours de l'été
Seront dans leur clarté ma vie entière
Ah ! que vienne le soleil retrouvé
Qu'il soit fini d'rêver
Aux aventures...
Car pour vivre les amours de demain
Il faut suivre le chemin
De la nature
Dans le ciel champêtre
De la nuit des temps
Est écrit peut-être
Un destin que j'attends.

Belles amours demain en vérité
Vos jours seront comptés
Mais qui peut dire qu'on vous oublie
Vous restez souvent pareilles à des chansons

Dans le vent d'une saison ou d'une vie...
Moi, je pars toujours pour conquérir
Quelque tendre avenir
De poésie...
Vous restez pareilles à des chansons
Que l'on chante une saison
Ou toute la vie.

Ma sœur n'oubliez pas

Paroles de Charles Trenet et Gaston Bonheur *Musique de Charles Trenet*

1
Au couvent des Clémentines
La Supérieure, un matin,
Au lieu de chanter matines
S'en alla prendre le train
Elle partait dare-dare
Au chevet de Monseigneur
Et sur le quai de la gare
Elle dit à tout' vapeur

Refrain

Ma sœur n'oubliez pas
Que pendant mon absence
Il faudra, il faudra
Repriser les draps
Ma sœur n'oubliez pas
Que dans les lieux d'aisance
Il faudra, il faudra
De la mort-aux-rats
N'oubliez pas le vendredi
De manger du poisson béni
Et de donner de l'ipéca
Chaque soir à sœur Augusta
Ma sœur n'oubliez pas

Les boules de naphtaline
Faites de petits repas
Songez que qui dort dîne
Ma sœur n'oubliez pas

2

La commission étant faite
La novice s'en alla
En disant je le regrette
Mais je ne peux rester là
Aussitôt chacune invente
Pour partir mille raisons
Répétant à la suivante
Écoutez cette oraison *(Refrain)*

3

Un matin de très bonne heure
Rev'nue par la voie des airs
Notre Mère Supérieure
Trouve le couvent désert
L'herbe prenait sa revanche
Tout n'était plus que buisson
Et les oiseaux sur les branches
Lui chantaient cette chanson

Refrain final

Ma Mère n'oubliez pas
Que pendant votre absence
Ell's n'ont pas, ell's n'ont pas
Reprisé les draps
Ma Mère n'oubliez pas
Que dans les lieux d'aisance
Ell's n'ont pas, ell's n'ont pas
Mis d'la mort-aux-rats
Elles sont parties un vendredi
En mangeant du poulet rôti
En donnant du chocolat
Chaque soir à sœur Augusta

Ma Mère n'oubliez pas la moral' de l'histoire
Et pour finir sur un mot
L'absence il faut me croire
Est le pire des maux.

1974

La mer est grise, le ciel est vert

Paroles et musique de Charles Trenet

1

La mer est grise
Le ciel est vert
Au loin la brise
Dort sur la mer
Le temps qui passe
M'effleure un peu
Rien ne remplace
Un jour de ciel bleu

Les gens que j'aime
Sont tous partis
De vieux poèmes
Je me redis
La mer est morte
Le ciel est noir
Fermons la porte
Au désespoir

Venez tous les voyages
Toutes les images
D'avenir
Soyez en concurrence
Avec la France
Plaisirs

Les Caraïbes
C'est bien noté
Mais les sylphides
M'ont raconté

Que toutes les routes
Mènent à l'amour
Et coûte que coûte
J'y vais toujours.

2

Dis-moi je t'aime
Quel beau roman
Dis-le-moi même
Mêm' si tu mens
J'ai pour ce thème
Du sentiment
Dis-moi je t'aime
Dis-le-moi vraiment

La mer est triste
Plus de couleurs
Rien ne résiste
A sa langueur
Perdons la tête
Pour notre bien
Soyons poètes-musiciens

Chansons bonne compagnie
Sont toute ma vie
J' l'avoue
La nuit ell's vagabondent
Recréent des mondes
Partout

La mer est vieille
Le ciel est bon
Y'a des merveilles à l'horizon
Et moi je veille
Sur ton balcon
Quand tu sommeilles
Mon ange blond.

Il pleut sur ma chaumière

Paroles et musique de Charles Trenet

1

Il pleut sur ma chaumière
Cela m'est très doux
Cela m'est très doux
Je crois bien qu'c'est la première
Ondée depuis le mois d'août.
J'entends venir l'orage
Je vois le ciel pâlir
Il pleut sur le fourrage
Ça me fait plaisir
Ça me fait plaisir.

2

Toujours quand tombe la pluie
Je revois ému
Je revois ému
Bien des choses de ma vie
Qui ne reviendront plus.
Je retrouve les images
De mon beau temps d'aimer
Mon cœur est en voyage
Ça me fait rêver
Ça me fait rêver.

3

Marinon Marinette
Aux beaux yeux rieurs
Aux beaux yeux rieurs
Nous avions tous deux fillette
Construit un grand bonheur.
C'était souvent dimanche
Au soleil enchanté
De nous voir sous les branches
Ça me fait chanter
Ça me fait chanter.

4
Hélas la vie est dure
Les amours s'en vont
Les amours s'en vont
S'en vont courir la nature
A-t-elle un sens profond
Pourquoi meurent les roses ?
Sans jamais demeurer
En songeant à ces choses
Ça me fait pleurer
Ça me fait pleurer.

5
Mais par ce temps de pluie
Je vois en vérité
Je vois en vérité
Des amants qui pour la vie
Se jurent fidélité.
Du fond de ma chaumière,
J'imagine leurs soupirs
Je ferme les paupières
Ça me fait sourire
Ça me fait sourire.

Coda

Du fond de ma chaumière
J'imagine leurs soupirs,
Pour eux je fais une prière
Ça me fait plaisir
Ça me fait plaisir.

Le Mécène

Paroles et musique de Charles Trenet

1

Le Mécène Randowski
Donne chez lui
Une grande mazurka
Tout Paris se presse et danse
Aux accents, à la cadence
D'une musique qui fait Ram comme ci
Et puis Ram comme ça
Les laquais se sont levés tôt
Pour astiquer des plateaux hauts
Qu'ils balancent
Pleins d'aisance
Présentant des p'tits-beurre exquis
C'est la fête
Qui s'apprête
Chez le Mécène Randowski

2

Le consul du Pérou
N'a pas vu qu'il y a un trou
Au revers de sa jaquette
Et pendant qu'il fait la quête
Pour une œuvre insensée
Celle des éléphants délaissés
Un ambassadeur s'énerve
Devant un buste de Minerve
D'une phrase
En extase
Il détaille les contours charmants
De la statue
Devêtue
Mais pas impudiquement

3

Soudain la Traviata
Retentit dans le galetas
C'est la voix d'une femme de chambre

Qui de janvier à décembre
Fait étale sans détour
D'un cristal de coloratur'
Si l'on demande au Mécène :
« Quand va-t-elle monter sur scène ?
Il hésite : « Cette petite
Oui ma foi est très bien chez moi
Et je gage que ses gages
Seraient plus bas à l'Opéra

4

Mais un p'tit incident
Ou plutôt un gros incendie
Rend ce beau monde hystérique
On applaudit en panique
Le quadrille des lanciers
Dansé par les sapeurs-pompiers
Je vois un manteau de loutre
Prisonnier sous une poutre
Dans sa loge s'interroge
La concierge (une centenaire)
Elle déclare : « C'est bizarre »
J'aurais préféré le tonnerre

5

La fête est terminée
Les dames sont désenfarinées
Et leurs belles robes de moire
Sont remplies de taches noires
Dès demain chez l'coiffeur
Elles changeront leurs cheveux de couleur
Quant au nonce apostolique
Il a toujours la colique
Dare-dare on se sépare
Et dehors y a un peu d'crachin
Le Mécène quitte la scène
Et dit : « A mardi prochain. »

Où es-tu ma souris ?

Paroles et musique de Charles Trenet

1er refrain

Où es-tu ma souris
Mon amour
Ma jolie
Mon trésor
Mon bel ange gris
Dans quel coin de Paris
Te caches-tu ma souris
De la place Maub' au parc Montsouris
Je te cherche à minuit
Rue du Cherche-Midi
Je crois te voir au cœur de l'île Saint-Louis
Je demande à des gens
Je demande à des agents
Mes amis où est donc ma souris

Couplet

Un pauvre garçon natif de sa Bretagne
Avait eu là-bas un bel amour
Mais ce bel amour qui était une compagne
Partit pour Paris un beau jour
Et c'est ainsi que gare du Maine
Il chantait pauvre phénomène.

2e refrain

Où es-tu ma souris
Mon amour
Ma jolie
Mon trésor
Mon bel ange gris
Dans quel coin de Paris
Te cach's-tu ma souris
De Montmartre au cœur de l'île Saint-Louis
Je te cherche à Passy
Pas si sûr que tu vis

Idéale dans le quartier des Halles
Je demande à des p'ttis
A des petits travestis
Mes amis où est donc ma souris

Je te cherche à Boissy à François le Vitry
Je tombe en panne près de Limeil-Brévanne
Je demande à des fous des pierreuses des voyous
Mes amis où donc est ma sou sou
Tout le monde s'en fout
Je demande à des chats à des rats de l'Opéra
Mes amis où donc est ma souris, ma souris.

A l'île Maurice

Paroles et musique de Charles Trenet

1
Chez nous, quand le soleil a disparu
Chez nous, on va danser le long des rues
Chez nous, y'a de p'tits bals un peu partout
Chez nous, tout l'monde s'en fout et zou !

Refrain

A l'île Maurice, à l'île Maurice
Y'a des bananes, du pain d'épices
Et des belles filles avec des cuisses
Et des garçons toujours d'service
A l'île Maurice, à l'île Maurice
On n'a pas peur de la police
On fait sa vie sans faire caprice
On fait l'amour sans faire malice !

2
Chez nous, quand les canots reviennent au port
Chez nous, marins pêcheurs sont tous d'accord
La plage c'est à Blue Baie toujours en fête
On nage sans peur des grosses bêbêtes !

Refrain

A l'île Maurice, à l'île Maurice
C'est toujours comme feu d'artifice
Toute les étoiles nous éblouissent
Quand à la voile un bateau glisse
A l'île Maurice, à l'île Maurice
On est ainsi de père en fils
On fait sa vie sans faire caprice
On fait l'amour sans faire malice !

3
Chez nous, tout l'monde travaille autant qu'il faut
Chez nous, on se couche tard on se lève tôt
Chez nous dans la musique on fait HIP ! HIP !
Chez nous à Port-Louis, Cure-Pipe

Refrain

A l'île Maurice, à l'île Maurice
Y'a des bananes, du pain d'épices
Et des belles filles avec des cuisses
Et des garçons toujours d'service
A l'île Maurice, à l'île Maurice
On n'a pas peur de la police
On fait sa vie sans faire caprice
On fait l'amour sans malice
On fait l'amour sans malice
L'amour nous fait faire des métis.

Cinq ans de Marine

Paroles et musique de Charles Trenet

1
Moi j'ai fait cinq ans d'Marine
Et ça m'est arrivé au début d'l'existence
Moi j'ai fait cinq ans d'Marine
Et ça me fait rêver souvent quand j'y repense

Cinq ans d'Marine au fond d'un p'tit bureau
Donnant sur la rue Royale
Cinq ans d'Marine à mâcher des mégots
Au cœur de la capitale

2
Je n'ai jamais pris la mer et je n'ai jamais vu
Les pays des affiches
Moi je suis resté pépère navigateur des rues
Et rédacteur de fiches.
Le samedi soir je n'allais pas au port,
Mais pour les filles pas trop sages ;
J'avais une chambre près d'la gare du Nord
Bonne aux amours de passage.

3
Les tempêtes si je n'm'abuse je les vivais d'en haut
En dessous d'la toiture
Des tornades d'autobus, des vagues de métros,
Des océans d'voitures
Des capitaines de corvette c'est normal
Prenaient des airs de mystère.
Et parfois même quelque vieil amiral
Se perdait dans l'ministère.

4
Et le temps s'est écoulé sans que je réalise
Qu'il était ma jeunesse.
Et qu'après bien des années si je l'idéalise
Est-c'un peu par faiblesse ?
Sait-on de quoi sont faits nos souvenirs
Sur les chemins de la vie ?
Sait-on pourquoi on s'invente à plaisir
Chacun sa Polynésie ?...

5
Moi j'ai fait cinq d'Marine
Et ça m'est arrivé au début d'l'existence.
A présent je fais des rimes
Et ça me fait chanter, après tout je m'en balance

Cinq ans d'Marine au fond d'un petit bureau
Donnant sur la rue Royale
Cinq ans d'Marine à mâcher des mégots,
Au cœur de la capitale.

1975

Les pelouses sportives

Paroles et musique de Charles Trenet

J'ai retrouvé l'odeur des pelouses sportives
Où tombe la sueur des athlètes complets
Clair dimanche aux couleurs de maillots vert olive
C'est dans ton souvenir que mon cœur se complaît.

J'ai senti sur ma joue hésiter une larme
Que la terre buvait plus tard dans mon sommeil ;
Tout dormait et le monde avait mis bas les armes
La vie adolescente adorait le soleil.

Où perchez-vous garçons qui sautez à la perche
Dans les stades du bois, sur les rives du ciel
Rentrez avant la nuit vos parents vous recherchent
Mais gardez de l'azur les élans essentiels.

Ah, que ne suis-je encor un oiseau de collège
Que n'ai-je mes quinze ans pour voler et courir
Que n'ai-je mes leçons de solfège, que n'ai-je
La neige du passé qui garde l'avenir.

Je n'y trouverai pas que ces pelouses vertes
Mais les bouches d'avril et les passions offertes
L'odeur et la saveur des étés triomphants,
Où l'ombre de la nuit abritait de son aile
Les rêves, les désirs, ces choses éternelles } *bis*
Que possèdent encor les fous et les enfants }

Les oiseaux me donnent envie de chanter

Paroles et musique de Charles Trenet

1

Les oiseaux me donnent envie de chanter
De rêver ou d'aimer
Le printemps qui tremble
A présent ressemble
Aux printemps de jadis
Que je compte par dix
Les oiseaux me donnent envie de partir
Vers des cieux de loisirs
J'enlève mon costume
De brouillard, de brume
Je suis nu tout en haut des nues.

2

Les oiseaux me donnent envie de fredonner
A des gens étonnés
De voir que l'on cause
De toutes sortes de choses
Dans la rue, sans façon
Le temps d'une chanson,
D'une chanson qui dit, qui dit qu'à tout âge
Nous faisons le même voyage
Sur le même bateau
Chaumière ou château
Que l'on quitte plus tard ou plus tôt.

3

Les oiseaux un jour, je sais, s'en iront
Me laissant dans mon rond
Dans mon rond de cirque
Ils n'auront pas pire que
Cette chose, hélas :
Attendre qu'l'hiver passe.
Et peut-être qu'au retour des vertes ramées
Ma fenêtre sera fermée
La maison sera morte
La saison ? qu'importe !

Je s'rai loin... loin dans quelque coin
Oui, mais où ? J'n'en sais rien du tout.

Tiens ! voilà le gros Bill

Paroles et musique de Charles Trenet

Tiens ! voilà l'gros Bill
Qui r'vient dans son village natal
Et dans une automobile
Tiens ! voilà l'gros Bill
Qui r'vient en fête
Fortune faite
Après un séjour en ville
Il était parti voilà dix ans sans une thune
Oui, mais à présent la fortune
La fortune lui sourit
Toutes les filles sont folles de lui
Il a vraiment frappé dans le mille
Le gros Bill
Oh ! mais oui !
Il a vraiment frappé dans le mille
Le gros Bill
Oh ! yé !
Il a vraiment frappé dans l'mille
Le gros Bill.

Une dame qui joue là-haut

Paroles et musique de Charles Trenet

1
Une dame
Qui joue là-haut
Fait des gammes
Sur son piano

Elle joue une mélodie
Signée Éric Satie.

Cette dame
Qui se souvient
Sans réclame
Des jours anciens
Fut jadis, pendant la guerre
Infirmière comme ma mère
A présent où sont les blessés
Les hôpitaux du temps passé
Où donc est le médecin-major
Aux yeux bons et francs comme l'or ?

Une dame
Qui joue là-haut
Fait des gammes
Sur son piano
Elle joue une mélodie
La mélodie de toute sa vie.

2

Elle chante vocce mezzo
La touchante
Romance en do
Qui module soudain en ré
Avec deux dièses à la clé.

Do dièse
Et puis soudain ré
Très à l'aise
Gabriel Fauré
Sur sa chaise
Prend sa tasse de thé
A Dieu ne plaise
Il est en beauté
Après tout il n'est pas si vieux
Avec ses poches sous les yeux
Qui s'effacent, qui lui vont mieux
Quand il sourit... comme c'est curieux !

Une dame
Qui joue là-haut
Fait des gammes
Sur son piano
Elle joue une mélodie
La mélodie de toute sa vie...
Une dame qui joue là-haut.

1976

Versailles en Provence

Paroles et musique de Charles Trenet

1

Venez mes amis, invitons le Roi...
Il court les jardins de Versailles,
Il est fort épris de la comtesse du Bois
Du Bois d'Entremonts et d'Entrailles
Elle est très jolie
Il est très poli
Ils s'en vont au lit
Manger d'l'aïoli...
Sa petite amie étant provençale
Le Roi s'est donc mis vaille que vaille,
Au jaune d'œuf à l'huile, à la gousse d'ail
Il verse dans l'ail à Versailles

2

Venez mes amis dans mon cabanon
Goûter à la bonne bouillabaisse
Qui plut à Lulli et qui dut son nom
A la bouille d'une vieille abbesse
Là-bas sous les pins
Il y aura du vin
Personne ne s'en plaint
Merveilleux tremplin...
Vous retrouverez la Cour et ses gens
Autour de nos poissons de roche
C'est un mets royal souvent indigent
Dès que les touristes approchent...

3
C'est pour vous prouver qu'ici dans l'Midi
On est aussi bien qu'à Versailles.
Il suffit d'avoir un p'tit peu, pardi,
Un peu de gros pain frotté d'ail
Manger d'la brioche,
Ça serait trop moche,
Je vous l'dis tout net
Marie-Antoinette
Venez mes amis invitons le Roi
Voici le Seigneur qui s'avance
Il avait promis de venir une fois
Dîner dans un mas en Provence.

Le nid de pies

Paroles et musique de Charles Trenet

1
Y'a un nid d'pies dans l'poirier
J'entends les petits qui chantent
Y'a un nid d'pies dans l'poirier
J'entends les petits chanter
Y'a une bombe qui a explosé
Au-dessus d'la mer immense
Y'a une bombe qui a explosé
J'entends les petits pleurer
Moi j'entends mille bruits je crois
Mille bruits de joie
De tristesse
Moi j'entends la vie de chacun
Que ce soit l'tocsin
L'allégresse.

2
Y'a un village qui vient d'mourir
J'entends son clocher sous l'onde
Y'a un village qui vient d'mourir

J'entends ses enfants partir...

Y'a une table en bois épais
Où l'on parle de la guerre
Y'a une table en bois épais
Où l'on parle de la paix
On y discute depuis vingt ans
Depuis jadis et naguère
On y discute depuis vingt ans
Les discours ça pass' le temps
Ceux qui sont morts pour des idées
Furent-ils décidés
A le faire ?
Ceux qui vivent ici ou ailleurs
Se croient-ils meilleurs
Pauvres frères...

Y'a un nid d'pies dans l'poirier
Moi j'entends tomber les poires
Y'a un nid d'pies dans l'poirier
Allons vite les ramasser

3

Nous les mang'rons après dîner
En oubliant les histoires
Qui pourraient nous faire regretter
Le monde et la société
Mais chacun a son paradis
Qui contient, je vous l'dis
Des merveilles
Il suffit de fermer les yeux
De s'boucher un peu
Les oreilles...
Et quand on croit qu'tout est fini
Y'a un nid d'pies qui chantent
Et quand on croit qu'tout est fini
Y'a un nid d'pies, c'est la vie...

Pain Beurré et Pain Doré

Paroles et musique de Charles Trenet

1

Pain Beurré et Pain Doré sont deux chevaux blancs
Avec des taches de safran
Quand Pain Beurré est content
Pain Doré l'est tout autant
Quand Pain Beurré part pour la chasse
Pain Doré, lui, reste à sa place
Et s'occupe des chevaux des champs.

2

Pain Beurré et Pain Doré ont un bon patron
Un ancien bagnard, dit-on,
Revenu dans le canton,
Il élève des chatons
Il fait commerce de pivoines
Et donne de bonnes rations d'avoine
A nos deux frères jumeaux bretons.

3

Pain Beurré et Pain Doré ont la même jument
Ils se la partagent gaiement
Étant chacun son amant
Elle les trouve tous deux charmants
L'ancien bagnard règle les heures
Règle les heures de leur bonheur
Et ça évite bien des tourments.

4

Ils travaillent, ils sont nourris
La paix dans l'esprit
Ils vivent bien loin d'Paris
Le dimanche ils vont en perme
En faisant le tour d'la ferme
Sur leur crinière, des oiseaux gris
Se reposent en faisant « cui-cui »
Car les oiseaux sont leurs amis.

5
Je crois bien qu'nos percherons
Au ventre marron
Ignorent tout des éperons
Et du monde qui n'tourne pas rond
Jusque dans nos environs
Comme il fait bon sur leur litière
De roupiller des nuits entières
Près d'un matou qui fait ronron.

6
Pour eux passera le temps
Peut-être vingt ans
C'est bien peu pour un jeune homme
Mais pour un cheval c'est comme
S'il avait quatre-vingts ans
Ils auront une vieillesse heureuse
La Mort viendra, phares en veilleuse
Et sans avoir le mors aux dents.

7
Pain Beurré et Pain Doré n'auront pas d'histoires
Ou bien des histoires d'armoires
Et de confitures de poires
Des histoires de jours de foire
Mais moi je sais qu'un jour ou l'autre
Vous conviendrez, ces deux apôtres
Eurent un destin pas comme le nôtre.

Il faudrait toujours

Paroles et musique de Charles Trenet

1
Il faudrait toujours attendre un p'tit peu
Pour toutes les choses de la vie
Il faudrait toujours garder un p'tit feu
Pour mieux exciter nos envies

Un peu de soleil
Après le sommeil
Pour un bon réveil
Mais jamais pareil
Il faudrait toujours garder un p'tit peu
Un peu du meilleur de soi-même
Il faudrait toujours quand on dit : Adieu
Pouvoir dire aussi : Je vous aime.

2
Il faudrait, dit-on, n'écouter que ceux
Qui vous conseillent en bonnes paroles
Et qui vous promettent le royaume des cieux
Illustré d'étranges paraboles
Descendu du ciel
Trop superficiel
Vous goûtez des miels
Bien artificiels
Il faudrait toujours n'écouter que soi
Mais la horde des conseils veille
On ne sait plus si on est ver à soie
Ou plus joliment une abeille.

3
On ne sait plus qui, on ne sait plus quand
On ne sait plus quoi par instance
On est là perdu du côté d'Fécamp
Ou bien quelque part hors de France
On se croit chez nous
On est au Pérou
Et parfois même sous
Sous d'autres verrous
On devrait toujours, suivant les saisons
Qui marquent les choses de la chance
On devrait toujours choisir sa prison
En raison de son existence.

A la brocante

Paroles et musique de Charles Trenet

1
A la brocante
A la brocante
On trouve toujours des choses charmantes
A la brocante
A la brocante
Des vieux phonos
Des vieux pianos
Des vieilles armoires
Des vieux grimoires
Qui vous racontent des tas d'histoires
Et sur des branches
Façon pervenche
Un poulailler
Bien empaillé
La photo du président Carnot
En chromo comme un ecce homo
Le passage de la Bérésina
Et de Messonnier passant par là.

2
A la brocante
A la brocante
La chose fut abracadabrante
A la brocante
A la brocante
Voilà qu'un jour
Je trouve l'amour
Enfin une femme
Une vraie dame
Qui méprisait les goûts infâmes
Patronne, maîtresse
Du tiroir-caisse
Qu'est-ce que t'en dis ?
C'est ça la vie
Elle est là qui vend d'affreux fauteuils
Faux Henri II mais venant droit d'Auteuil

Nous, parbleu, nous sommes vraiment d'époque
L'amour heureux c'est pas du toc.

3
A la brocante
A la brocante
J'ai fait mon ch'min et je m'en vante
A la brocante
A la brocante
Je resterai
Je vieillirai
Et si le Diable
D'un air aimable
Propose une affaire acceptable
J'vendrai mon âme
Sans peur du blâme
Mais je gard'rai toujours ma femme.

4
A la brocante
A la brocante
Ça fait six mois qu'Ida m'enchante
Elle me dorlote
Dans la roulotte
Voyage de noces
En chair, en os
Toutes les musiques
Des boîtes magiques
Rendent nos ébats plus nostalgiques
Une femme, un homme
V'là c'que nous sommes
Deux brocanteurs dans un seul cœur ! *(bis)*

Il vend des téléviseurs aux paysans

Paroles et musique de Charles Trenet

Il vend de belles images télévisées aux paysans
Quel est ce p'tit bonhomme
Pas plus haut que trois pommes
Qui porte un gros fardeau
Sur le dos ?
Il va dans les campagnes
Plantant des mâts d'cocagne
Des antennes dans le vent.

Car il vend des téléviseurs aux paysans
Afin qu'ils aient du bonheur quand ils reviennent
Quand ils reviennent des champs
Parfois au soleil couchant
Et qu'ils peuvent admirer sur les trois chaînes
Un choix de programmes des plus alléchants
Dont le lendemain matin ils se souviennent
Des belles émissions d'antan
Des films d'il y a vingt ans
Il vend des téléviseurs aux paysans.
Il vend de belles images télévisées aux paysans.

Il vend des téléviseurs aux paysans
Afin que le soir plus rien ne les chagrine
Quand ils sont toujours présents
Au spectacle éblouissant
D'une speakerine aux belles mandarines
Elle balbutie qu'y aura table ronde
Avec à très bon marché du très beau monde
Le duc de Morbleuboisan
Et tout le Club des Faisans
Il vend des téléviseurs aux paysans.
Il vend de belles images télévisées aux paysans.

Il vend des téléviseurs aux paysans
Afin qu'ils n'ignorent rien des bonnes lessives
De celles qui lavent le plus blanc

Et pour les gosses turbulents
Des p'tits croquants excellents pour les gencives
Mais quand ils voient arriver à tire-d'aile
Une machine à laver, dernier modèle
Ils trouvent cela séduisant
Et parfois même épuisant
Il vend des téléviseurs aux paysans.
Il vend de belles images télévisées aux paysans.

Coda

Il vend des téléviseurs aux paysans. *(ad libitum)*

Le folklore

Paroles et musique de Charles Trenet

1
Le folklore c'est par-ci, par-là
Des airs purs que tout le monde chante
Il traverse nos peines et nos joies
Comme la biche traverse les bois
Le folklore ça vous prend un soir
Et ça vient bercer de nostalgie
Tous nos rêves et tous nos espoirs
Le folklore c'est notre vie.

2
Ça vous parle d'un matin d'printemps
D'amourettes qu'on croyait oubliées
De serments qui furent dans leur temps
Des moments bien excitants
La chaumière de mes vieux parents
Apparaît aussi dans ce théâtre
Il y a là un petit enfant
Et c'est moi jouant dans l'âtre.

3

Le folklore c'est le régiment
Les réveils dans les matins de brume
Les copains qu'on aime bien pourtant
Mais que l'on quitte pour une brune...
Et parfois de retour au pays
C'est l'angoisse, les peurs de mon enfance
C'est le cri de la chouette la nuit
Ou les pas d'un mort qui danse.

4

Le folklore c'est la France aimée
De Bretagne, d'Alsace ou de Provence
Oui c'est toi Méditerranée
Au soleil de mes vacances...
Oui c'est toi, toi mon vieux Paris
Qui chantait déjà les jours de gloire
D'Henri IV et du bon Saint Louis...
Le folklore c'est notre histoire.

1981

Gilles, je t'achète une automobile

Paroles et musique de Charles Trenet

Parlé

Écoutez mes amis une lettre
Je vous la lis et vous saurez peut-être
Ce qu'un père de son repaire peut écrire à son fils
Quand il a fait pour lui des millions de sacrifices
Et ce père, avec sa grosse bedaine
Bien entendu l'escarcelle bien pleine
Lui fait don, lui fait don dit-on
Lui fait don
D'un étrange phaéton
Et ce don dans le ton
Nous le savons
Est miracle d'un grand marchand de savon
Mais que dit Père
Que dit-il
Je vous le dis, pairs
Je vous le dis pile
Il dit :

Chanté

Gilles ! je t'achète une automobile
Pour que tu n'te fasses plus de bile
Quand tu viens chez moi } *bis*
Ah, dis-moi }
Quand tu viens voir Papa !

Gilles ! je t'achète une automobile
Pour que tu quittes enfin la ville
Quand tu viens voir Papa !

Et pour ça tu traverses toute la France
De Paris jusqu'à Aix-en-Provence
Mais après deux jours, deux nuits
Tu repars le portefeuille bien garni

Ah dis-moi Gilles
Je t'achète une automobile
Fais attention elle est fragile
Mais elle fera c'est sûr
De l'effet sur } *ter*
La Côte d'Azur ! }

Dîner avec un ami

Paroles et musique de Charles Trenet

1

Dîner avec un ami, un ami, c'est fou
Tiens, ce p'tit rosé n'est pas mal du tout
Dîner avec un ami, c'est fou
Ce qu'on peut dire de choses entre nous
Tu sais qu'Jacky part pour le Pérou
Il paraît que Madeleine est mariée...
Et toi, mon vieux, t'es toujours dans l'coup
Et moi, tu vois, je suis encore debout.

2

Ce pauvre Laurent est mort sans l'savoir
Dans son p'tit logement de la rue Ampère
Il faut qu'tous deux nous allions le voir
Pour lui dire adieu, c'était un vieux frère
Sais-tu qu'j'ai vu Ferdinand hier soir
Devine avec qui ? — Oui ! sa « locataire » !
Quant à Madou elle reste dans son bar
Mais à présent elle est dame du vestiaire.

3

Dîner avec un ami, c'est là
Qu'on racont' le mieux chacun ses histoires

On les arrange quelque peu parfois
Entre le fromage et la poire
Un pousse-café, tout change de couleur,
Le passé tourne joyeux dans sa gloire...
Dîner avec un ami une heure...
Une heure ou deux, ça vous réchauffe le cœur...

Marie tu dors...

Paroles et musique de Charles Trenet

1
Marie tu dors,
Moi l'amour me réveille
Marie tu dors
J'ai envie de ton corps
Ouvre les yeux,
Tu verras des merveilles.
Ouvre les yeux,
Tu te sentiras mieux.
Au fond d'la cour
Le p'tit jour s'ensoleille
Au fond d'la cour
Le soleil fait l'amour...
Marie, qu'as-tu
Je te parle à l'oreille.
Marie, qu'as-tu
Tu ne m'entends donc plus ?

2
Dis-moi, dis-moi
Si vraiment tu sommeilles
Dis-moi pourquoi
Tu ne me réponds pas
Ton corps est froid
Il était chaud la veille
Ton corps est froid
Je le sens contre moi.

Alors soudain
J'ai crié à la ronde
Alors soudain
J'ai compris, mais en vain,
Que mon amie
Que ma femme, que ma blonde
S'était enfuie
Loin des rives de la vie.

3

Marie aimée
Je suis seul en cellule
Marie aimée
Ils m'ont emprisonné
Y'a des hommes noirs
Au fond d'un vestibule
Y'a des hommes noirs
Qui viennent parfois me voir.
On me dit fou
De questions on me presse
On me dit fou
Que faut-il que j'avoue ?
Y'a un médecin
Qui t'appelle « ma maîtresse »
Y'a un médecin
Qui me traite d'assassin.

4

Marie, Marie
C'est la ronde des heures
Marie, Marie
C'est déjà le jury
Il a dit oui,
Il faudra que je meure
Il a dit oui
Le jury de Paris
C'est pour bientôt
Pas de recours en grâce
C'est pour bientôt
La sortie du cachot

Marie, Marie
J'abandonne la place
Car aujourd'hui
Je vais quitter la vie.

5
Orchestre ; reprise du refrain

C'est pour bientôt
Pas de recours en grâce
C'est pour bientôt
La sortie du cachot
Marie, Marie
Marie pleine de grâce
Marie, Marie,
Nous voilà réunis.

La flûte du maire

Paroles et musique de Charles Trenet

1
Dans les fêtes de village
La musique faisait rage
Il m'en souvient encor
J'allais en espadrilles
Danser avec les filles
Dans un joli décor
Parfois sous la tonnelle
J'entraînais une belle
Dans l'ombre de la nuit
En lui disant : « Petite
Viens près de moi bien vite
Ce soir tout est permis. »

2
Un jour au clair de lune
Je file avec une brune

A l'écart du p'tit bal
Elle était bien charmante
Mais elle était tremblante
Après tout c'est normal
Dans la douce atmosphère
Je m'écriais sincère
« Chérie veux-tu de moi ? »
Elle dit : « J'ai peur d'être mère
Je suis la fille du maire
Qui joue d'la flûte là-bas. »

3

Je m'approche de l'orchestre
En fuyant comme la peste
Des amis importuns
Comme ma passion est grande
Vite je fais ma demande
Au maire musicien
Il m'invite dans sa hutte
Et me montrant sa flûte
Me dit d'un air gourmand
« Je vous veux bien pour gendre
Mais avant faut apprendre
A jouer d'cet instrument. »

4

Et depuis je m'entraîne
Chaque jour avec peine
Sans jamais parvenir
A jouer de la p'tite flûte
Car mes doigts se culbutent
Ratant leur champ de tir
Et puis les années passent
La flûte du maire m'agace
Et sa fillette aussi
A présent très honnête
Je joue d'la clarinette
A mon épouse Flossie.

5

Dans les fêtes de village
Du temps de mon jeune âge
Il m'en souvient encor
Y avait la fille du maire
Qu'avait peur d'être mère
Et défendait son corps
Adieu fille, maire et flûte
Vous fîtes ce que vous pûtes
Pour m'apprendre l'instrument
Mais moi ma Flossinette
Avec ma clarinette,
Je l'ai rendue maman.
Et je suis resté son amant !

Y'a ma Kamabah

Paroles et musique de Charles Trenet

1

Dans mon garage y'a ma
Dans mon garage y'a ma
Dans mon garage y'a ma Kamabah
C'est une jolie moto
Plus belle qu'une auto
Avec son phare en boule de loto
Dans mon garage y'a ma
Dans mon garage y'a ma
Dans mon garage y'a maman et papa
Qui vienn'nt voir cet engin
Et pendant qu'maman geint
Papa la plaint
Et moi je fais l'plein.

2

Et sur les routes y a ma
Et sur les routes y a ma
Et sur les routes y a ma Kamabah

A cent soixante à l'heure
Ça fait parfois très peur
Et Daisy Bell en a mal au cœur
Je la console bien vite
En lui disant ma petite
Arrêtons-nous ici tout de suite
Assis sur la verdure
On mangera des œufs durs
En pleine nature
Ça n'manque pas d'allure !

3
Et puis la vie repart
On s'en va au hasard
Mais un beau jour
Vers onze heures et quart
On s'trouv' devant Monsieur le Maire
Pour une heure éphémère
Et Daisy dit On va s'fair' la paire
On nous marie alors
Nous en sommes bien d'accord
D'âme et de corps, ça c'est un record
Un record merveilleux
Je n'en crois pas mes yeux
Tiens, v'la l'curé, ah merci mon Dieu !

4
Dans ma chambrette y a ma
Dans ma chambrette y a ma
Dans ma chambrette y a ma femme à moi
Les copains font Ah ! Ah !
Mais moi j'suis bien comm' ça
Avec deux roues, quat' jambes et quat' bras
Et sur le siège arrière
Il n'y a plus d'barrière
Pour faire asseoir un petit derrière
Celui de Paloma
Notre fillette qui m'a

Rendu papa sur ma Kamabah !
Rendu papa sur ma Kamabah !

Vrai ! vrai ! vrai !

Paroles et musique de Charles Trenet

1
Vrai, vrai, vrai, du temps que je rêvais
Vrai, vrai, vrai, je voyais tout en vrai
Rêves précis
Par-là, par-ci,
Dont mon esprit était farci
(Madame) Vraie, vraie, vraie cette reine en sabots,
Vrai, vrai, vrai, qu'elle s'appelait Isabeau
Vrai ce hippie en oripeaux
Vrais, vrais, vrais ce drapeau, ce crapaud.

2
Vraie, vraie, vraie la soirée de famille,
Vraie, vraie, vraie la tass' de camomille,
Vrai ce violon, vrai ce ballon
Qui m'emportait loin du salon...
Vrai, vrai, vrai ce vieux chemin de fer
Vrai, vrai, vrai qu'il menait en enfer
Et que saint Pierre
Dans la soupière
N'était plus qu'prisonnier d'Lucifer.

3
Vrai, vrai, vrai le petit pensionnaire
Qui s'trouvait orphelin de sa mère
Vrai ce dortoir
Ces ombres noires
Toutes en soutanes de désespoir
Vrai, vrai, vrai, que parfois le courage
Me rev'nait en songeant au bel âge

« A l'âge d'av'nir », disait un' voix
Celle d'un frère qui rêvait avec moi.

4

Vrai, vrai, vrai ce studio qui s'anime
Vieux ciné, solitude sublime
Qui m'a permis de m'échapper
Vers des collin's plus escarpées.
Vrai, vrai, vrai que souvent on retombe
Avec parfois un pied dans la tombe
Et qu'il suffit pour remonter
De se dire : Je vais rire et chanter.

5

Vrai, vrai, vrai, ce que furent ces histoires
Vrai, vrai, vrai qu'il faudrait pour y croire
Être à ma place un certain jour
Quand la vie embrasse l'amour
Vrai, vrai, vrai ce temps d'adolescence
Vraie, vraie, vraie cette douce espérance
Vrai ce chemin
Et vraie ta main
Vrai l'amant ami des lendemains.

6

Vrai, vrai, vrai que les songes existent
Vrai, vrai, vrai que nous sommes des artistes
Quand nous rêvons
Et qu'nous savons
Faire de jolies bulles de savon
Vrai, vrai, vrai qu'aujourd'hui je vous aime
Souvenirs frais qui se muent en poèmes
Quand on peut dire c'est arrivé
Bien ou pire on peut dire j'ai rêvé
Car des rêves vrais ou faux
C'est bien vrai qu'il en faut.

Le temps qui passe nous a volés

Paroles et musique de Charles Trenet

1

Le temps qui passe
Nous a volés,
Dans son espace
S'est envolé
Amour encore,
Fureur d'aimer,
Quand à l'aurore
On est charmé.
On vagabonde
Même aux abois
La vie abonde
De tant de lois
Dans la nature
Les horizons
On veut qu'ils durent
On a raison.

2

Pauvres poètes
Perdus alors
Dans les tempêtes
Ou dans les ports...
Mais à Port-Vendres
Je me sens bien,
Il faut comprendre
Qui se souvient
J'avais des frères
Dans les ruisseaux
Dans les rivières
Dans toutes les eaux
Je n'ai plus trace
De leur destin
Leurs pas s'effacent
Sur mon chemin.

3

Pourtant ils brament
Leur vieux désirs
Ils sont les âmes
Du souvenir.
Frères, mes frères
Je vous entends
Rire des misères
Aux jours d'antan.
Rire sans vergogne
Rire, ô combien,
De la vie qui cogne
Dans tous les coins.
Elle fut cruelle
Parfois jolie.
Tant mieux pour elle
Rose pâlie...

4

Le temps qui passe
Nous a volés
Et quoi qu'on fasse
Pour en parler
Trop tard pour dire
« Si j'avais su »
Meilleur ou pire
On a vécu
Mais tout s'éclaire
D'un jour nouveau
Quand l'éphémère
Repart à zéro
Comme une romance
Qui n'a pas d'fin
La vie recommence
Nouveau refrain.

5

Une mignonne
Dans une rue
Du vieux Narbonne

M'est apparue
Pour elle je chante
Même sur les toits
Petite infante
J'aime tout de toi.

Soufflez soufflez les bougies

Paroles de Charles Trenet et Roland Gerbeau *Musique de Charles Trenet*

1
Soufflez soufflez soufflez les bougies
Les flammes joyeuses des anniversaires
Soufflez soufflez il y a d'la magie
Autour des mains amies que l'on serre
Soufflez soufflez soufflez bien plus fort
Sur l'an nouveau qui ce soir recommence
Pour vous offrir le plus beau trésor
L'amour heureux la plus jolie des chances
Chantez chantez chantez les mamies
Chantez en chœur au cœur de la fête
Dansez dansez dansez les papis
C'est bon de perdre un peu la tête

2
Aux jours de joie et même aux jours gris
Quand s'en iront les bleues hirondelles
Un an de plus ça n'aura pas de prix
Soufflez soufflez toutes les chandelles
Riez riez riez les petits
Chassez chassez chagrins, idées noires
De nous r'trouver l'an prochain ici
Faisons le vœu oui, c'est bon d'y croire
Chantez chantez chantez avec moi
Les doux instants de toute la vie
Soufflez soufflez soufflez dans la joie
Sur ces bougies de nostalgie

3
Je sais qu'un jour on se souviendra
De ses lumières tremblantes et folles
Qui sous l'effet d'une danse à grands pas
Ressemblaient tant à des lucioles
Ressemblaient toutes à des firmaments
Des voies lactées brillantes sur terre
Elles éclairaient des débuts d'romans
Pour amoureux jamais plus solitaires
Au temps béni où nous étions là
Tous réunis en bonne compagnie
Y avait encore maman et papa
Quand nous soufflions sur les bougies

Que veux-tu que je te dise, maman ?

Paroles et musique de Charles Trenet

1
Que veux-tu que je te dise
De Narbonne, de ses églises
Maman ?
C'est pour moi quand j'm'y retrouve
Comm' un p'tit Musée du Louvre
Charmant
Le long du quai de Lorraine
En rêvant je me promène
Sans hâte
Je rencontre alors mon âme
Qui s'éleva chez Madame
Meinrat

2
Oui, la place des Quatre-Fontaines
Est partie ton ton tontaine,
Mais quand ?
A droite, vivant chez elle
Y'a toujours Mademoiselle

Bascans
La maison sans locataire
Est devenue bien solitaire
Viens-y
Elle a toujours sa vieille mine
Comme en face celle de la Line
Ouzy.

3

Les trains passent et repassent
Comme dans le temps espace
Jadis,
Où tantoune, bonne oreille
S'écriait : « Voici Marseille,
Train bis ! »
Le vent souffle à perdre haleine
Et la nuit il se déchaîne
Souvent
Sous l'manteau des cheminées
Comme au temps de tes années
D'couvent.

4

Des anciens amis le nombre
Se profile, j'en vois les ombres
Feutrées
Attendant devant la porte
Dans un bal de feuilles mortes
« Entrez ! »
Voici l'fringant capitaine
Et son carcan sur bedaine
Bien court
Et ce doux clerc de notaire
Tous deux rev'nus pour te faire
La cour.

5

Mais toi tu joues les coquettes
Et tu changes de toilette
Quelles mues !

Tu reviens avec des tasses
De thé que parfois l'on casse
Ému.
Au piano, c'est formidable
Le duo de Robert le Diable
Tu chantes
Mais grand'mère te reproche
D'engloutir les doubles croches
Méchante !

6

Si tu n'aimes plus Narbonne
Comprends que je m'abandonne
Parfois
A son charme millénaire
A son sourire débonnaire
Et j'crois
Que mon vœu sera sans doute
Quand j'aurai fini ma route
Celui
De dormir au cimetière
Près de toi petite mère
Sans bruit...

Gruissan mes amours

Paroles et musique de Charles Trenet

Gruissan, Gruissan mes amours
Je pense à toi depuis bientôt toujours
Oui je pense
A la chance
De revenir en vacances
Sur ta plage qui s'éveille
Au soleil

Gruissan, Gruissan mes amours
Je reverrai ton village à l'entour

Et la tour
Barberousse
Qui se mire, grave et douce
Dans les eaux de l'étang
Palpitant

J'irai, si je m'en souviens
Jouer encore aux Indiens
Rêver dans les pilotis
Au temps où j'étais petit

Gruissan, d'hier ou d'alors
Et d'aujourd'hui, éblouissant décor,
J'ai le cœur qui balance
Et qui rythme la cadence
D'un bateau plein d'amour dans ton port. } *bis*

L'écologiste

Paroles et musique de Charles Trenet

1
Il va lier des bâches
Sans être bachelier
Il va garder des vaches
Des moutons par milliers
Il va métamorphose
D'un vieux Prince Charmant,
Il va cueillir des roses
Pour papa et maman
Il va faire l'imbécile
Près du Cap Kennedy
Exportant des bacilles
Plus gros que je vous l'dis
Il va loin de la terre
S'exporter du Perreux
Il s'envol' solitaire
Avec un joint ou deux

2

Il va remplir d'extase
Des mondes inconnus
Il va faire des phrases
Très haut en haut des nues
Il va dire qu'en vendanges
L'amour est le plus fort
Et qu'au besoin un ange
Vous fait coucher dehors
Il va écologiste
Prouver que l'Univers
Fait partie d'une liste
Comprise de travers
Et quand un jour sur terre
Il arrive, descendu
Du haut d'sa montgolfière
Il n'est pas très dodu

3

Il retrouve tous ses frères
Son frère du Périgord
Son cousin le notaire
Et sa mère du Vercors
Ils étaient dans sa chambre
Très bons autour de lui
Ils réchauffaient ses membres
En le fouettant au buis
Depuis il les regarde
La nuit comme le jour
A la lueur blafarde
Des taudis de faubourgs
Il fume une bouffarde
Tel un vieux loup de mer
Avalant par mégarde
Un peu de jus amer

4

Il va dans les campagnes
Sans autres lieux que lui
N'ayant pour toute compagne

Que la lune qui luit
Il court dans la nature
Poète et musicien
Les gens à l'aventure
Le traitent d'« homme ancien »
Il est enfin lui-même
Il aime les oiseaux
Il aime quand même qu'on l'aime
Parfois dans les roseaux
Il est le grand espiègle
Fils de Dieu, notre amour
Vingt et unième siècle
Il vous salue : Bonjour !

Cœur absent

Paroles et musique de Charles Trenet

1

Tout était bien à sa place :
Les bateaux sages dans le port,
Les filins que l'vent agace
Chantaient des refrains d'alors...
Les passants n'avaient plus d'âge
Et le ciel était joufflu
Sur la vill' s'enroulaient de beaux nuages
Mais mon cœur, vois-tu,
N'y était plus.

2

A quoi bon faire la grimace,
Quand les choses dans leur décor
Sont les mêm's et se prélassent
Ensemble d'un commun accord
Je voulais croire au mirage
Qui jadis m'avait ému
Tout semblait pareil dans ce voyage

Mais mon cœur, vois-tu
N'y était plus.

3
Et pourquoi tant de disgrâce
A bâbord comme à tribord
Pourquoi donc ce face à face
Sans âme au-delà du corps ?
Ne m'accus' pas d'radotage
— Déjà vu ou déjà lu —
Je t'assur' j'entrais dans l'paysage
Mais mon cœur, vois-tu
N'y était plus.

4
Oui j'avoue que quoi qu'on fasse
Pour garder certains trésors
Il en est que l'temps efface
L'amour a aussi sa mort...
D'autres diront : amour volage
Qu'en sait-on dans l'absolu ?
La beauté devient la pire image
Quand le cœur, vois-tu
Non, n'y est plus !

La mort du chiffonnier

Paroles et musique de Charles Trenet

1
Quand viendra la « vieille charrette »
Faire un tour dans notre pays
Je dirai au cocher : « Arrête
Y a quelqu'un pour toi ici
Viens, accours, il faut faire vite
Emporter le vieux chiffonnier
Il est mort prends-le tout de suite
Dans ses peilles entortillé

Refrain

Sur la lande landerirette
Sur la lande lande on rira } *bis*

2
Il était l'mari d'Maryvonne
Il venait je crois d'Loquefret
Après trois jours il abandonne
Il abandonn' la pauvrette
Il avait des tas d'camarades
Pour fair' la foire à Landerneau
Avec eux il s'rendait malade
En buvant aut' chos' que de l'eau *(Au refrain)*

3
Il avait la main bien trop leste
Quand il sortait du cabaret
Pareil à une sauvage beste
La Maryvonne il battait
Ell' venait alors tout en larmes
Prendr' chez moi un bol de café
Avec trois ou quatre gendarmes
Vit' chez elle on la ramenait *(Au refrain)*

4
On a vu sortir des lumières
De son toit pour la Chandeleur
Et voler vers le cimetière
Pour se joindre à d'autr' lueurs
On prétend aussi que le Diable
Lui rendait visit' chaque nuit
Qu'il entrait nu dans un' table
Escorté de mauvais esprits *(Au refrain)*

5
Fossoyeur, couvre bien de terre
La dépouille du chiffonnier,
Le curé lui chante un' prière,
Moi, j'épouse sa moitié

Moi j'marie, j'marie Maryvonne
Depuis tant de temps je l'aimais
A présent la vie sera bonne
Puisqu'est mort le vieux chiffonnier

Dernier refrain

Sur la lande lande en goguette
Sur la lande lande on dira
Qu'il est mort d'une pierre sur la tête
Lancée par qui ? Ben... pas par moi !

1983

Rodéo d'amour

Paroles et musique de Charles Trenet

1
Donnez-moi la joie de la vie
Donnez-moi le temps d'espérer
Donnez-moi la force et l'envie
Dans ce ranch jadis adoré
Les chevaux sont là toujours sages
Fidèles au maître qui revient
Qui leur parle d'un « état sauvage »
Dont l'amour était le soutien
Donnez-moi mon Dieu la cadence
Du jeune homme qui part pour le combat
Rodéo d'amour vieille danse
Danse encore dans mon vieux cœur qui bat

2
La maison sourit c'est la même
Augmentée d'avoir quelques fils
Les cloisons murmurent : « Je t'aime »
Dans le vent comme au temps jadis
Et pourtant bien des choses ici changent
Les visages se sont refermés
Se peut-il qu'un jour on dérange
Ceux-là même qu'on a tant aimés

3
Mais avant de reprendre la route
La dernière hélas sans retour
Il faudra ce soir coûte que coûte
Retrouver l'ardeur des beaux jours
Donnez-moi Seigneur plus de force

Plus d'audace envers le destin
L'arbre vit encore sous l'écorce
Mourra-t-il au petit matin ?
Donnez-moi mon Dieu la cadence
Du jeune homme qui part pour le combat
Rodéo d'amour vieille danse
Danse encore dans mon vieux cœur qui bat.

Moi je vends du blues

Paroles et musique de Charles Trenet

1
Moi je vends du blues
De la nostalgie pour tous
Pour qui m'en achète
Y'a pas de cachette
Moi je vends du blues
Moi je chante la rue
Et quand j'fais le pied d'grue
Je gratte ma guitare
Et le rêv' démarre
Devant les passants perdus

2
Moi je vends ma jeunesse
En caresses de tristesse
Parfois je m'égare
Jusqu'au fond des gares
Par force ou faiblesse
Moi je vends l'enfance
A ceux qui sans méfiance
Retrouvent leur emblème
Tout au fond d'eux-mêmes
Dans l'indifférence

3
Moi je vends des choses
Qui se métamorphosent
Dans les petites chambres
Au froid de décembre
En bouquet de roses

4
En soleils-lumières
Qui se moquent des gouttières
Des hivers qui passent
Quand le vent les chasse
Aux saisons premières
Et tout c'qu'elles m'apportent
Après tout que m'importe
La vie que j'épouse
Ne peut-être jalouse } *bis*
D'un marchand de blues }

1986

Aux fontaines de la cloche

Paroles et musique de Charles Trenet

1

Aux fontaines de la cloche
M'en allant promener
J'ai trouvé l'eau si moche
Que je m'en suis allé
Il y a longtemps que ces roches
Recueillent de l'eau troublée...
Tout n'était que guenilles
Et membres frémissants
Faux garçons, fausses filles
Tristes adolescents
Il y a longtemps que tu frimes
Jamais je n'ai fait semblant.

2

J'ai compris que leur mode
Leur modus vivendi
Étaient aux antipodes
Des amours de jadis.
Il y a longtemps que je rôde
Amen et De Profundis
Les blousons de la haine
Cachaient de pauvres cœurs
Que Rimbaud et Verlaine
Auraient pris comme leurs
Il y a longtemps que je peine
Ton cœur n'était qu'un voleur.

3

La crasse, la déroute
Stagnaient sur leur chemin
Ils avaient pris la route
Triste, sans lendemain
Il y a longtemps que je doute
Du sort des mains dans les mains.
Mais leurs visages d'ange
Fleurissaient malgré tout
Malgré toute la fange
Qui sortait des égouts
Il y a longtemps que je range
Fausses couleurs et faux goûts...

4

Croyaient-ils en extase
Qu'ils vivaient par Villon
Et que dans cette vase
Ils tenaient leur salon.
Il y a longtemps que mes phrases
N'ont plus cours, et c'est selon
Lors je les laissais faire
Pensant « ils sont heureux »
Chacun son atmosphère
La leur faite par eux.
Il y a longtemps que j'espère
Le temps des vrais amoureux.

Coda

J'ai fui cette fontaine
Sans charme, sans attrait,
En chantant des poèmes
Que nul ne comprenait.
Il y a longtemps que je t'aime
Jamais je ne reviendrai.

Le fantôme de la Tour Eiffel

Paroles et musique de Charles Trenet

1

Hmm hmm ah, ah, ah, ah.
Écoutez mes amis l'histoire fantastique
Du fantôme de la Tour Eiffel
Il avait arrêté l'ordre chronologique
Pour démonter le temps et le rendre irréel,
Il était entouré de curieux personnages
Vivants ou morts ou comme tels,
Qui s'exprimaient chacun dans son propre langage
Pour transformer la Tour en celle de Babel.
Policiers, espions, satyres et clowns tristes
Étaient pour lui ses adjudants,
Parfois il les traitait comme des grands artistes
Parfois aussi, hélas, comme des cure-dents
Écoutez mes amis l'histoire fantastique
Du fantôme de la Tour Eiffel.
Elle désarmera, je sais, plus d'un critique
Mais elle vous fera rêver, et c'est là, l'essentiel.

2

Hmm hmm hmm ah, ah, ah.
Aventure délirante souvent hallucinée
En troisième, quatrième dimension,
La puissance du fantôme à présent déchaînée
Détournait le soleil tombant à l'horizon
Il était à Venise en même temps qu'à Vienne
A Greenwich cassant l'méridien
On le croyait à Brest, à Nantes, à Saint-Étienne
Alors qu'il dînait seul, dans le transsibérien
La police, éperdue, employait tous les masques
Pour le traquer sans être vue
A Pékin déguisée en géante tarasque
A Tarascon en Belzébuth.
A vous donc mes amis d'éclaircir le mystère
Du fantôme de la Tour Eiffel

On m'a payé très cher, très cher pour me faire taire,
Werther, au clair de lune, je m'envole dans ton ciel.

L'homme au singe savant

Paroles et musique de Charles Trenet

1

Théâtre en rond et en plein air,
On vient d'annoncer sur la place
De ce hameau encore désert
Que ce soir des comédiens passent.
On l'a su vite dans les foyers
Et déjà partout la joie fuse
C'n'est pas toujours qu'à Mervilliers
Le bon peuple a droit qu'on l'amuse.

Allons voir l'homme au singe savant
Il vient en somme une fois par an
Accompagné d'un jeune enfant
Tous les trois de retour d'Italie
Le singe s'appelle Trésor Pervers
Il saute très haut d'endroit d'envers
Et l'homme vieux, beau, récite des vers
Que l'enfant berce d'une mélodie.

Sur une harpe en bandoulière
Dans laquelle chante le vent
Il trouve des notes singulières
Qu'les badauds écoutent en rêvant.
Le vieux s'appelle Carbonari
Le jeune a nom Garibaldi
Ils doivent rester jusqu'à jeudi
Et peut-être même jusqu'à vendredi.

2

Hélas le singe Trésor Pervers
Avant-hier est tombé malade

Tout ça c'est d'la faute à l'hiver
Qui rendait blanche la parade
Trésor Pervers est mort ce matin
D'une congestion pulmonaire
Du moins c'est ce qu'a dit le médecin
Notre docteur vétérinaire.

Depuis la mort du singe savant
Plus rien pour eux n'est comme avant
Le vieil acteur, le triste enfant
Ont perdu le meilleur de la troupe
Nous leur donnons asile de nuit
Mais au p'tit jour sans faire de bruit
Vers d'autres lieux tous deux s'enfuient
Essayant de gagner leur soupe.

Depuis la fin du petit singe
Carbonari a bien vieilli
Le dos courbé, blanc comme un linge
Il s'appuie sur Garibaldi
Pauvre vieillesse et pauvre enfance
Que sont-ils à présent devenus ?
On dit le p'tit à l'Assistance
Et le vieux, mort, dans une rue.

Sans famille

Paroles et musique de Charles Trenet

Sans famille,
C'est Rémi, Rémi au hasard des chemins...
Sans famille,
La vie n'est pas toujours gaie pour un gamin
Quand il marche,
Il rencontre quelquefois de bons amis
Patriarches
Ou bien de pauvres petits perdus comme lui...
Vivra-t-il toujours sur terre

Solitaire, sans bonheur
Le destin saura-t'il faire
Pour lui plaire
Une âme sœur ?
Sans famille,
Sous la neige bleue ou sous le grand soleil,
Ses yeux brillent,
Larmes d'espoir ou de chagrin sans pareil...

1992

Laisse courir tes doigts

Paroles et musique de Charles Trenet

Il déambulait seul, sur les bords d'un ruisseau
C'était la fin du jour, tout devenait tranquille
Dans le ciel rouge et noir passait un pauvre oiseau
Qui s'enfuyait au loin des faubourgs de la ville...

Poète, il demeurait dans ce quartier désert
Où le temps n'avait pu changer la moindre chose
Dans le petit jardin fleurissait une rose
Que semblait épargner la froideur de l'hiver
Il monta l'escalier, pénétra dans la chambre
Et soudain dans son cœur une voix s'éveilla
C'était la voix du vent, celle de fin décembre
Qui revenait de loin pour évoquer tout bas

Des histoires d'antan, des histoires très anciennes
Que murmuraient entre eux les vieux rideaux fermés.
L'enchantement planait derrière les persiennes
Quand ce refrain naquit en ce lieu bien-aimé.

Laisse courir tes doigts sur le piano
Laisse venir à toi les airs nouveaux,
Accueille comme une amie
Quelque tendre harmonie
Pour la chérir bientôt
Avec des mots...
Laisse courir encore comme autrefois
Couraient sur un beau corps tes jeunes doigts...
Ajoute une émotion
Un éclair de passion
Laisse courir tes doigts sur ta chanson.

Laisse courir tes doigts sur le piano
Laisse venir à toi les airs nouveaux
Accueille comme une amie
Quelque tendre harmonie
Pour la chérir bientôt
Avec des mots...
Laisse courir encore comme autrefois
Couraient sur un beau corps tes jeunes doigts...
Ajoute une émotion
Un éclair de passion
Laisse courir tes doigts sur ta chanson
Éternise l'instant,
Passager clandestin,
Laisse courir le temps
Sur ton destin.

American souvenirs

Paroles et musique de Charles Trenet

Sometime I'm remembering
The fabulous days
Of my life so charming
Young going my way
South California or streets of New York
Or you French Canada with a girl in every port
O Miami mine
I was loving you
Also darling Diane
Je vous aime beaucoup
You're staying sweety for ever in my heart
And if I'm returning I will never part.

Ô Virginie
Where the birds babble sweet in Springtime
And Washington D.C.
You are not only here for the rhyme
Los Angeles mine

San Francisco dear
You stay on the line
Of my souvenir
I say best of luck to you for evermore
And maybe one day I will come back encore

Parfois je m'rappelle
Les jours fabuleux
D'une vie nouvelle
Dans un temps heureux
Douce Californie ou rues de New York
Et vous filles jolies du Canada dans chaque port
Miami mon âme
De vous j'me souviens
Avec toi ma Diane
On s'aimait si bien
Oui, vous resterez toutes pour toujours dans mon cœur
Si je retourne un jour vers vous ah quel bonheur !

Ô Virginie
Where the birds babble sweet
And Washington D.C.
You are not only here for the rhyme
Los Angeles mine
San Francisco dear
You stay on the line
Of my souvenir
I say best of luck to you for evermore
And may be one day I will come back encore
Vous n'êtes pas loin souvenirs anciens
Souvenirs américains
You're not so far, to me so near
American souvenirs....

Les chansons de Charles Trenet sont éditées et en dépôt aux :

Éditions Raoul Breton
3, rue Rossini, 75009 Paris

Éditions Salabert
22, rue Chauchat, 75009 Paris

Éditions Warner-Chappell Music France
12, rue de Penthièvre, 75008 Paris

Éditions EMI Publishing France
20, rue Molitor, 75016 Paris

Éditions Paul Beuscher
27, bd Beaumarchais, 75004 Paris

Éditions Celine Music
91, rue du Faubourg-Saint-Honoré, 75008 Paris.

Table

1932

1933

1934

1935

1936

1937

1938

1939

1940

1941

1942

1943

1945

1946

1947

1948

1949

1950

1951

1952

1953

1954

1955

1956

1957

1958

1959

1960

1961

1962

1963

1964

1965

1966

1968

1969

1970

1971

1972

1973

1974

1975

1976

1981

1983

1986

1992

Dans Le Livre de Poche

Extrait du catalogue

Personnalités du spectacle, de la télévision...

Aldo, Jean-Mi, Ludo
Coluche à cœur et à cris

Berteaut Simone
Piaf

Brassens Georges
Les Chansons d'abord

Buffet Annabel
D'amour et d'eau fraîche

Chancel Jacques
Le Désordre et la Vie

Charles-Roux Edmonde
L'Irrégulière *(vie de Coco Chanel)*

Closets François de
Toujours plus!
Tant et plus!

Coluche
L'Horreur est humaine

Contrucci Jean
Emma Calvé, la diva du siècle

David Catherine
Simone Signoret

Dechavanne Christophe
La Fièvre du mardi soir

Delbée Anne
Une femme *(vie de Camille Claudel)*

Depardieu Gérard
Lettres volées

Desanti Dominique
Sacha Guitry, cinquante ans de spectacle

Deschamps Fanny
Monsieur Folies-Bergère

Devos Raymond
Sens dessus dessous
Djura
Le Voile du silence
Douglas Kirk
Le Fils du chiffonnier
Girardot Annie
Vivre d'aimer
Grassin Sophie, **Médioni** Gilles
Patrick Bruel
Gronowicz Antoni
Garbo
Hallyday Desta
Johnny, ses tendres années
Hanin Roger
L'Ours en lambeaux
Higelin Jacques
Lettres d'amour d'un soldat de vingt ans
Higham Charles
La Scandaleuse Duchesse de Windsor
Hulot Nicolas
Etats d'âme
Jelot-Leblanc, J.-J., **Huet,** J.
Bourvil
Léotard Philippe
Portrait de l'artiste au nez rouge
Lesaffre Roland
Mataf
Magic Johnson
Ma vie
McLaren Lee
Michael Jackson
Mouloudji Marcel
Le Petit Invité
Nègre Mireille
Une vie entre ciel et terre
Ockrent Christine
et **Marenches** Alexandre de
Dans le secret des princes

Perret Pierre
Laissez chanter le petit
Poivre d'Arvor Patrick
Les enfants de l'aube
La traversée du miroir
Les femmes de ma vie
Pradel Jacques, **Perthus** Jean-Marie
Perdu de vue
Renaud
Dès que le chant soufflera
Sabatier Patrick
Mon tour de vérité
Salgues Yves
Gainsbourg ou la provocation permanente
Signoret Simone
Adieu Volodia
Simon Yves
L'Amour dans l'âme
Transit-Express
Océans
Le Voyageur magnifique
Jours ordinaires et autres jours
La Dérive des sentiments
Spada James
Grace *(vie de Grace Kelly)*
Trénet Charles
Le Jardin extraordinaire
Truffaut François
Correspondance
Verlant Gilles
Gainsbourg
Verneuil Henri
Mayrig
Vlady Marina
Vladimir ou le vol arrêté
Récits pour Militza
Le Collectionneur de Venise

Composition réalisée par C.M.L., Montrouge

Imprimé en France sur Presse Offset par

BRODARD & TAUPIN

GROUPE CPI

La Flèche (Sarthe).
N° d'imprimeur : 6450 – Dépôt légal Edit. 10416 – 02/2001
LIBRAIRIE GÉNÉRALE FRANÇAISE – 43, quai de Grenelle – 75015 Paris.

ISBN : 2 - 253 - 06297 - 9 30/9620/3